TRILOGIA DE COPENHAGEN

TOVE DITLEVSEN

Trilogia de Copenhagen

Infância, Juventude e Dependência

Tradução do dinamarquês
Heloisa Jahn
Kristin Lie Garrubo

4ª reimpressão

Copyright *Infância* © 1967 by Tove Ditlevsen & Hasselbalch, Copenhagen. Publicado mediante acordo com Gyldendal Group Agency; *Juventude* © 1967 by Tove Ditlevsen & Hasselbalch, Copenhagen. Publicado mediante acordo com Gyldendal Group Agency; *Dependência* © 1971 by Tove Ditlevsen & Gyldendal, Copenhagen. Publicado mediante acordo com Gyldendal Group Agency.

Esta tradução foi publicada com o apoio financeiro da Danish Arts Foundation.

Danish Arts
Foundation

Grafia atualizada segundo o Acordo Ortográfico da Língua Portuguesa de 1990, que entrou em vigor no Brasil em 2009.

Título original
Barndom, Ungdom, Gift

Capa
Bloco Gráfico

Foto de capa
NTB/ Alamy/ Fotoarena

Preparação
Márcia Copola

Revisão
Carmen T. S. Costa
Paula Queiroz

Dados Internacionais de Catalogação na Publicação (CIP)
(Câmara Brasileira do Livro, SP, Brasil)

Ditlevsen, Tove Irma Margit, 1917-1976.
 Trilogia de Copenhagen : Infância, Juventude e Dependência / Tove Ditlevsen ; tradução do dinamarquês Heloisa Jahn, Kristin Lie Garrubo. — 1ª ed. — São Paulo : Companhia das Letras, 2023.

 Título original: Barndom, Ungdom, Gift.
 ISBN 978-85-359-3497-7

 1. Ditlevsen, Tove Irma Margit, 1917-1976 – Infância e juventude 2. Escritoras dinamarquesas – Século XX – Autobiografia I. Título.

23-162809   CDD-839.818

Índice para catálogo sistemático:
1. Escritoras dinamarquesas : Autobiografia   839.818

Cibele Maria Dias – Bibliotecária – CRB-8/9427

Todos os direitos desta edição reservados à
EDITORA SCHWARCZ S.A.
Rua Bandeira Paulista, 702, cj. 32
04532-002 — São Paulo — SP
Telefone: (11) 3707-3500
www.companhiadasletras.com.br
www.blogdacompanhia.com.br
facebook.com/companhiadasletras
instagram.com/companhiadasletras
twitter.com/cialetras

Sumário

Infância, 7

Juventude, 109

Dependência, 237

INFÂNCIA

1.

Pela manhã havia esperança. Ela se assentava como um reflexo esquivo de luz no cabelo preto e macio de minha mãe, que eu nunca ousava tocar, e se depositava em minha língua com o açúcar do mingau de aveia morno que eu ia comendo devagar, enquanto contemplava as mãos esguias de minha mãe, cruzadas, completamente imóveis sobre o jornal, cobrindo as notícias sobre a gripe espanhola e o Tratado de Versalhes. Meu pai tinha saído para o trabalho e meu irmão estava na escola. De modo que minha mãe estava sozinha, mesmo comigo ali, e se eu ficasse completamente imóvel e não dissesse nada, a paz distante em seu coração imponderável poderia perdurar até a manhã ficar velha e ela precisar sair para fazer compras na Istedgade como as mulheres normais.

O sol iluminou o trailer verde como se viesse de dentro dele, e Hans Sarnento apareceu de torso nu com uma bacia de água nas mãos. Depois de entornar a água sobre o próprio corpo, ele estendeu a mão para pegar a toalha que Lili Bela lhe estendia. Não diziam coisa nenhuma um para o outro, mas pareciam ilustrações num livro cujas páginas vamos virando bem depressa. Tal como minha mãe, em poucas horas eles se modificariam. Hans Sarnento era soldado do Exército de Salvação e Lili Bela era a sua namorada. No verão eles entupiam o trailer verde de crianças pequenas e as levavam até o campo. Em troca, os pais lhes pagavam uma coroa por dia. Eu mesma já tinha participado do passeio quando estava com três anos e meu irmão com sete. Agora estava com cinco, e a única coisa que conseguia me lembrar do passeio era que uma vez Lili Bela me pusera sentada fora do carro sobre a areia quente numa coisa que eu achava que era um deserto. Aí o trailer havia começado a se afastar e foi ficando cada vez menor e dentro dele estava o meu irmão e eu nunca mais ia ver nem ele nem minha mãe. Quando voltaram para casa, as crianças estavam todas com sarna. Por isso o nome dele era Hans Sarnento. Mas Lili Bela não era bela. Minha mãe, sim, era, naquelas manhãs estranhas e felizes em que eu precisava deixá-la completamente em paz. Bela, inatingível, solitária e tomada por pensamentos secretos que eu nunca viria a conhecer. Atrás dela, sobre o papel de parede florido cujos rasgões meu pai havia remendado com fita colante marrom, estava pendurada a foto de uma mulher que olhava para fora através da janela. No chão, atrás dela, via-se um carrinho com uma criança pequena dentro. Sob a foto estava escrito: Mulher espera o marido voltar do mar. Às vezes minha mãe se dava conta de repente da minha presença e acompanhava meu olhar erguido para a foto que eu achava tão terna e triste. Mas minha mãe caía na risada e era como se uma grande quantidade de sacos de papel cheios de ar fossem estourados ao mesmo tempo. Meu coração batucava de angústia e tristeza porque o silêncio do mundo tinha sido interrompido, mas eu ria junto com minha mãe porque era tomada pelo mesmo júbilo malévolo dela. Ela empurrava a cadeira para um lado, se levantava e se posicionava na frente da fotografia em sua camisola amassada, as mãos apoiadas nos quadris. E cantava, numa voz clara e provocadora de menina, uma voz que não combinava com ela assim como o tom que assumia mais adiante no dia, quando começava a discutir preços com os vendedores. Cantava:

*Então não posso cantar
para meu Tulle o que quiser?
Visselulle, visselulle, visselulle.
Se afaste da janela, amigo,
e volte algum dia outra vez.
A geada e o frio trouxeram
o velho mendigo de novo para casa.*

Eu não gostava da canção, mas tinha de rir alto, já que minha mãe a cantava para me divertir. Mas a culpa era toda minha, porque se eu não tivesse olhado para a fotografia, ela não teria se dado conta da minha presença e teria ficado ali sentada com as mãos serenas cruzadas e os belos olhos perdidos na terra de ninguém que havia entre nós duas. E meu coração teria podido sussurrar ainda por muito tempo: Mãe, e saber que de um modo misterioso ela me ouvia. Eu deveria tê-la deixado sozinha por bastante tempo para que ela, sem palavras, dissesse meu nome e soubesse que estávamos ligadas uma à outra. E então alguma coisa semelhante a amor teria preenchido o mundo inteiro, e Hans Sarnento e Lili Bela teriam se dado conta disso e deixado de ser ilustrações coloridas num livro. Do jeito que estavam as coisas, assim que a canção chegou ao fim os dois começaram a discutir e a gritar e a puxar o cabelo um do outro. E logo depois, também, vozes alteradas vindas da escada começaram a invadir a sala, e eu combinei comigo mesma que no dia seguinte ia fazer de conta que a foto melancólica da parede simplesmente não estava ali.

Depois que a esperança tinha sido esmagada dessa maneira, minha mãe ia tratar de se vestir, com movimentos bruscos e irritados, como se cada peça de roupa que vestia fosse um novo insulto para ela. Eu também precisava me vestir, e o mundo estava frio e perigoso e inóspito, pois as fúrias de minha mãe sempre acabavam com ela me dando uma bofetada no rosto ou me empurrando de encontro ao fogão. Ela estava estranha e misteriosa, e pensei comigo mesma que havia sido trocada ao nascer e que na verdade ela não era minha mãe. Depois que acabou de se vestir, ela foi para a frente do espelho do quarto, cuspiu num lenço de papel rosa-claro e esfregou-o com força nas bochechas. Levei as xícaras para a cozinha e no fundo de mim palavras longas e bizarras começaram a rastejar sobre minha alma como uma membrana protetora. Uma canção, um poema, uma coisa entorpecente e ritmada e infinitamente melancólica mas nunca amargurada e triste, como eu sabia que o resto do meu dia seria amargurado e triste. Quando essas ondas luminosas de palavras me tomavam, eu sabia que minha mãe perdia o poder de me atingir, pois ela já não tinha o menor significado para mim. Minha mãe também estava ciente disso, e seus olhos ficavam repletos de fria hostilidade. Ela nunca me batia quando minha alma ficava comovida desse jeito, mas tampouco me dirigia a palavra. Daquele momento até a manhã seguinte apenas nossos corpos ficariam na proximidade um do outro. E, mesmo naquele espaço exíguo, eles tratavam de evitar o menor contato um com o outro. A mulher do marinheiro, na foto da parede, continuava saudosa à espera do marido, mas minha mãe e eu não precisávamos de homens ou meninos em nosso mundo. Nossa estranha felicidade, infinitamente frágil, só desabrochava quando estávamos sozinhas uma com a outra; e depois que saí da primeira infância, nunca mais voltou por inteiro, a não ser em raros lampejos ocasionais, que se tornaram ainda mais caros para mim agora que minha mãe morreu e não há mais ninguém para contar sua história como ela verdadeiramente foi.

2.

Lá no fundo da infância está meu pai, rindo. É preto e velho como o fogão, mas não há nada nele que me amedronte. Tudo o que sei dele, tenho permissão para saber, e se quiser saber mais alguma coisa, é só perguntar. Ele não me diz nada por conta própria porque não sabe o que deve dizer a meninas pequenas. De vez em quando faz um afago na minha cabeça e diz: He, he. Aí minha mãe aperta os lábios e ele retira a mão bem depressa. Meu pai tem os seus direitos, porque é homem e sustenta a nós três. Minha mãe é obrigada a aceitar isso, mas não o faz sem protestar. "Você bem que podia ficar sentado como nós", diz ela quando ele se estende no sofá. E quando ele lê um livro, ela diz: "Ler faz as pessoas ficarem esquisitas. Tudo o que está nos livros é mentira". Aos domingos meu pai toma uma cerveja e minha mãe diz: "Isso aí custa vinte e seis centavos. Se você continuar desse jeito, vamos acabar em Sundholm". Eu sei muito bem que Sundholm é um lugar onde as pessoas dormem sobre a palha e comem conserva de arenque três vezes por dia, mesmo assim a palavra entra nos escritos que eu invento quando estou assustada ou sozinha, porque é bonita como a ilustração naquele livro do meu pai de que eu gosto tanto. A legenda é "Família de operário passeia no bosque", e mostra um pai, uma mãe e seus dois filhos. Eles estão sentados na grama verde e riem enquanto comem alguma coisa da cesta de piquenique disposta no meio deles. Os quatro olham para cima, para uma bandeira plantada na grama perto da cabeça do pai. A bandeira é toda vermelha. Sempre vejo a imagem de cabeça para baixo, porque só consigo vê-la quando meu pai está lendo o livro. Aí minha mãe acende a luz e puxa as cortinas amarelas da janela, embora ainda não tenha escurecido. "Meu pai era um canalha e um bêbado", diz ela, "mas pelo menos não era socialista." Meu pai continua lendo calmamente, pois é um pouco surdo, e também aquilo não é novidade. Meu irmão Edvin enfia pregos numa tábua, depois arranca todos com um alicate. Ele pretende ser trabalhador especializado. Uma coisa muito boa. Os trabalhadores especializados põem na mesa toalhas de verdade em vez de jornal, e comem com garfo e faca. Nunca ficam desempregados e não são socialistas. Edvin é bonito e eu sou feia. Edvin é inteligente e eu sou burra. Essas são verdades eternas, assim como as letras brancas pintadas no telhado do padeiro, mais adiante na rua. Está escrito: O *Politiken* é o melhor jornal. Uma vez perguntei ao meu pai por que, sendo assim, ele lia o *Social-Demokraten*, mas ele não fez mais que franzir a testa e pigarrear, enquanto minha mãe e Edvin caíam na risada porque eu era tão incrivelmente burra.

    A sala é uma ilha de luz e calor nos muitos milhares de noites em que nós quatro estamos o tempo todo ali dentro como os bonecos de papel na parede atrás das colunas do teatro de bonecos que meu pai montou segundo um modelo que saiu no *Familie Journalen*. É sempre inverno e lá fora está gelado, assim como no quarto e na cozinha. A sala navega no tempo e no espaço, e o fogo crepita no fogão. Mesmo que Edvin faça muito barulho com seu martelo, a sensação é de que o som é ainda mais alto quando meu pai vira uma página do livro proibido. Depois de ele virar muitas páginas, Edvin olha para minha mãe com seus grandes olhos castanhos e deixa o martelo de lado. "Mamãe não quer cantar?", ele pergunta. "Boa ideia", diz minha mãe, e sorri para ele, e na mesma hora meu pai larga o livro sobre a barriga e olha para mim como se quisesse me dizer alguma coisa. Só que a coisa que meu pai e eu queremos dizer um para o outro nunca será dita. Edvin dá um salto e entrega a minha mãe o único livro que ela possui e preza. É um livro com canções de guerra. Ele se debruça por cima dela enquanto ela folheia o livro, e embora eles naturalmente não encostem um no outro, estão juntos de uma maneira que exclui meu pai e a mim. Assim que minha mãe começa a cantar, meu pai cai no sono com as mãos cruzadas sobre o livro proibido. Minha mãe canta alto e esganiçado e de um jeito que dá a impressão de que toma distância das palavras que canta:

Mãe, é você?
Parece que você chorou...
Veio de tão longe, deve estar cansada.
Não chore, mãe, agora estou feliz.
Obrigado por ter vindo, apesar de todo esse horror.

Todas as canções de minha mãe têm muitos versos, e antes que ela chegue ao fim da primeira delas, Edvin já começou a martelar de novo e meu pai ronca alto. Edvin pediu a ela que cantasse para evitar que ela se enfurecesse por meu pai estar lendo. Ele é menino, e os meninos não ligam para canções que nos fazem chorar quando prestamos atenção no que elas dizem. E minha mãe não gosta que eu chore, de modo que me limito a ficar lá sentada, com um bolo na garganta, olhando de lado para o livro com a ilustração que mostra o campo de batalha onde o soldado moribundo ergue a mão para o espectro luminoso da mãe, que eu sei muito bem que na verdade não está ali. Todas as canções do livro têm conteúdo parecido, e enquanto minha mãe as canta, posso fazer o que bem entender, porque ela fica tão profundamente mergulhada em seu próprio mundo, que nada que vem de fora a perturba. Não ouve nem mesmo quando começa a briga e a discussão logo embaixo. Embaixo moram Rapunzel, das longas tranças loiras, e seus pais, que ainda não a venderam à bruxa por um buquê de campânulas. Meu irmão é o príncipe, e ignora que em breve ficará cego, ao cair da torre. Com o martelo, ele crava pregos em sua tábua e é o orgulho e a alegria da família. É isso que são os meninos, enquanto as meninas não fazem mais que casar e ter filhos. Meninas precisam ser sustentadas e não têm nada mais a desejar ou pelo que esperar. Os pais de Rapunzel trabalham na Carlsberg e tomam cinquenta cervejas por dia cada um. À noite, depois de voltar para casa, continuam bebendo, e pouco antes de minha hora de ir para a cama, começam a gritar e a espancar Rapunzel com um bastão grosso. Ela sempre vai para a escola com manchas roxas no rosto ou nas pernas. Quando se cansam de espancá-la, atacam um ao outro com garrafas e pernas de cadeira quebradas, e muitas vezes a polícia chega e leva um dos dois, e depois disso o sossego finalmente envolve a casa. Nem minha mãe nem meu pai gostam da polícia. Na opinião deles, os pais de Rapunzel deveriam ter o direito de se matar em paz, se tiverem vontade. "Eles fazem o que os de cima mandam", diz meu pai a respeito da polícia, e minha mãe já contou muitas vezes sobre quando os policiais foram buscar o pai dela e o levaram para a prisão. É uma coisa que ela nunca vai esquecer. Meu pai não bebe, e também nunca esteve na prisão. Meus pais não brigam, e minha vida é bem melhor do que a deles quando crianças. Mesmo assim, uma aura escura de ansiedade recobre todos os meus pensamentos quando há silêncio no andar de baixo e chega a hora de ir para a cama. Boa noite, diz minha mãe, e fecha a porta e volta para a sala aquecida. Então dispo o vestido e a anágua de lã e a camiseta e as longas meias pretas que ganho todo ano como presente de Natal. Enfio a camisola pela cabeça e me instalo por um momento à janela. Olho para baixo, para o pátio escuro lá no fundo, e para a parede da casa em frente, que está sempre chorando, como se tivesse acabado de chover. É raro haver luz em alguma das janelas, pois do outro lado delas ficam os quartos, e nenhuma pessoa normal dorme de luz acesa. Entre as paredes consigo ver um pedacinho quadrado de céu, onde de vez em quando brilha uma estrela solitária. Chamo-a de estrela da tarde e penso nela com todas as minhas forças depois de minha mãe passar por meu quarto e apagar a luz, e, deitada em minha cama, vejo a pilha de roupas atrás da porta se transformar em longos braços retorcidos tentando se enrolar no meu pescoço. Faço força para gritar, mas só consigo produzir um sussurro tênue, e quando o grito enfim sai, tanto eu como a cama inteira estamos empapados de suor. Meu pai olha para mim da porta, e a luz está acesa. Você teve um pesadelo, só isso, ele diz; quando eu era criança também tinha muitos pesadelos. Mas eram outros tempos. Ele olha para mim com ar de dúvida e parece estar pensando que não é normal uma criança que tem tudo, como eu, ter pesadelos. Envergonhada e constrangida, sorrio para ele como se o grito não tivesse sido mais que um impulso tolo. Puxo o acolchoado até o queixo, pois não está certo um homem ver uma menina de camisola. "Está bem, está bem", ele diz, apagando a luz e saindo do quarto, e de alguma maneira leva meu medo consigo, pois em seguida adormeço tranquilamente e as roupas atrás da porta não são mais que uma pilha de trapos velhos. Durmo para me proteger da noite, que passa do outro lado da janela com sua carga de terrores e males e perigos. Mais adiante, na Istedgade, tão clara e festiva durante o dia, soam sirenes de ambulâncias e carros de polícia, mas estou bem abrigada debaixo do acolchoado. Nas sarjetas, homens embriagados estão caídos com a cabeça quebrada coberta de sangue, e todo aquele que entrar no Café Charles será morto. É o que diz meu irmão, e tudo o que ele diz é verdade.

3.

Acabo de completar seis anos e em breve serei mandada para a escola, pois já sei ler e escrever. Minha mãe conta isso toda orgulhosa para quem quiser ouvir. Diz: Os filhos dos pobres também podem ter uma boa cabeça. Isso significa que ela talvez goste de mim, afinal? Minha relação com ela é próxima, dolorosa e instável, e estou sempre atrás de algum sinal de amor. Tudo o que eu faço, faço para agradá-la, para fazê-la sorrir, para evitar que se enfureça comigo. Essa é uma tarefa muito cansativa, porque ao mesmo tempo preciso esconder muitas coisas dela. Algumas dessas coisas eu ouço as pessoas falarem, outras leio nos livros do meu pai, e outras ainda meu irmão me conta. Pouco tempo atrás, quando minha mãe estava no hospital, eu e meu irmão fomos mandados para a casa de tia Agnete e tio Peter. Ela é irmã da minha mãe, ele o seu marido rico. Eles me disseram que minha mãe estava com dor de barriga, mas Edvin só riu e depois me explicou que mamãe tinha "ambortado". Que tinha um bebê na barriga dela e que o bebê tinha morrido lá dentro. Por isso tiveram de abri-la do umbigo para baixo e retirar o bebê. Foi uma coisa misteriosa e assustadora. Quando ela voltou para casa do hospital, todo dia o balde debaixo da pia estava cheio de sangue. Sempre que penso nisso, vejo uma cena diante de mim. É de uma história de Zacharias Nielsen e fala de uma mulher muito bonita que usa um vestido comprido, vermelho. Ela apoia uma das mãozinhas brancas logo abaixo dos seios e diz a um cavalheiro elegantemente vestido: Estou carregando um filho debaixo do meu coração. Nos livros essas coisas são bonitas e sem sangue, o que me acalma e me deixa confiante. Edvin diz que vou apanhar muito na escola por ser tão esquisita. Sou esquisita porque leio livros, como meu pai, e porque não entendo como é que se brinca. Mesmo assim, não sinto medo quando cruzo o portão vermelho da escola da Enghavevej, porque ultimamente minha mãe tem me dado a sensação totalmente nova de ser uma coisa única. Ela veste seu casaco novo, com gola de pele até as orelhas e cinto em torno da cintura. Suas bochechas estão vermelhas do lenço de papel, os lábios também, e suas sobrancelhas estão pintadas de modo a parecerem dois peixinhos sacudindo a cauda e nadando na direção das têmporas dela. Estou mais que convencida de que nenhuma das outras crianças tem uma mãe tão bonita quanto a minha. Eu mesma estou vestindo roupas herdadas do Edvin, mas ninguém percebe, porque elas foram reformadas por tia Rosalia. Ela é costureira e tem adoração por meu irmão e por mim, até parece que somos seus filhos. Ela mesma não tem nenhum.

 Quando entramos no prédio, que parece inteiramente vazio, um cheiro forte invade minhas narinas. Reconheço-o e meu coração fica apertado, pois é o cheiro bem conhecido do medo. Minha mãe também o sente, porque larga minha mão enquanto subimos as escadas. No escritório da diretoria somos recebidas por uma mulher que parece uma bruxa. No alto de sua cabeça, o cabelo esverdeado lembra um ninho de pássaro. Usa óculos num olho só, de modo que talvez a outra lente tenha se quebrado. Tenho a impressão de que ela não tem lábios, de tão comprimidos que estão um contra o outro, e acima deles brota e se projeta um grande nariz poroso cuja ponta é de um vermelho brilhante. "Então", diz ela sem introdução, "seu nome é Tove?" "É", diz minha mãe, a quem ela mal se dignara a dirigir um olhar, quanto mais a oferecer uma cadeira, "e ela sabe ler e escrever sem cometer erros." A mulher olha para mim como se eu fosse uma coisa que ela havia encontrado debaixo de uma pedra. "É uma pena", diz ela com frieza, "porque nós temos nosso próprio método de alfabetizar as crianças." Meu rosto fica rubro de vergonha, como sempre que dou motivo para que minha mãe seja insultada. Acabou meu orgulho, encerrada está minha curta alegria por ser única. Minha mãe se afasta um pouco de mim e diz baixinho: "Ela aprendeu sozinha, a culpa não é nossa". Ergo os olhos para ela e percebo várias coisas ao mesmo tempo: ela é menor que outras mulheres adultas, mais jovem que outras mães, e fora da nossa rua há um mundo que ela teme. E quando ela e eu tememos esse mundo juntas, ela me ataca pelas costas. Enquanto estamos as duas na frente da bruxa, percebo também que as mãos da minha mãe cheiram a detergente. Detesto esse cheiro, e quando nos afastamos da escola no mais absoluto silêncio outra vez, meu coração é tomado pelo caos de fúria, desconsolo e compaixão que dali em diante e pelo resto da vida minha mãe sempre iria despertar em mim.

4.

Enquanto isso, há certas coisas. Elas são rígidas e inamovíveis como os postes de luz da rua, mas estes ao menos se alteram à noite, depois que o acendedor de lâmpadas os toca com sua varinha mágica. Aí eles se iluminam como grandes girassóis macios no estreito território entre a noite e o dia, quando todas as pessoas se movem tão serena e lentamente que até parecem estar no fundo do verde oceano. Os fatos nunca se iluminam, e não têm o poder de amolecer corações como *Ditte Menneskebarn*, que é um dos primeiros livros que leio. "É um romance social", diz meu pai, pedante, e talvez esse seja mesmo um fato, só que não me diz nada, e não tenho uso para ele. "Besteira", diz minha mãe, que também não se interessa muito por fatos mas tem mais facilidade para ignorá-los do que eu. Quando meu pai, de vez em quando, fica verdadeiramente bravo com ela, ele diz que ela é um poço de mentiras, mas eu sei que não é verdade. Sei que cada pessoa tem sua verdade, assim como toda criança tem sua infância. A verdade de minha mãe é completamente diferente da verdade de meu pai, mas isso é tão evidente quanto o fato de ele ter olhos castanhos enquanto os dela são azuis. Por sorte as coisas estão organizadas de modo a que cada um possa guardar silêncio sobre as próprias verdades do coração, só que os fatos cruéis, cinzentos, estão registrados nos protocolos da escola e na história do mundo e na lei e nos livros da Igreja. Ninguém pode modificá-los e ninguém ousa fazer isso, nem mesmo Nosso Senhor, cuja imagem não consigo diferenciar da de Stauning, o primeiro-ministro, mesmo meu pai me falando para não acreditar em Nosso Senhor porque os capitalistas sempre o utilizaram para atacar os pobres.

Muito bem:

Nasci no dia 14 de dezembro de 1918, num apartamentinho de dois quartos em Vesterbro, em Copenhagen. Morávamos na Hedebygade 30A, e o A significava que era o prédio dos fundos. No da frente, de cujas janelas dava para ver a rua lá embaixo, moravam pessoas de um tipo mais elegante, mesmo os apartamentos sendo exatamente iguais ao nosso, mas o aluguel mensal deles era duas coroas mais caro. Foi no ano em que a Guerra Mundial acabou e a jornada de trabalho de oito horas foi adotada. Meu irmão Edvin nasceu quando a Guerra Mundial começou, e naquele tempo meu pai trabalhava doze horas por dia. Ele era foguista, e seus olhos estavam sempre salpicados de vermelho por causa das fagulhas da fornalha. Quando eu nasci ele tinha trinta e sete anos e minha mãe era dez anos mais jovem. Meu pai nasceu em Nykøbing Mors. Nasceu fora do casamento e nunca soube quem era seu pai. Aos seis anos foi mandado para trabalhar como ajudante de pastor e quase ao mesmo tempo sua mãe se casou com um oleiro chamado Floutrup. Com ele, ela teve nove filhos, mas não sei nada sobre todos esses meios-irmãos e meias-irmãs, pois nunca os vi e meu pai nunca falou neles. Ele cortou os laços com toda a sua família quando, aos dezesseis anos, foi para Copenhagen. Tinha o sonho de escrever, que nunca abandonou por completo. Conseguiu uma colocação como aprendiz de jornalista num jornal qualquer, mas por razões desconhecidas também deixou essa ocupação de lado. Não sei o que ele fez nos dez anos que passou em Copenhagen até conhecer minha mãe, aos vinte e seis anos, numa padaria da Tordenskjoldsgade. Ela estava com dezesseis anos e atendia no balcão do estabelecimento onde meu pai era ajudante de padeiro. Foi um compromisso que acabou se mantendo por um tempo anormalmente longo, e que meu pai interrompeu muitas vezes, sempre que achava que minha mãe o estava traindo. Acho que quase sempre eram coisas sem a menor importância. Aquelas duas pessoas eram simplesmente tão diferentes uma da outra que até parecia que vinham de planetas diferentes. Meu pai era melancólico, sério e bastante moralista, enquanto minha mãe, ao menos quando jovem, era alegre e tola, irresponsável e vaidosa. Trabalhou como doméstica em vários lugares, e quando não gostava de alguma coisa simplesmente ia embora, e aí meu pai precisava ir buscar sua caderneta de comportamento e suas tralhas, que ele carregava numa bicicleta de transporte de mercadorias até o novo emprego dela, onde também acontecia alguma coisa que a desagradava. Ela mesma uma vez me contou que nunca tinha ficado tempo suficiente num emprego para cozinhar um ovo.

    Eu tinha sete anos quando aconteceu o desastre. Minha mãe tinha acabado de tricotar um pulôver verde para mim. Vesti-o, e achei bonito. Pouco antes de escurecer, fomos buscar meu pai no trabalho. Ele trabalhava na Riedel & Lindegaard, na Kingosgade. Sempre havia trabalhado lá, ou seja, durante todo o meu tempo de vida. Chegamos um pouco cedo, e fiquei chutando os montes de neve derretida ao longo do meio-fio enquanto minha mãe, debruçada sobre o gradeado verde, esperava. Então meu pai saiu pelo portal e meu coração começou a bater mais rápido. O rosto dele estava cor de cinza e estranho e diferente. Minha mãe andou depressa na direção dele. "Ditlev", disse ela, "o que aconteceu?" Ele olhou para o chão. "Fui demitido", ele disse. Eu não conhecia a palavra, mas me dei conta de que havia acontecido um desastre irreparável. Meu pai era um desempregado. Uma coisa que só podia acontecer com os outros tinha acontecido conosco. A Riedel & Lindegaard, de onde vinha tudo o que havia de bom até aquele momento, inclusive meus cinco centavos dominicais, que eu não podia gastar, tinha se transformado num dragão cruel e horroroso que havia expelido meu pai de suas mandíbulas ardentes, pouco ligando para o destino dele, pouco ligando para nós, para mim e meu pulôver verde novo no qual meu pai nem reparou. Nenhum de nós abriu a boca a caminho de casa.

Tentei enfiar a mão na mão de minha mãe, mas ela afastou meu braço com um movimento brusco. Quando entramos na sala, meu pai olhou para ela com uma expressão carregada de culpa: "Pois é, pois é", disse ele, torcendo o bigode preto com dois dedos. "Vai demorar um bom tempo para eu receber a indenização pela perda do emprego." Ele estava com quarenta e três anos, velho demais para encontrar um novo trabalho estável. Mesmo assim, só me lembro de uma única vez que o auxílio sindical se esgotou e a ajuda do serviço social foi cogitada. A conversa foi aos cochichos, e depois da hora de meu irmão e eu irmos para a cama, pois seria uma vergonha indelével, como piolho e auxílio-filhos. Quem recebesse auxílio-pobreza perdia o direito de votar. Também nunca passamos fome a ponto de não estar com a barriga cheia de uma coisa ou outra, mas aprendi o que é quase fome: uma coisa que se sente com o cheiro de comida que sai pelas portas das casas dos mais bem aquinhoados, isso depois de passar vários dias à base de café e pão doce velho, vendido a vinte e cinco centavos a bolsa de escola cheia.

Quem comprava o pão doce era eu. Todo domingo minha mãe me acordava às seis da manhã e me dava suas ordens, bem escondida debaixo do acolchoado na cama de casal ao lado de meu pai, ainda adormecido. Com dedos duros de frio ainda antes de chegar ao pátio, eu segurava com força minha bolsa de escola e voava escada abaixo — escura como breu àquela hora do dia. Eu abria a porta que dava para o pátio e olhava para todos os lados e também para as janelas do prédio em frente, pois ninguém deveria me ver executar aquela tarefa infame. Não convinha ficar conhecida como alguém que compra pão velho, assim como não convinha ficar conhecida como participante das refeições escolares da escola da Carlsbergvej, única instituição de assistência social em Vesterbro nos anos 1930. Edvin e eu não tínhamos permissão para participar desta última. Aliás, também não convinha que soubessem que tínhamos um pai desempregado, mesmo sendo esse o caso para metade de nós. Por isso disfarçávamos essa desgraça com as mentiras mais deslavadas, a mais comum sendo que papai havia caído de um andaime e estava em licença de saúde. Na padaria da Tøndergade, a fila de crianças formava uma serpente sinuosa ao longo da rua. Todas traziam sacolas, e todas comentavam como o pão daquela padaria específica era bom, principalmente logo que saía do forno. Quando chegava a minha vez, eu depositava a sacola sobre o balcão, sussurrava minha encomenda, depois falava alto: "De preferência, bolinhos de creme". Minha mãe me dissera expressamente para pedir pão francês. A caminho de casa, eu engolia quatro ou cinco bolinhos de creme, limpava a boca na manga do casaco e nunca era descoberta, quando minha mãe remexia as profundezas da sacola. Eu nunca ou quase nunca era castigada pelas infrações que cometia. Minha mãe me batia com frequência e com força, mas em geral a surra era arbitrária e injusta, e enquanto durava o castigo eu sentia uma espécie de vergonha secreta ou uma tristeza densa que enchia meus olhos de lágrimas e acentuava a dolorosa distância entre nós. Meu pai nunca me batia. Em vez disso, era bondoso comigo. Todos os meus livros de infância pertenciam a ele, e quando eu completei cinco anos ele me deu de presente uma edição maravilhosa dos *Contos de Grimm*, sem a qual minha infância teria sido cinzenta e triste e pobre. Mesmo assim eu não alimentava nenhum sentimento intenso em relação a ele, e muitas vezes me recriminava por isso, quando, sentado no sofá ao meu lado, ele me fitava com seu olhar tranquilo, indagador, como se quisesse dizer ou fazer alguma coisa em minha intenção, alguma coisa que ele nunca conseguia expressar. Eu era a menina de mamãe e Edvin era o menino de papai: nada modificaria essa lei da natureza. Uma vez perguntei a ele: "Aflição... o que significa essa palavra, papai?". Era uma expressão que eu havia encontrado em Górki e tinha adorado. Ele passou um bom tempo pensando, enquanto alisava as pontas retorcidas do bigode. "É um termo russo", acabou por dizer. "Significa dor e desalento e tristeza. Górki era um grande poeta." Eu disse, feliz: "Também quero ser poeta!". Ele franziu a testa na hora e disse, em tom severo: "Não seja tola! Meninas não podem ser poetas". Ofendida e magoada, fechei-me em mim outra vez, enquanto mamãe e Edvin riam da minha ideia maluca. Jurei para mim mesma que nunca mais revelaria meus sonhos a outras pessoas, e fui fiel a essa decisão ao longo de toda a minha infância.

5.

É de noite, e como de hábito estou sentada no parapeito frio da janela em meu quarto, olhando para o pátio lá embaixo. É o momento mais feliz do meu dia. A primeira onda de medo passou. Meu pai veio dar boa-noite e voltou para a sala aquecida, e as roupas atrás da porta deixaram de me apavorar. Ergo os olhos para minha estrela da tarde, ela é como o olho bondoso de Deus, que me segue, vigilante, e está mais próximo de mim do que durante o dia. Um dia vou anotar todas as palavras que me passam pela cabeça. Um dia outras pessoas vão lê-las num livro e se admirar ao ver que mesmo uma menina podia ser poeta. Meu pai e minha mãe vão sentir mais orgulho de mim que do Edvin, e uma professora perspicaz da escola (uma que ainda não apareceu) dirá: "Percebi isso desde quando ela era criança. Ela era diferente!". Eu queria tanto escrever as palavras, mas em que lugar do mundo eu ia esconder esses papéis? Nem mesmo meus pais têm uma gaveta que possam trancar à chave. Estou na segunda série e quero escrever hinos, porque sei que é o que há de mais bonito. No meu primeiro dia de aula cantamos "A Deus agradecemos e louvamos: que noite boa passamos!", e quando chegamos a "e agora intenso como as aves do ar, ligeiro como os peixes do mar, o sol da manhã brilha através da persiana", fiquei tão feliz e comovida que caí no choro, e com isso todas as crianças começaram a rir do jeito que minha mãe e Edvin riem quando minha "esquisitice" resulta em lágrimas. Além disso, meus colegas me acham tremendamente engraçada o tempo todo. Me acostumei ao papel de palhaça e até encontro um certo consolo melancólico nele, porque, associado à minha reconhecida tolice, ele me protege da estranha maldade deles com todo aquele que é diferente.

Uma sombra se destaca do arco da porta como um rato de seu buraco. Apesar da escuridão, posso ver que é o tarado. Depois de certificar-se de que o caminho está livre, ele abaixa o chapéu sobre a testa e corre até o mictório, cuja porta deixa entreaberta. Não consigo ver lá dentro, mas sei o que está fazendo. Foi-se o tempo em que eu tinha medo dele, mas minha mãe ainda tem. Não faz muito tempo ela me levou até a delegacia de polícia da Svendsgade e disse a um policial, indignada e tremendo de fúria, que as mulheres e as crianças do condomínio não podiam ficar tranquilas com as porcarias que ele fazia. "Ele deixou minha filhinha, aqui, completamente apavorada", disse ela. Aí o policial me perguntou se o tarado havia se descoberto na minha frente e eu disse que não, sem hesitar. Eu só conhecia aquele termo da passagem "por isso descobrimos a cabeça toda vez que a bandeira é hasteada". Realmente, ele nunca tinha tirado o chapéu. Quando voltamos para casa, minha mãe disse ao meu pai: "A polícia não vai fazer nada. Neste país não há mais lei nem justiça".

A porta se abre, com suas dobradiças que rangem, e risadas e canções e imprecações se introduzem no silêncio solene de meu quarto e de dentro de mim. Me debruço para ver melhor quem está chegando. Rapunzel, o pai e Focinho de Lata, um dos companheiros de bebida dos pais dela. A garota vai no meio dos dois homens, cada um com um braço em torno do pescoço dela. Seu cabelo dourado brilha como se refletisse o clarão de um poste de luz invisível. Os três cruzam o pátio fazendo alarido e pouco depois ouço o barulho que fazem fora, na escada. O nome de Rapunzel é Gerda e ela é quase adulta; tem no mínimo treze anos. No verão passado, depois que ela saiu no vagão com Hans Sarnento e Lili Bela para tomar conta das crianças menores, minha mãe disse: "Acho que a Gerda voltou desse passeio com outras coisas além de sarna...". As garotas maiores disseram algo parecido no canto das lixeiras, no pátio, em cujas proximidades muitas vezes estou. Disseram isso baixinho e rindo, e a única coisa que eu entendi foi que havia alguma coisa desavergonhada e suja e obscena, alguma coisa que tinha a ver com Hans Sarnento e Rapunzel. Assim, tomei coragem e perguntei a minha mãe o que, afinal, tinha acontecido com a Gerda. Irritada e impaciente, ela respondeu: "Ah, menina tola. Ela não é mais inocente, só isso". E eu fiquei sem entender nada.

 Ergo os olhos para o céu sem nuvens, sedoso, e abro a janela para ficar ainda mais perto dele. É como se Deus afundasse devagarinho o rosto benigno sobre a terra e Seu vasto coração batesse suave e tranquilo muito perto do meu. Sinto-me muito feliz, e longos versos cheios de melancolia cruzam minha alma. Eles me apartam, contra minha vontade, das pessoas de quem eu deveria estar mais próxima. Meus pais não gostam do fato de eu acreditar em Deus e não gostam da linguagem que eu uso. Em compensação, deploro o uso que eles fazem da língua, pois recorrem sempre às mesmas palavras e expressões grosseiras e vulgares, cujo significado nunca corresponde ao que eles querem dizer. Minha mãe começa quase todas as ordens que me dá dizendo: "Deus que te proteja e te console se você não...". Meu pai insulta Deus em jutlandês, o que talvez seja menos perigoso, mas não mais bonito de ouvir. No Natal cantamos canções de guerra social-democratas andando em volta da árvore, e meu coração fica oprimido de medo e vergonha, pois podemos ouvir os belos hinos sendo cantados no prédio inteiro, mesmo nos lares mais embriagados e sem deus. Devemos honrar pai e mãe, e repito para mim mesma que é o que faço, mas isso é mais difícil agora do que quando eu era pequena.

Uma chuva fina, fresca, cai em meu rosto e fecho de novo a janela. Mesmo assim, consigo ouvir o ruído abafado da porta de entrada do prédio ao ser aberta e fechada lá embaixo. Então uma criatura adorável desliza pelo pátio, como se um delicado guarda-chuva transparente a mantivesse ereta. É Ketty, a linda mulher etérea que mora no apartamento vizinho ao nosso. Está com sapatos prateados de salto alto sob um longo amarelo, de seda. Por cima do vestido veste um abrigo branco de pele que faz pensar na Branca de Neve. E o cabelo de Ketty também é negro como o ébano. Vejo-a só por um instante, até o arco da porta esconder a bela visão, que alegra meu coração noite após noite. Ketty sai toda noite neste horário e meu pai diz que isso é um escândalo quando há crianças por perto, e não entendo o que ele quer dizer. Minha mãe não diz nada, porque durante o dia acontece muitas vezes de estarmos as duas na sala de Ketty tomando um café ou um chocolate. A sala dela é maravilhosa, com todos os móveis forrados de pelúcia vermelha. Os abajures também são vermelhos e a própria Ketty é vermelha e branca como minha mãe, mesmo Ketty sendo mais jovem. As duas riem muito, e eu rio junto com elas, mesmo que raramente entenda o que é tão engraçado. Mas quando Ketty começa a se divertir comigo, minha mãe me manda embora, pois não gosta que isso aconteça. É a mesma coisa com a tia Rosalia, que também gosta de conversar comigo. "As mulheres que não têm filhos", diz minha mãe, "estão sempre se metendo com os filhos dos outros." Em seguida ela começa a recriminar Ketty por deixar a velha mãe morar no quarto sem aquecimento que dá para o pátio e nunca permitir que ela entre na sala. A mãe se chama sra. Andersen, e isso, segundo minha mãe, é a "maior mentira", porque ela nunca foi casada. Nesse caso é um grande pecado ter um filho, sei bem, e quando pergunto a minha mãe por que Ketty trata a mãe tão mal, ela diz que é porque a mãe não quer dizer a Ketty quem é o pai dela. Quando se pensa numa coisa terrível assim, é preciso ficar muito grato por ter uma família com as relações bem estruturadas.

Depois que Ketty desaparece, a porta do mictório se abre devagarinho e o tarado começa a andar de lado como um caranguejo ao longo da parede do prédio em frente e sai porta afora. Eu tinha esquecido dele.

6.

    A infância é longa e estreita feito um caixão e não dá para escapar dela por conta própria. Ela está ali o tempo todo, e todos podem vê-la tão claramente quanto se vê o lábio leporino do Belo Ludvig. Com ele acontece o mesmo que com a Lili Bela, que é tão feia que não dá para acreditar que algum dia ela teve uma mãe. Tudo o que é feio ou mal-acabado a gente chama de belo, ninguém sabe por quê. Não dá para escapar da infância e ela nos acompanha como um cheiro. Dá para percebê-la em outras crianças, e cada infância tem seu próprio cheiro. Não conhecemos a nossa e às vezes temos medo de que ela seja pior que a dos outros. A gente vai e fala com outra garota cuja infância tem cheiro de cinza e carvão, e de repente ela dá um passo atrás, pois sentiu o fedor pavoroso da nossa própria infância. Disfarçadamente, você observa os adultos cuja infância está dentro deles, esfarrapada e cheia de buracos como um tapete gasto e comido por traças no qual ninguém mais pensa, que já não serve para nada. Olhando para eles, não percebemos que eles tiveram uma infância — e não temos coragem de perguntar como fizeram para atravessá-la sem que o rosto deles guarde cicatrizes e marcas profundas deixadas por ela. Você tem a impressão de que eles utilizaram um atalho secreto para chegar a sua figura adulta muitos anos antes do tempo. Fizeram isso num dia em que estavam sozinhos em casa com a infância oprimindo seu coração como três cinturões de ferro, como o João de Ferro do conto de Grimm, em que os cinturões de ferro só se partiram quando o senhor de João foi libertado. Mas se você não conhece esse atalho, vai precisar tolerar a infância e avançar ao longo dela hora após hora, ao longo de um número verdadeiramente interminável de anos. Só a morte pode nos libertar dela, e é por isso que pensamos tanto na morte, imaginando-a como um anjo amoroso vestido de branco que uma noite virá beijar nossas pálpebras para que elas nunca mais possam se abrir. Sempre acho que só quando eu for adulta minha mãe vai gostar de mim do jeito que ela gosta do Edvin. Porque minha infância a irrita tanto quanto a mim mesma, e nós duas só ficamos felizes uma ao lado da outra quando ela de repente esquece de sua existência. Aí ela fala comigo do jeito que fala com suas amigas ou com a tia Rosalia, e eu tomo o maior cuidado para que minhas respostas sejam tão curtas que ela não se dê conta de repente de que eu não passo de uma criança. Largo a mão dela e mantenho uma certa distância entre nós, para que ela também não consiga sentir o cheiro da minha infância. Acontece quase sempre quando saio com ela para fazer compras na Istedgade. Ela conta como se divertia quando era garota. Que saía toda noite para dançar e que não saía do salão. "Toda noite eu tinha um novo namorado", diz ela, e ri alto, "mas quando eu conheci o Ditlev não deu mais pra fazer isso." Esse é o meu pai, que em outros momentos ela sempre chama de "papai", assim como ele a chama de "mamãe", ou *mutter*. Fico com a sensação de que houve um tempo em que ela era feliz e diferente, e de que tudo isso teve um fim brusco quando ela conheceu Ditlev. Quando ela fala nele, é como se ele fosse outra pessoa e não meu pai, um espírito das trevas que esmaga e desmancha tudo o que é belo e luminoso e divertido. E eu fico desejando que esse Ditlev nunca tivesse aparecido na vida dela. Quando pronuncia o nome dele, em geral ela se dá conta de minha infância e olha para ela irritada e ameaçadora, enquanto o contorno escuro de sua íris azul fica ainda mais escuro. E nesse momento a tal infância estremece de medo e procura desesperadamente sair dali na ponta dos pés, mas ainda é pequena demais e só daqui a várias centenas de anos será possível descartá-la.

Pessoas com uma infância assim visível, notória, tanto por dentro como por fora se chamam crianças, e você pode tratá-las do jeito que quiser, porque não há nada a temer da parte delas. Elas não têm armas nem máscaras, a não ser que sejam muito espertas. Sou esse tipo de criança esperta, e minha máscara é a patetice, que sempre cuido para que ninguém tire de mim. Deixo a boca ficar um pouco aberta e faço meus olhos ficarem completamente vazios, como se eles sempre estivessem fitando o ar sereno. E sempre que ela começa a cantar dentro de mim, tomo o maior cuidado para que não apareçam buracos na minha máscara. Nenhum dos adultos consegue tolerar a canção que há no meu coração ou as guirlandas de palavras da minha alma. Mas têm conhecimento de sua existência porque pedaços dela escapam de mim por um canal secreto que não conheço e que consequentemente não consigo vedar. "Você está tramando alguma coisa?", perguntam, desconfiados, e eu lhes garanto que nunca me passaria pela cabeça tramar alguma coisa. Na escola me perguntam: "No que você está pensando? Repita a última frase que pronunciei". Mas na verdade eles nunca me desvendam para valer. Só as crianças do pátio ou da rua conseguem fazer isso.

"Você fica se fazendo de boba", diz uma garota grande, em tom ameaçador, e chega bem perto de mim: "Só que você não é nem um pouco boba." Daí ela começa a me interrogar, e muitas outras garotas se aproximam em silêncio e fazem um círculo a meu redor e não posso sair dali sem antes provar que sou mesmo boba. Diante de todas as minhas respostas idiotas elas acabam ficando na dúvida e deixam uma aberturazinha hesitante no círculo, de modo que consigo me esgueirar pelo meio delas e me safar, em busca de segurança. "Porque você não pode fazer de conta que é uma coisa que não é", grita uma delas atrás de mim, recriminadora e moralista.

A infância é escura e está sempre choramingando como um animalzinho trancado num porão e esquecido. Ela sai de sua garganta como seu bafo quando o ar está gelado, e às vezes é muito pequena, outras grande demais. Nunca se encaixa direito. Só depois que nos despojamos dela como de uma pele, é possível considerá-la com calma e falar dela como de uma doença que ficou para trás. A maioria dos adultos diz que teve uma infância feliz e talvez eles próprios acreditem nisso, mas eu não acredito. Acredito que essas pessoas simplesmente tiveram a sorte de esquecê-la. Minha mãe não teve uma infância feliz, e sua infância não está tão sepultada nela como em outras pessoas. Ela me conta como era apavorante quando seu pai tinha delirium tremens e todos eles precisavam ficar segurando a parede para que ela não caísse em cima dele. Quando digo que sinto pena dele, ela grita: "Pena! A culpa era dele mesmo, aquele porco beberrão. Ele bebia uma garrafa inteira de aguardente por dia e, apesar de tudo, as coisas melhoraram muito para nós quando ele enfim tomou coragem e se enforcou". Ela diz também: "Ele assassinou meus cinco irmãos menores. Tirava eles do berço e esmagava a cabeça deles contra a parede". Uma vez perguntei a tia

Rosalia, a irmã de minha mãe, se aquilo era verdade, e ela respondeu: "Óbvio que não é verdade. Eles simplesmente morreram. Nosso pai era um homem infeliz, mas sua mãe tinha só cinco anos quando ele morreu. Ela herdou o ódio que vovó tinha dele". Vovó é a mãe delas, e mesmo ela sendo velha agora, posso bem imaginar que sua alma seja capaz de acumular muito ódio. Vovó mora na ilha de Amager. Tem o cabelo todo branco e sempre se veste de preto. Assim como com meu pai e minha mãe, só posso me dirigir a ela usando a terceira pessoa, o que torna todas as conversas muito difíceis e cheias de repetições. Ela faz o sinal da cruz antes de cortar o pão, e depois de cortar as unhas queima as aparas no fogão. Pergunto por que faz isso, mas ela diz que não sabe. Que é uma coisa que a mãe dela fazia. Como todos os adultos, não gosta que as crianças façam perguntas sobre alguma coisa, e só dá respostas curtas. Para qualquer lado que você se vire, dá com a sua infância e se machuca, pois ela tem arestas e é dura e só desiste depois de despedaçar você por inteiro. Pelo jeito cada um tem uma, todas diferentes umas das outras. A infância do meu irmão, por exemplo, é muito barulhenta, enquanto a minha é silenciosa e furtiva e vigilante. Ninguém gosta dela e ninguém vê utilidade nela. De repente ela se encomprida demais, e posso olhar minha mãe nos olhos quando estamos as duas em pé. A gente cresce enquanto dorme, diz ela. Aí procuro ficar a noite inteira acordada, mas o sono me domina e pela manhã fico bem tonta ao olhar para meus pés, vendo o tamanho da distância a que estão. "Que varapau!", gritam os moleques da rua quando eu passo, e se continuar assim vai chegar o dia em que vou precisar me mudar para Stormogulen, que é onde crescem todos os gigantes. Agora a infância dói. O nome disso é dores do crescimento, que só param quando a gente tem vinte anos. É o que diz Edvin, que sabe tudo, inclusive sobre o mundo e a sociedade, igualzinho a meu pai, que o leva a reuniões políticas que, na opinião da minha mãe, podem acabar com os dois trancafiados pela polícia. Eles não ligam quando ela diz essas coisas, pois como eu ela não entende nada de política. Ela também diz que meu pai não arruma trabalho porque é socialista e membro do sindicato, e que Stauning, cuja foto meu pai pendurou na parede ao lado da foto da mulher do marinheiro, um dia ainda nos leva ao desastre. Eu gosto do Stauning, que já vi e ouvi muitas vezes no parque Fælled. Gosto dele porque sua barba comprida balança tão alegremente ao vento, e porque ele chama os trabalhadores de "camaradas", mesmo sendo primeiro-ministro e podendo se permitir ser muito mais metido a besta do que isso. No que diz respeito a política, eu acho que minha mãe está errada, mas ninguém se interessa pelo que as meninas acham ou deixam de achar sobre esse tipo de coisa.

Um dia minha infância tem cheiro de sangue, coisa que não posso deixar de perceber e saber. "Agora você pode ter filhos", diz minha mãe. "Muito cedo, você ainda nem completou treze anos." Sei muito bem como se faz para ter filhos, porque durmo junto com meus pais e, seja como for, não tem como não saber isso. Mas ao mesmo tempo não sei, e imagino que a qualquer momento posso acordar com um bebê ao meu lado. O nome vai ser bebê Maria, porque vai ser uma menina. Não gosto de garotos e não tenho permissão para brincar com eles. Edvin é o único que eu amo e admiro, e só com ele consigo imaginar me casar. Mas não se pode casar com irmão, e mesmo que se pudesse ele não ia querer se casar comigo. Ele já falou isso um monte de vezes. Todo mundo gosta do meu irmão, e muitas vezes penso que a infância dele combina mais com ele do que a minha comigo. Ele tem uma infância sob medida, que se expande harmonicamente com seu crescimento, enquanto a minha foi feita para uma menina inteiramente diferente, para a qual estaria adequada. Quando tenho esses pensamentos, minha máscara fica ainda mais tola, pois é impossível falar desse tipo de coisa com qualquer um — e sempre sonho encontrar uma pessoa misteriosa, que me ouça e me entenda. Sei, pelos livros, que esse tipo de pessoa existe, só que não há nenhuma na rua da infância.

7.

A rua da infância é a Istedgade, cujo ritmo sempre há de pulsar no meu sangue e cuja voz sempre há de me alcançar, idêntica à dos antigos tempos, quando jurávamos lealdade uns aos outros. Ela é sempre cálida e luminosa, festiva e cativante, e me envolve inteira, como se tivesse sido criada para satisfazer minha necessidade pessoal de expressão. Nela andei quando pequena pela mão de minha mãe, e fiquei sabendo de muitas coisas importantes, por exemplo que um ovo no supermercado Irma custava seis centavos, meio quilo de margarina quarenta e três centavos e um quilo de carne de cavalo cinquenta e oito centavos. Minha mãe regateia o preço de tudo o que não for comida, por isso os vendedores das lojas torcem as mãos de desespero e garantem que se ela continuar assim, perderão tudo e irão à ruína. E para completar, ela é tão fantasticamente descarada que tem a coragem de trocar camisas que meu pai já usou como se fossem novas em folha. E é capaz de entrar pela porta de uma loja, ir para o fim da fila e gritar com voz estridente: "Ei, agora é a minha vez. Já esperei que chegue". Me divirto na companhia dela e admiro seu atrevimento e sua esperteza de mulher de Copenhagen. Na frente dos pequenos cafés, os desempregados esperam o tempo passar. Quando minha mãe passa, eles assobiam por entre os dedos, mas ela os ignora. "Eles podiam pelo menos ficar em casa", diz ela, "como seu pai." Mas dá tanta pena ver meu pai sentado no sofá sem nada para fazer, quando não está na rua procurando trabalho. Li esta frase numa revista: "Sentar e contemplar dois punhos que Nosso Senhor criou tão aptos para a ação". É um poema sobre os desempregados, ele me faz pensar no meu pai.

Como rua para brincadeiras e permanência constante depois da escola e até a hora do jantar, a Istedgade é a primeira opção para mim, desde que conheci Ruth. Na ocasião estou com nove anos e Ruth com sete. Damos uma com a outra numa manhã de domingo, quando todas as crianças do condomínio são postas para fora de casa para brincar no pátio, a fim de que os pais possam dormir mais um pouco depois da lida ou da chateação da semana. Como sempre, as garotas maiores se reúnem para fofocar no canto das lixeiras, enquanto as pequenas jogam amarelinha, um jogo em que sempre me dou mal, porque ou piso na linha ou apoio no chão a perna que deveria ficar dobrada. Nunca entendo muito bem qual é o sentido de tudo aquilo e acho a brincadeira tremendamente chata. Alguém ali falou que eu estava fora e eu, resignada, me encostei na parede. Nisso, passos apressados retumbam descendo as escadas da cozinha do edifício da frente, que dão no pátio, e aparece uma menina de cabelo vermelho, olhos verdes e sardas marrom-claras recobrindo a ponte do nariz. "Oi", diz ela para mim, e sorri de orelha a orelha. "Meu nome é Ruth." Tímida e sem jeito, me apresento. É que ninguém está habituado a ver crianças novas fazerem uma entrada tão descontraída. Todos olham para Ruth, que parece não perceber. "Que tal a gente correr e brincar", diz ela para mim, e depois de um olhar hesitante para nossa janela, lá em cima, vou atrás dela, a quem continuarei seguindo por muitos anos, até nós duas sairmos da escola e nossas profundas diferenças ficarem aparentes.

Agora tenho uma amiga, o que me faz ficar muito menos dependente de minha mãe, que evidentemente não gosta de Ruth. Ela é uma criança adotada, e nunca sai nada de bom disso, diz minha mãe com ar sombrio, mas não me proíbe de brincar com ela. Os pais de Ruth são uma dupla de pessoas grandonas, feias, que, por si, nunca teriam podido pôr no mundo uma coisa tão deliciosa quanto Ruth. O pai é garçom e bebe feito uma esponja. A mãe é gorda e asmática e bate na Ruth por qualquer coisinha. Ruth não se incomoda. Sacode a poeira e despenca pela escada da cozinha, exibe todos os seus brilhantes dentes brancos num sorriso, e diz alegremente: "Aquela vaca, ela que vá para o inferno". Quando Ruth pragueja, não é feio nem chocante, pois sua voz é tão frágil e delicada quanto a do menor dos três cabritinhos, sua boca é vermelha e em forma de coração, com um lábio superior estreito e virado para cima, e seu olhar é firme como o do homem que não sabia o que era medo. Ela é tudo o que eu não sou, e eu faço tudo o que ela quer que eu faça. Exatamente como eu, ela não gosta das brincadeiras habituais. Nunca nem encosta nas suas bonecas, e usa seu carrinho de boneca como plataforma de salto, quando instalamos uma tábua por cima dele. Só que não fazemos isso com muita frequência porque a síndica sai correndo atrás da gente, ou nossas mães, vigilantes, com a vista privilegiada que têm de suas janelas, mandam a gente parar. Apenas na Istedgade ficamos fora do alcance de todo e qualquer olhar, e é ali que começa minha trajetória criminosa. Ruth aceita com doçura e de boa vontade o fato de eu não estar preparada para roubar. Só que por causa disso preciso distrair a atenção da vendedora da pessoinha veloz que se apropria das coisas mais variadas enquanto eu pergunto quando o estabelecimento vai receber chicletes de bola. Entramos na porta mais próxima e repartimos o produto do roubo. De vez em quando também entramos nas lojas e passamos um tempo infinito experimentando sapatos ou vestidos. Depois de escolher o mais caro, dizemos educadamente que nossa mãe virá pagar, se fizerem a gentileza de deixar os artigos reservados até sua chegada. E antes mesmo de cruzar a porta, estouramos na risada, felizes da vida.

Durante essa longa amizade, estou sempre com medo de me desmascarar aos olhos de Ruth. Tenho medo de que ela descubra como eu sou de verdade. Trato de me tornar um eco seu, porque gosto tanto dela e porque ela é a mais forte de nós duas; lá no fundo, porém, continuo sendo eu mesma. Tenho meus sonhos acerca de um futuro fora da rua, enquanto Ruth está intimamente ligada a ela e nunca há de se desprender dela. Tenho a sensação de enganá-la ao fazer de conta que somos do mesmo sangue. Tenho uma dívida misteriosa com ela; ao mesmo tempo, o medo e um vago sentimento de culpa pesam em meu coração e tingem nossa ligação assim como vão tingir todos os relacionamentos próximos e duradouros que terei mais adiante na vida.

Quanto aos roubos, tiveram um fim abrupto. Um dia Ruth deu um golpe de mestre escondendo embaixo do casaco um vidro inteiro de geleia de laranja, que em seguida devoramos até ficar com dor de barriga. Completamente empanturradas, jogamos o resto num dos latões de lixo — que está tão cheio que não dá para fechar direito. Por isso pulamos para cima dele e nos sentamos sobre a tampa. De repente, Ruth declara: "Não vejo o menor sentido em ter que ser sempre eu!". "Quem faz a cobertura é tão importante quanto o ladrão!", digo apavorada. "É", diz Ruth, irritada, "mas, mesmo assim, de vez em quando podia ser você." Percebo que ela está fazendo uma exigência justa e prometo, contrafeita, que na próxima vez fica comigo. Mas insisto que precisa ser num lugar bem distante, e seleciono um comércio de laticínios no Sdr. Boulevard que parece razoavelmente deserto. Ruth abre a porta com cuidado e avança, seguida por sua longa sombra, que bem poderia ser sua própria consciência amortecida. A loja está vazia, e a porta que dá para os fundos não tem abertura envidraçada. Sobre o balcão há um pote cheio de bastões de chocolate a vinte e cinco centavos, embrulhados em papel metálico vermelho e verde. Olho para eles, pálida de excitação e medo. Ergo a mão, mas forças invisíveis a retêm. Tremo inteira, até as pernas. "Ande logo", sussurra Ruth, de olho nos fundos da loja. Então a mão que não consegue roubar avança até o pote, agarra alguns dos bastões vermelhos e alguns dos verdes que dançam diante dos meus olhos, e derruba a pilha inteira do outro lado do balcão. "Sua idiota", chia Ruth, e sai correndo, ao mesmo tempo que a porta que dá para os fundos da loja se abre com estrépito. Uma senhora muito branca entra correndo e estaca estarrecida ao me ver ali parada como uma estátua de sal com um bastão de chocolate na mão erguida. "O que significa isso!?", ela exclama. "O que você está fazendo aqui? Olha só, agora o pote se quebrou!" E se inclina e recolhe os cacos e eu fico sem saber onde me agarrar, já que o mundo acabou não desmoronando em cima de mim. Agora, para variar, eu gostaria que acontecesse exatamente isso. A única coisa que sinto é uma vergonha ardente e infinita. A excitação e o sentimento de aventura estão encerrados, não passo de uma ladra bem comum apanhada em flagrante. "Você podia pelo menos se desculpar!", diz a senhora, ao sair com os cacos. "Tão grande, tão boba e tão desajeitada..."

Longe dali, chegando à Enghavevej, encontro Ruth, rindo de chorar. "Mas que grande idiota você é", dá um jeito de dizer. "Ela falou alguma coisa? Por que você não saiu de lá? E aí, ainda está com o chocolate? Vamos até o parque para comê-lo!" "Você quer mesmo comer esse chocolate?", pergunto, incrédula.

"Acho que a gente devia jogar embaixo de uma árvore." "Ficou maluca?", pergunta Ruth. "Um chocolate bom!" "Mas, Ruth", digo, "a gente nunca mais vai fazer isso, está bem?" Com isso minha amiguinha pergunta se eu virei santinha, e ao entrar no parque devora o chocolate diante dos meus olhos. A partir daí as expedições de roubo se interrompem. Ruth não quer fazer isso sozinha, e quando minha mãe me encarrega de comprar alguma coisa, sempre irrompo na loja fazendo um barulho desnecessário. Se mesmo assim a balconista demora um pouco a aparecer, me posiciono bem longe do balcão, de olhos no teto, o que não impede que meu rosto fique vermelho quando a mulher aparece, e preciso me segurar para não virar os bolsos do avesso em desespero na frente dela, para que ela possa ver que não estão cheios de artigos roubados. O episódio reforça meu sentimento de culpa em relação a Ruth e me faz sentir medo de perder sua preciosa amizade. Por isso me mostro ainda mais corajosa em nossas outras brincadeiras secretas, por exemplo procurando ser a última a atravessar os trilhos correndo na frente do trem, debaixo do viaduto da Enghavevej. Às vezes a força do vapor expelido pela locomotiva me derruba e passo um bom tempo caída na relva ao lado dos trilhos, tratando de recuperar o fôlego. É recompensa suficiente quando Ruth exclama: "Minha nossa! Desta vez você se superou!".

8.

Estamos no outono e a tempestade balança as tabuletas do açougueiro. Não falta muito para as árvores da Enghavevej perderem todas as folhas, as quais quase recobrem a terra com seu tapete amarelo e marrom-avermelhado que parece o cabelo da minha mãe quando o sol brinca com ele e de repente se percebe que ele não é inteiramente preto. Os desempregados tremem de frio, mas mesmo assim ficam ali de pé com as mãos bem enterradas nos bolsos e um cachimbo apagado entre os dentes. A luz dos postes acaba de se acender, e de quando em quando a lua espia entre as nuvens apressadas, fugidias. Sempre achei que entre a lua e a rua existe um entendimento misterioso semelhante ao de duas irmãs que envelheceram juntas e já não precisam de nenhum tipo de linguagem para se comunicarem uma com a outra. Estamos andando no crepúsculo fugaz, Ruth e eu, e em breve teremos de sair da rua, o que nos deixa ansiosas para que aconteça alguma coisa antes que o dia acabe. Quando chegamos à Gasværksvej, onde costumamos dar a volta, Ruth diz: "Vamos até lá embaixo ver as putas. Algumas já devem ter começado".

Uma puta é uma mulher que faz por dinheiro, o que para mim é muito mais compreensível do que fazer de graça. Ruth me contou isso, e como eu acho a palavra feia, encontrei outra num livro: moça de vida alegre. Acho bem mais simpático e romântico. Ruth me conta tudo sobre esse tipo de coisa, e para ela os adultos não têm nenhum mistério. Ela também me contou sobre o Hans Sarnento e Rapunzel, e isso eu não consigo entender, porque acho o Hans Sarnento um homem muito velho. E além disso ele tem a Lili Bela. Então os homens são capazes de amar duas mulheres ao mesmo tempo? Para mim o mundo dos adultos continua cheio de enigmas. Sempre imagino a Istedgade como uma linda mulher deitada de costas com o cabelo na Enghaveplads. Na altura da Gasværksvej, que fica no limite entre as pessoas decentes e as depravadas, as pernas dela se separam, e salpicados sobre elas como sardas estão os hotéis de passagem e as tavernas, barulhentas e iluminadas, aonde mais tarde na noite chegam os carros de polícia para recolher suas vítimas escandalosamente embriagadas e arruaceiras. Isso eu sei pelo Edvin, que é quatro anos mais velho do que eu e está autorizado a ficar fora de casa até as dez horas da noite. Tenho a maior admiração pelo Edvin, quando ele chega em casa vestindo sua camisa azul da Juventude Dinamarquesa e discute política com meu pai. Ultimamente os dois estão muito indignados com a questão de Sacco e Vanzetti, cujas fotografias nos encaram, estampadas em cartazes e jornais. Acho os dois tão bonitos, com seus rostos escuros de estrangeiros, e também acho que é um pecado eles serem executados por causa de uma coisa que não fizeram. Só que não consigo ficar tão exaltada por causa disso quanto meu pai, que grita e esmurra a mesa quando discute a respeito com tio Peter. Meu tio é social-democrata como meu pai e Edvin, mas não acha que Sacco e Vanzetti merecem melhor sorte, já que são anarquistas. "Não interessa", berra meu pai, furioso, e esmurra a mesa. Erro judicial é erro judicial, mesmo quando aplicado a um conservador! Sei bem que essa é a pior coisa que uma pessoa pode ser; recentemente, quando perguntei se podia entrar para o Ping Club porque todas as outras garotas da minha classe entraram, meu pai olhou muito sério para minha mãe, como se eu fosse uma vítima da influência subversiva dela na área política, e disse: "Está vendo, *mutter*? Agora ela está virando reacionária. Decerto ainda veremos o *Berlingske Tidende* na casa dela!".

Perto da estação ferroviária, a agitação já começou. Homens embriagados circulam num passo oscilante, cantando, com os braços apoiados nos ombros uns dos outros, e um homem gordo rola para fora do Café Charles. Sua cabeça calva bate um par de vezes nas pedras do calçamento, antes de ele ficar caído inerte a nossos pés. Dois policiais se aproximam e lhe aplicam chutes enfáticos na lateral do corpo, o que o faz levantar-se com um uivo patético. Eles o põem de pé aos trancos e o mandam embora quando ele tenta voltar para o covil da perdição. Quando eles se afastam, andando pela rua, Ruth enfia os dedos na boca e emite um longo assobio na direção deles, talento que invejo. Perto da Helgolandsgade há uma grande aglomeração de crianças que riem e fazem algazarra; e quando chegamos lá vejo que quem está no meio da rua é Charles Crespo, enfiando na boca as fezes fumegantes do cavalo. Ao mesmo tempo, entoa uma canção indescritivelmente suja que faz as crianças rirem feito loucas e aplaudi-lo aos berros, na esperança de que ele lhes proporcione outras diversões. Os olhos dele giram loucamente nas órbitas. Para mim, ele é trágico e repulsivo, mas faço de conta que estou me divertindo por causa de Ruth, que ri a plenos pulmões com os outros. Quanto às putas, porém, só vimos uma dupla de mulheres gordas, mais velhas, que balançam as cadeiras com entusiasmo na tentativa aparentemente malsucedida de atrair a atenção de um público que passa devagar, de carro. Isso me deixa muito frustrada, pois eu achava que todas elas eram como Ketty, cuja atividade noturna na cidade Ruth também me explicou qual é. A caminho de casa, seguimos pela Revalsgade, onde uma vez uma velha dona de tabacaria foi assassinada; também paramos na frente da casa mal-assombrada da Matthæusgade e olhamos para a janela do terceiro andar, atrás da qual no ano passado uma garotinha foi assassinada por Carl, o Vermelho, um foguista que foi colega de meu pai na Ørsted. Nenhuma de nós duas tem coragem de passar sozinha por aquela casa à noite. Na porta do condomínio vemos Gerda e Focinho de Lata num abraço tão apertado que é impossível distinguir as sombras dos dois no escuro. Prendo a respiração até chegar ao pátio, porque na entrada há sempre um cheiro rançoso de cerveja e urina. Subo as escadas com um peso no peito. O lado escuro do sexo se escancara mais e mais diante de mim e fica cada vez mais difícil escamoteá-lo com as palavras não escritas, trêmulas, que meu coração está sempre sussurrando. A porta ao lado da de Gerda se abre devagar quando eu passo, e a sra. Poulsen me faz sinal para entrar. Segundo minha mãe, ela é "pobre-fina", mas eu sei que é impossível ser ao mesmo tempo pobre e fina. Ela tem um inquilino que minha mãe, desdenhosa, chama de "formoso duque", embora ele seja carteiro e sustente a sra. Poulsen exatamente como se eles fossem casados, mesmo não tendo filhos. Sei pela Ruth que eles vivem juntos como marido e mulher. Relutante, faço o que ela manda e entro numa sala exatamente igual a nossa, com a diferença de que nessa há um piano em que faltam muitas teclas. Sento-me na beirada de uma cadeira, e a sra. Poulsen se instala no sofá com uma expressão de curiosidade nos olhos azuis aguados. "Me diga uma coisa, Tove", diz, insinuante, "você sabe se muitos homens costumam visitar a srta. Andersen?" No mesmo instante faço cara de sonsa e tola e deixo o maxilar cair um pouco. "Não", digo, fingindo surpresa. "Acho que não." "É, mas você e sua mãe vão lá tantas vezes... Pense bem. Você nunca viu homens na casa dela? Nem à noite?" "Não...", minto, assustada e com medo daquela mulher que, de uma ou de outra maneira, quer fazer mal a Ketty. Minha mãe me proibiu de continuar visitando Ketty e ela mesma só entra na casa dela quando meu pai não está por perto. A sra. Poulsen não extrai mais nada de mim, e me deixa ir embora com alguma frieza. Alguns dias depois, um abaixo-assinado circula no condomínio, e por causa dele meus pais discutem na cama acreditando que estou dormindo. "Vou assinar", diz meu pai, "pelo bem das crianças. Porque a gente precisa proteger os filhos de assistir às piores sujeiras." "A culpa é daquelas vacas!", diz minha mãe, furiosa. "Elas têm inveja, porque a Ketty é jovem, bonita e feliz. Eu sou outra que elas não suportam." "Pare de se comparar com uma puta", rosna meu pai. "Mesmo eu não tendo emprego fixo, você nunca precisou ganhar a vida por si mesma, não esqueça!" É horrível ficar ouvindo essa discussão, a impressão que dá é que eles estão falando de uma coisa completamente diferente, uma coisa para a qual não encontram palavras. Não demora e chega o dia em que Ketty e a mãe estão sentadas na calçada sobre todos os móveis de pelúcia delas, com um policial andando para lá e para cá, tomando conta. Ketty parece bem, no meio de toda a gente, cheia de desprezo, segurando a delicada sombrinha bem erguida para se proteger da chuva. Ela sorri para mim e diz: "Adeus, Tove, fique bem!". Pouco depois as duas se vão, a bordo de um caminhão de mudança, e nunca mais as vejo.

9.

Aconteceu uma coisa horrível na minha família. O banco Landmands entrou em falência e minha avó perdeu o dinheiro que tinha. Quinhentas coroas economizadas ao longo de toda uma vida. É uma história nojenta, que só atinge os pequenos poupadores. Os desgraçados dos ricos, diz meu pai, se viram para ganhar o dinheiro deles. Minha avó chora de dar dó e seca os olhos vermelhos com um lenço branco como a neve. Tudo nela é limpo e arrumado e adequado, e ela tem sempre cheiro de roupa lavada. O dinheiro estava reservado para seu sepultamento, que ao que parece não sai dos seus pensamentos. Ela contribui para um consórcio de sepultamento, que ela é incapaz de esquecer que uma vez achei que era o mesmo que caixão. Até hoje ela ri disso, toda vez que se lembra. Gosto muito da minha avó, mas de maneira alguma do jeito sobressaltado como gosto de minha mãe. Além disso, tenho permissão para visitá-la sozinha, já que ela gosta que eu faça isso e minha mãe não ousa se contrapor às vontades dela. Ela me disse que minha avó ficou furiosa com ela quando ela engravidou de mim, já que se eles já tinham um menino não havia a menor razão para quererem mais filhos. Agora minha avó não sabe como vai fazer para ter um enterro decente, já que nós não temos dinheiro nenhum e tia Rosalia também não tem, com aquele marido bêbado dela, e tio Peter, sem dúvida muito rico, com sua avareza proverbial nem em sonhos vai contribuir com alguma coisa para o sepultamento da sogra. Minha avó tem setenta e três anos e não acredita que lhe reste muito tempo de vida. Ela é ainda menor que minha mãe, esguia como uma criança e sempre vestida de preto da cabeça aos pés. Ela prende o cabelo branco e sedoso no alto da cabeça e se movimenta com uma agilidade de menina. Mora num apartamento de um dormitório e conta apenas com o dinheiro da aposentadoria. Quando vou visitá-la, ela me dá pão de centeio com manteiga de verdade no café da manhã, e eu raspo a manteiga com os dentes para um lado do pão, até que toda ela fique concentrada no último pedaço; o sabor é uma maravilha, melhor do que qualquer coisa que me deem em casa. Depois que Edvin começou o estágio, vai visitá-la todo domingo e ela lhe dá uma coroa inteirinha, já que ele é o único neto homem da família. Minhas três primas e eu não ganhamos nada. Sempre que vou à casa de minha avó, ela me pede para cantar, para ver se estou menos desafinada que na última vez. "Está quase certo", diz ela para me estimular, embora eu mesma possa ouvir que os sons que saem da minha boca não se parecem nem um pouco com os sons que desejo produzir. Não é permitido falar com ela sem que ela antes lhe dirija a palavra, mas ela mesma gosta de contar histórias e eu gosto de ouvi-la. Ela conta sobre sua infância, que foi horrível porque ela tinha uma madrasta. A madrasta batia nela com a maior violência a todo momento, pela menor bobagem. Então ela foi trabalhar como doméstica e ficou noiva de meu avô, que se chamava Mundus e era construtor de carroças até o dia em que, por desgraça, começou a beber. O Bêbado que Muge: era como o chamavam no condomínio, e depois que ele se enforcou minha avó teve de virar lavadeira para não passar necessidade. "Mas minhas três meninas se encaminharam na vida", diz ela com compreensível orgulho. Uma vez deixo escapar que teria gostado de conhecer meu avô, e ela diz: "É, bonito ele foi até o fim, mas era um canalha sem coração! Se eu quisesse, podia lhe contar algumas coisas". E em seguida aperta os lábios com força sobre as gengivas desdentadas e não quer contar mais nada. Penso nas palavras "sem coração" e fico com medo de ser parecida com meu avô horroroso. Muitas vezes tenho a sensação torturante de ser incapaz de realmente sentir alguma coisa por alguém, fora Ruth, claro. Um dia, quando estou na casa da minha avó e me preparo para cantar para ela, digo: "Aprendi uma nova canção na escola". E com voz desafinada e trêmula me sento na cama dela e canto um poema que escrevi. É muito comprido e — assim como "Hjalmar e Hulda", "Jørgen e Hansigne" e todas as baladas da minha mãe — fala de duas pessoas que não conseguem ficar juntas. Só que minha versão tem um fim menos trágico; ela termina com os seguintes versos:

O amor, jovem e afortunado,
atou-os com mil laços.
Que diferença faz, se o leito nupcial
é um relvado florido?

Quando chego a esse ponto, minha avó franze a testa, se levanta e alisa o vestido para baixo, como se quisesse se proteger de uma impressão desagradável. "Não é uma canção bonita, Tove", diz ela com severidade. "É verdade que você aprendeu essa canção na escola?" Digo que sim com um peso no coração, pois achava que ela ia dizer: "Que lindo! Quem escreveu?". "É preciso casar numa igreja", diz minha avó com doçura, "antes de acontecer alguma coisa entre os dois. Mas isso você não tem como saber, naturalmente." Ah, vó! Sei mais do que você imagina, mas daqui em diante não tocarei no assunto. Penso no que aconteceu há alguns anos, quando me dei conta, estarrecida, de que meus pais tinham se casado em fevereiro do mesmo ano em que Edvin nasceu — em abril. Perguntei a minha mãe como isso tinha sido possível e ela respondeu depressa: "Sabe, com o primeiro filho é sempre assim, nunca mais que dois meses". E riu, e Edvin e meu pai olharam para ela com expressão severa. Acho que isso é o que os adultos têm de pior: nunca passa pela cabeça deles que, uma vez na vida que seja, agiram mal ou foram irresponsáveis. Têm muita pressa em julgar os outros, mas o dia de julgar a si próprios nunca chega.

    Só encontro o resto da família quando estou com meus pais ou, ao menos, com minha mãe. Tia Rosalia mora em Amager, tal como minha avó. Só fui à casa dela algumas vezes, já que o tio Carl, que eles chamam de Perna Bamba, está sempre sentado na sala tomando cerveja e se queixando, coisa que não é bom as crianças testemunharem. A sala deles é como todas as outras, com um aparador ao longo de uma das paredes, um sofá encostado na outra e, entre os dois, uma mesa com quatro cadeiras de espaldar alto. Sobre o aparador, assim como em nossa casa, há uma bandeja de cobre com bule para café, açucareiro e bule para creme de leite. Essas coisas nunca são usadas, só polidas para ficarem vistosas e brilhantes em todas as ocasiões especiais. Tia Rosalia costura para o Magasin du Nord e nos visita com frequência na volta para casa. Carrega as roupas que vai costurar penduradas no braço, embrulhadas numa peça grande de alpaca, e não se separa delas enquanto está em nossa casa. Vai ficar só "um minutinho" e mantém o chapéu na cabeça o tempo todo, como se quisesse desmentir o fato de ter passado várias horas conosco quando finalmente vai embora. Ela e minha mãe sempre relembram acontecimentos da mocidade delas, e desse modo fico sabendo muitas coisas que não deveria saber. Uma vez, por exemplo, minha mãe escondeu um barbeiro no guarda-roupa do quarto porque meu pai fez uma visita inesperada. Se minha mãe não tivesse despachado meu pai da porta, o barbeiro teria se sufocado. Há muitas histórias do tipo, e as duas riem de todas elas com vontade. Tia Rosalia é só dois anos mais velha que minha mãe, ao passo que tia Agnete é oito anos mais velha e na verdade não foi jovem ao mesmo tempo que elas duas. Ela e tio Peter aparecem muitas vezes para jogar cartas com meus pais. Tia Agnete é religiosa, por isso sofre quando alguém blasfema perto dela, coisa que seu marido faz com frequência, só para irritá-la. É alta e larga e anda com uma cruz de Dagmar pousada sobre o colo, que tio Peter chama de "balcão". Se eu for atrás do que dizem meus pais, ele é a maldade e a astúcia em pessoa, mas sempre é amável comigo, por isso não acredito muito neles. É carpinteiro e nunca fica desempregado. Os dois moram num apartamento de três cômodos em Østerbro e têm uma sala de estar gélida com um piano, na qual só pisam na noite de Natal. Dizem que tio Peter herdou uma montanha de dinheiro, que deixa em diferentes contas bancárias para enganar o pessoal da fazenda. De vez em quando os empregados do estabelecimento onde ele trabalha são convidados a visitar outras empresas, onde podem consumir os produtos sem pagar nada. Numa visita à cervejaria Tuborg ele bebeu tanto que foi parar no hospital, onde, no dia seguinte, passou por uma lavagem estomacal, e quando visitou a fábrica de laticínios Enighed, entornou uma tal quantidade de leite que passou oito dias doente. Fora isso, ele nunca bebe outra coisa a não ser água.

    Minhas três primas são todas mais velhas que eu e bastante feias. Toda noite elas se sentam ao redor da mesa e tricotam feito loucas, mas segundo meu pai também não inventaram a roda, e em todo aquele grande apartamento não se encontra um único livro. Meus pais não fazem rodeios para declarar que nós saímos melhores do que as meninas. Tio Peter foi casado antes e tem uma filha desse primeiro casamento; ela é só sete ou oito anos mais jovem que minha mãe. Seu nome é Ester, e ela é uma espécie de grande embarcação com um passo retorcido, inclinado para a frente. Os olhos dela dão a impressão de que vão sair da cabeça, e quando ela vem a nossa casa fala comigo como se eu fosse um bebê e me beija direto na boca, que é uma coisa que eu detesto mais que qualquer outra coisa. "Minha pombinha", diz ela a minha mãe, com quem sai à noite, para consternação de meu pai. Uma noite elas vão a um baile a fantasia na Folkets Hus, e eu seguro o espelho enquanto elas se enfeitam, e acho minha mãe deslumbrante como Rainha da Noite. Ester é um "cocheiro do século XVIII", e seus braços emergem das mangas bufantes como tacos maciços. Elas precisam correr, porque meu pai já vai chegar. Minha mãe está no meio de todo aquele tule preto cravejado de centenas de paetês cintilantes. Eles se desprendem tão facilmente quanto a própria alegria frágil dela. Justo no instante em que elas estão saindo, meu pai chega do trabalho. Ele encara minha mãe e diz: "Ha, você está parecendo um espantalho!". Ela não responde, apenas passa ao lado dele sem uma palavra e segue os passos de Ester. Meu pai sabe que eu ouvi o que ele disse e senta-se na minha frente com uma expressão de incerteza nos olhos amáveis, melancólicos. "O que você quer ser quando crescer?", pergunta, desajeitado. "Rainha da Noite", respondo, cruel, pois ali está aquele "Ditlev" que sempre estraga as diversões de minha mãe.

10.

Entrei para os anos finais do ensino fundamental, e com isso o mundo começou a ficar maior. Tive permissão para continuar os estudos porque meus pais chegaram à conclusão de que eu não teria muito mais que catorze anos ao concluir a escola, e como Edvin estava recebendo treinamento profissional, não seria justo eu ficar de fora. Ao mesmo tempo, finalmente fui autorizada a frequentar a biblioteca da comuna, na Valdemarsgade, que tem uma seção de livros infantis. Minha mãe acha que vou ficar ainda mais esquisita se ficar lendo livros escritos para adultos, e meu pai, que não pensa assim, nada diz, pois ainda estou sob a autoridade de minha mãe e, em se tratando de questões fundamentais, ele não ousa contradizer a ordem do mundo. De modo que pela primeira vez ponho os pés numa biblioteca, e fico muda de espanto ao ver tantos livros reunidos num só lugar. A bibliotecária da seção infantil se chama Helga Mollerup. Ela é conhecida e amada por muitas crianças do bairro, porque sempre que falta aquecimento e iluminação em suas casas elas recebem permissão para ficarem sentadas na sala de leitura até a biblioteca fechar, às cinco da tarde. Ali fazem os deveres da escola ou folheiam os livros, e a srta. Mollerup só as manda sair se começam a fazer barulho, pois ali dentro tem de haver completo silêncio, como numa igreja. Ela pergunta quantos anos eu tenho e me oferece livros que acha que combinam com uma menina de dez anos. É alta e esguia e bonita, com olhos escuros, vivos. Suas mãos são grandes e belas, e as considero com um certo respeito, porque dizem que ela é capaz de dar palmadas mais fortes do que qualquer homem. Ela se veste exatamente como minha professora, a srta. Klausen: uma saia mais para longa, lisa, e uma blusa branca com gola baixa. Mas, diferentemente da srta. Klausen, ela não parece sofrer de uma aversão irredutível por crianças — muito pelo contrário. Sou conduzida a uma mesa com um livro infantil diante de mim, cujo título felizmente esqueci, bem como o nome do escritor. Leio: "'Pai, Diana teve filhotinhos.' Com essas palavras, uma garota esbelta de quinze anos entrou correndo na sala onde, além da mencionada autoridade, estavam..." — etc. etc. Página após página. Não tenho condições de ler essas coisas. Elas me enchem de tristeza e de um tédio intolerável. Não consigo entender como a língua, esse instrumento delicado e sensível, pode ser tratada de maneira tão horrorosa, ou como frases monstruosas como aquelas foram parar num livro que está na biblioteca onde uma mulher inteligente e agradável como a srta. Mollerup trata de convencer crianças indefesas a lê-lo. Esses são pensamentos que por enquanto não posso manifestar, então me contento em dizer que os livros são chatos e que eu preferiria ler alguma coisa de Zacharias Nielsen ou de Vilhelm Bergsøe. Mas a srta. Mollerup diz que os livros infantis são maravilhosos, que basta a gente ter a paciência de continuar lendo até o enredo engrenar. Só depois que insisto teimosamente em consultar as estantes com literatura adulta ela me atende, surpresa, e concorda em buscar alguns livros para mim desde que eu diga quais, já que não tenho permissão para entrar e fazer isso eu mesma. "Um de Victor Hugo", digo. "É Ygô que se diz", ela fala sorrindo, e dá um tapinha na minha cabeça. Não me incomodo com o fato de ela corrigir minha pronúncia, mas quando chego em casa com *Os miseráveis*, e meu pai diz, com ar de aprovação: "Victor Hugo, esse é dos bons!", respondo, didática e toda importante: "Pai, sua pronúncia está errada. O certo é Ygô". "Não estou nem aí para a pronúncia certa", diz ele, calmamente. "Todos os nomes desse tipo deveriam ser falados do jeito que se escreve. Tudo o mais é pura exibição." Não adianta nada chegar em casa e dizer aos meus pais o que pessoas que não são da nossa rua falaram. Uma vez que a dentista da escola me pediu para dizer a minha mãe para comprar uma escova de dentes para mim e que fiz a besteira de repetir o recado em casa, minha mãe respondeu na hora: "Pois diga a ela que mandei lembranças e que ela que compre uma escova de dentes para você". Mas sempre que ela tem dor de dente, primeiro passa uma semana andando pela casa e sofrendo enquanto a casa inteira ressoa com seus gemidos desesperados. Depois, na escada do condomínio, se aconselha com alguma outra moradora, que lhe diz para embeber um chumaço de algodão em aguardente e comprimi-lo contra o dente afetado, o que ela faz durante mais alguns dias, sem o menor efeito positivo. De modo que só então ela se arruma toda em suas melhores roupas, domina sua teimosia irredutível e toma o rumo da Vesterbrogade, onde mora nosso médico da assistência social. Ele pega um alicate e arranca o dente, e com isso ela tem sossego durante algum tempo. Dentista nenhum entra em cena.

As meninas dos anos finais do ensino fundamental são mais bem-vestidas e menos manhosas que as dos anos iniciais. E nenhuma delas tem piolho ou lábio leporino. Meu pai disse que agora vou começar a frequentar a escola com "os filhos de gente mais bem de vida", mas que nem por isso devo menosprezar meu próprio lar. Ele tem razão. Quase todos os pais de meus colegas são trabalhadores especializados, e digo que meu pai é "maquinista", que acho que soa melhor do que "foguista". O pai da garota mais rica da turma tem uma barbearia na Gasværksvej. Ela se chama Edith Schnoor e fala ciciando, de pura presunção. Nossa professora se chama srta. Mathiassen e é uma mulher miúda, animada, para quem ensinar parece ser uma diversão. Juntamente com a srta. Klausen, a srta. Mollerup e a diretora da escola antiga, a tal que parecia uma bruxa, ela me dá a firme impressão de que as mulheres só podem se tornar influentes no mundo do trabalho se forem totalmente desprovidas de busto. Minha mãe é uma exceção; fora ela, todas as mulheres da rua têm um busto colossal, que elas evidentemente empinam quando andam. Qual será a razão disso? A srta. Mathiassen é a única professora mulher que nós temos. Ela percebeu que gosto de poesia, e não dá certo se fazer de idiota com ela. Deixo isso para as matérias que não me interessam, que são muitas. Só gosto de dinamarquês e inglês. Nosso professor de inglês se chama Damsgaard; às vezes ele fica tremendamente irritadiço. Quando isso acontece, esmurra a mesa e diz: "Palavra de honra que vocês ainda aprendem!". Usa essa expressão com tanta frequência que em pouco tempo passa a ser chamado unicamente de Palavra de Honra. Em certa ocasião ele lê uma frase que considera muito difícil, e me pede para repeti-la. A frase é esta: *"In reply to your inquiry I can particularly recommend you the boarding house at eleven Woburn Place. Some of my friends stayed there last winter and spoke highly about it"*. Ele elogia minha pronúncia correta e o resultado é que nunca mais consigo esquecer a tal frase idiota.

Todas as garotas da classe têm cadernos de poesia, e depois que atormento minha mãe por tempo suficiente, também ganho um. É marrom, com a palavra "Poesia" na capa em letras douradas.

Permito que algumas garotas escrevam nele os versos de sempre e de vez em quando contribuo com meus próprios poemas com data e nome embaixo, para que no futuro não restem dúvidas de que eu era uma criança-prodígio. Escondo meu caderno de poesia numa das gavetas da cômoda do quarto, embaixo de uma pilha de toalhas e panos de prato, onde penso que ficará relativamente protegido de olhos profanos. Mas uma noite Edvin e eu estamos sozinhos em casa porque meus pais saíram para jogar cartas com minha tia e meu tio. Em geral Edvin sai à noite, mas, depois que virou aprendiz, fica cansado demais para fazer isso. "Não é uma boa colocação", diz ele, e atormenta meu pai, implorando que o deixe ir atrás de outra. Como meu pai não cede, ele começa a gritar e diz que vai virar marinheiro e viajar para longe e muitas outras coisas. Com isso meu pai também começa a gritar, e quando minha mãe entra na gritaria e dá força a Edvin, está armado o espetáculo em nossa sala, quase suplantando o alarido do andar de baixo, na casa de Rapunzel. Edvin é o culpado de quase toda noite, agora, a paz do recinto se romper, e às vezes me dá vontade de que ele leve sua ameaça a sério e viaje mesmo. Esta noite ele está sentado quieto e concentrado, folheando o *Social-Demokraten*, enquanto o tique-taque do relógio na parede é a única coisa a romper o silêncio. Faço meus deveres, mas o silêncio entre nós me perturba. Ele volta os olhos escuros e pensativos para mim, olhos de repente tão melancólicos quanto os de meu pai, e diz: "Que diabo, não está na hora de você ir para a cama? Nunca se pode estar sozinho neste diabo de casa!". "Então por que você não vai para o quarto?", respondo, ofendida. "É o que vou fazer agora mesmo", resmunga ele, em seguida empunha o jornal e vai para dentro, batendo a porta com força atrás de si. Pouco depois, para minha surpresa e inquietação, ouço uma gargalhada lá dentro. O que haverá de tão engraçado? Entro e fico paralisada de horror. Edvin está sentado na cama de minha mãe com meu pobre caderno de poesia na mão. Está a ponto de cair no chão de tanto rir. Com o rosto rubro de vergonha, dou um passo na direção dele e estendo a mão. "Me dê esse caderno", digo, e bato um pé no chão. "Você não tem o direito de pegar isso!" "Ah, Deus", diz ele ofegante, e se dobra de rir. "Que hilário. Quanta mentira... Ouça isto!" E lê, entre gargalhadas:

> Lembras daquele perfeito gozo,
> quando tudo era sonho e harmonia?
> A canoa no rio preguiçoso,
> na água a lua se refletia...
>
> De repente os remos largaste,
> e a canoa imóvel ficou.
> Nada disseste, mas nos teus olhos,
> ah, querido, o amor cintilou.
>
> Nos teus braços fortes me tomaste.
> Jamais, jamais vou esquecer...
> Querido, minha boca beijaste,
> e a noite foi um alvorecer.

"Oh! Oh! Ha-ha!" Ele se joga de costas na cama e ri mais ainda, enquanto as lágrimas rolam de meus olhos. "Eu te odeio!", grito, batendo os pés no chão, impotente. "Eu te odeio, eu te odeio! Queria que você se afogasse numa poça de marga." Dito isso, me preparo para escapar porta afora quando a gargalhada insana de Edvin adquire uma tonalidade nova, inquietante. Já na porta, me viro e o vejo deitado de bruços sobre o acolchoado listrado de minha mãe, o rosto escondido no oco de um dos braços. Meu precioso caderno está caído no chão. Ele soluça incontidamente, desconsoladamente e eu fico aterrorizada. Hesitante, me aproximo da cama, mas não me animo a tocá-lo. É uma coisa que nunca fizemos. Enxugo as lágrimas na manga do vestido e digo: "Falei sem pensar, Edvin, aquilo da poça de marga. Eu... eu nem sei o que é isso". Ele não responde e soluça mais ainda; de repente, se vira e me dirige um olhar sem esperança: "Odeio o mestre e odeio os assistentes", diz. "Eles... me batem o dia inteiro e nunca vou aprender a pintar automóveis. A única coisa que eu faço é sair para buscar cerveja para eles todos. Odeio nosso pai, porque ele não me deixa trocar de colocação. E quando eu chego em casa, não consigo ficar sozinho. Não tem um só cantinho onde eu possa ficar em paz." Olho para baixo, para meu caderno de poesia, e digo: "Eu também não posso ficar em paz, nem papai, nem mamãe. Eles não ficam sozinhos nem quando eles... quando eles...". Edvin olha para mim surpreso e enfim para de chorar. "Não...", diz tristemente. "Eu nunca tinha pensado nisso." Levanta-se e, claro, está chateado porque a irmã o viu num momento de fraqueza. "Bom", diz num tom rude, "suponho que tudo melhora quando a gente vai embora de casa." Concordo com ele. Com isso, saio e vou contar ovos na despensa. Tiro dois e ajeito os outros para que deem a impressão de serem mais. "Vou fazer ovo mexido para nós", grito na direção do quarto e me dedico a essa tarefa. Nesse momento gosto mais de Edvin do que em todos os anos em que ele foi distante e incrível, bonito e animado. Não era uma coisa muito humana, ele nunca ficar chateado com nada.

11.

Gerda vai ter um bebê e Focinho de Lata levou sumiço. Ruth diz que ele tinha mulher e filhos e para eu nunca ter uma história com um homem casado. Do meu lado, não me imagino tendo uma história com um homem não casado, também, mas isso eu guardo para mim mesma. Minha mãe diz que vou ser posta para fora de casa se aparecer com criança. Gerda não foi posta para fora de casa. Ela simplesmente parou de trabalhar na fábrica onde ganhava vinte e cinco coroas por semana, e agora fica em casa com seu barrigão e canta e cantarola o dia inteiro, de modo que dá para ouvir de longe que ela não perdeu nem um pouco de seu bom humor. Faz tempo que sua trança dourada foi cortada, e no meu coração já não a chamo de Rapunzel, mesmo que na verdade, quando o príncipe que ficara cego encontrou a garota do conto de fadas no deserto, ela tivesse virado mãe de gêmeos. Parece uma coisa tão bonita e remota que é fácil você quase nem se dar conta de que ela ocorreu; quando eu era pequena, nunca parava para pensar como aquilo se dava. No ano passado a Olga da síndica teve um filho com um soldado que também desapareceu sem deixar rastro, mas para início de conversa ela já estava com mais de dezoito anos, e depois ela acabou se casando com um policial que não estava nem aí para quem era o pai da criança. Sempre que vejo mulheres de barrigão, me esforço para olhar apenas para a cara delas, onde tento inutilmente encontrar pistas de uma felicidade celestial, como no poema de Johannes V. Jensen: "Carrego em meu seio inflado um broto meigo e inquieto". Elas não mostram nos olhos a expressão de sabedoria que algum dia terei ao ficar esperando um filho, quanto a isso não tenho dúvidas. Sou obrigada a buscá-la nos livros de ficção, pois meu pai não gosta que eu retire coletâneas de poemas da biblioteca e traga para casa. "Nuvens no ar", diz ele com desdém, "não têm nada a ver com a realidade." Nunca me interessei pela realidade e nunca escrevo sobre ela em meus poemas. Quando leio *Ved vejen*, de Herman Bang, meu pai segura o livro entre dois dedos e diz, com todas as mostras de aversão: "*Este* você não pode ler. Ele não era normal!". Sei que é horrível não ser normal, e eu própria tenho minhas dificuldades para fazer de conta que sou. Por isso me consola saber que Herman Bang também não era, e leio o livro até o fim na sala de leitura. Choro, ao chegar ao fim. "Sob a relva da sepultura, dorme a pobre Marianne. Venham, meninas, chorem pela pobre Marianne." Quero escrever versos que se pareçam com esses, que toda e qualquer pessoa possa entender. Meu pai também não quer que eu leia Agnes Henningsen porque ela é "uma mulher pública", coisa que não se dá ao trabalho de explicar melhor. Se ele visse o caderno com os meus poemas, por certo queimava. Depois que o Edvin o encontrou e riu dele, guardo-o sempre comigo, durante o dia na bolsa de escola, ou então dentro da calcinha, cujo elástico impede que ele caia. Durante a noite, fica embaixo do meu colchão. Aliás, Edvin disse mais tarde que na verdade ele achava que os poemas eram bons, desde que tivessem sido escritos por outra pessoa e não por mim. "Quando a gente sabe que aquilo tudo é mentira", diz ele, "vira uma coisa de morrer de rir." Fico feliz com o elogio dele, porque a parte de os poemas serem mentira não me incomoda. Sei que de vez em quando é preciso mentir para conseguir dizer a verdade.

    Estamos com vizinhos novos, depois que Ketty e a mãe dela foram expulsas. É um casal mais velho com uma filha chamada Jytte. Ela trabalha numa loja de chocolates, e à tardinha costuma ir a nossa casa, quando meu pai está no turno da noite. Nessas ocasiões ela e minha mãe se divertem muito, pois minha mãe se dá melhor com mulheres mais jovens que ela. É comum Jytte trazer chocolate para Edvin e para mim, e nós o comemos bem satisfeitos, embora meu pai diga que provavelmente é roubado. Como resultado da generosidade de Jytte, me acontece uma coisa pavorosa. Um dia, quando volto da escola, minha mãe pergunta: "E então? Gostou do lanche que levou para a escola hoje?". Fico vermelha e gaguejo e não sei do que ela está falando. Sempre jogo meu lanche fora sem tocar nele porque é embrulhado em jornal. Os lanches dos outros são embalados em papel-manteiga, coisa que minha mãe nunca na vida haverá de admitir. "Ah, gostei", respondo constrangida. "Estava uma delícia." "Me pergunto se é verdade que ela rouba o chocolate", diz minha mãe em tom de conversa. "Imagino que o proprietário fique de olho." Então me dou conta, aliviada, de que havia chocolate no meu lanche, e fico muito feliz, porque vejo nisso um sinal de amor. É tão estranho minha mãe nunca perceber quando eu minto. Em compensação, ela quase nunca acredita numa verdade. Tenho a sensação de que boa parte de minha infância está dedicada a decifrar a personalidade dela, e mesmo assim ela continua tão misteriosa e perturbadora quanto antes. Acho que o pior é que ela pode passar dias emburrada, recusando-se terminantemente a falar com você ou a ouvir o que você está dizendo, sem que você consiga entender o que fez para ofendê-la. Com meu pai, é a mesma coisa. Uma vez que ela fez troça do Edvin porque ele brinca com as garotas, meu pai falou: "Ah, deixe para lá! Afinal, as garotas são um tipo de ser humano também". "Ah, é?", disse minha mãe, e apertou os lábios para só voltar a abri-los ao menos uma semana depois. Na verdade tomei o partido dela, pois é óbvio que meninas e meninos não deveriam brincar juntos. Na escola é a mesma coisa, a não ser que sejam irmãos. Mas um menino também não vai querer ficar conhecido por andar com a irmãzinha, e sempre que é absolutamente inevitável que Edvin e eu sigamos juntos pela mesma rua, preciso andar três passos atrás dele e nunca, de maneira nenhuma, dar a entender que o conheço. Não sou nada de que alguém possa se gabar. Minha mãe também acha isso, porque sempre que vamos a uma comemoração na Folkets Hus ela se esforça seriamente para me dar uma aparência um pouco melhorada. Alisa com prancha meu cabelo amarelo espetado e me pede energicamente para encolher os dedos a fim de que meus pés entrem num par de sapatos que Jytte nos emprestou. "Ela já está bonita, diabos", diz meu pai para me consolar. Ele mesmo está tendo problemas para encaixar o colarinho na camisa branca comprada especialmente para a ocasião. Edvin já está tão adulto que acha péssimo ter de sair com a família, por isso ele até esquece de fazer suas adoráveis observações de sempre sobre eu ser tão feia que nunca vou me casar. Trata-se de uma noite muito especial, já que, depois de discursar para os trabalhadores, Stauning entregará pessoalmente um presente a todos os recrutadores de Vesterbro, entre eles meu pai. Domingo após domingo ele se arrasta escadas acima e escadas abaixo pelo bairro para arrecadar membros para o clube político, e minha mãe o leva ao desespero ao retirá-lo uma vez por mês do clube, sempre que chega a hora de pagar a mensalidade correspondente de cinquenta centavos. Então ele murmura uma porção de palavrões, agarra o velho chapéu e pede ao encarregado que o inscreva de novo. Ela nutre um ódio inarticulado por Stauning e pelo partido e de vez em quando dá a entender que houve um tempo em que meu pai foi praticamente um criminoso — um comunista. Ela não diz a palavra em voz alta, não ousa fazer isso, mas de vez em quando penso no livro proibido que ele estava sempre lendo no começo da minha infância, um com a bandeira vermelha para a qual a família do trabalhador feliz ergue o rosto, de modo que deve haver alguma verdade nas insinuações dela.

Meu coração bate mais depressa quando Stauning se dirige ao palco e estou segura de que com o de meu pai acontece a mesma coisa. Stauning fala do jeito que costuma falar, e eu entendo no máximo metade do que ele diz. Mas me agrada sua voz tranquila, escura, que tem um efeito balsâmico sobre minha alma e me assegura de que nada de verdadeiramente ruim pode nos atingir enquanto Stauning estiver por aqui. Ele fala em instituir a jornada de trabalho de oito horas, apesar de que agora faz muito tempo que isso se passou. Fala dos sindicatos e dos nefastos fura-greves, que não deveriam ser tolerados em nenhum local de trabalho. Prometo depressa para mim mesma, para Stauning e para Nosso Senhor que nunca serei uma fura-greve. Só quando fala sobre os comunistas, que prejudicam e dividem o partido, eleva a voz a um tom de fúria tempestuosa, que no entanto logo é substituído por uma reflexão serena, quase gentil, sobre o desemprego, de que minha mãe não é a única a atribuir-lhe a culpa. Mas não, diz ele, a culpa é unicamente da depressão global, e o som dessas palavras me agrada, acho-as simpáticas. Imagino um mundo imerso no sofrimento, no qual todas as pessoas baixaram as cortinas e apagaram a luz, enquanto a chuva despenca de um céu cinzento e sem esperança onde não se vê nenhuma estrela. "E agora", conclui Stauning, "tenho o imenso prazer de entregar um prêmio a cada um de nossos prestimosos recrutadores, como recompensa por seu trabalho em prol de nossa grandiosa causa!" Fico rubra de orgulho por meu pai estar entre eles e olho de esguelha para o lugar onde ele está sentado. Ele retorce o bigode nervosamente e sorri para mim, como se soubesse que partilho sua alegria. A disputa acerca do posto de aprendiz ainda esfria a atmosfera entre ele e Edvin, que parece estar prestes a adormecer. Então Stauning pronuncia os nomes um por um em voz alta e clara, aperta a mão de cada homem e lhes entrega um livro. Tudo fica nebuloso diante dos meus olhos quando chega a vez de meu pai. O livro que ele recebe se chama *Poemas e ferramentas*, e Stauning escreveu seu nome e algumas palavras de reconhecimento na página de rosto. A caminho de casa, ainda emocionado com a honraria, meu pai diz: "Quando você for adulta, poderá ler este livro. Sei que gosta de poesia". Minha mãe e Edvin não estão conosco. Os dois vão ao baile que haverá logo em seguida, coisa que não é do interesse de meu pai, com sua seriedade, enquanto eu não passo de uma criança. Depois minha mãe guarda o livro tão no fundo da estante que não é possível vê-lo quando a porta de vidro está fechada. "Bela recompensa por gastar os degraus das escadas todo santo domingo", diz ela, desdenhosa, a meu pai. "E depois ele vem falar em fura-greves e subemprego. Meu Deus!" Meu pai é outro que não está autorizado a desfrutar em paz sua alegria.

12.

O tempo passou, e a infância ficou fina e plana feito papel. Ela estava exausta e surrada, e nos momentos de abatimento dava a impressão de que não ia se manter até eu ficar adulta. Outros também podiam perceber isso. Toda vez que tia Agnete vinha a nossa casa, dizia: "Nossa, como você está crescendo!". "É", dizia minha mãe, e olhava consternada para mim. "Se pelo menos ela ficasse um pouco mais cheinha..." E tinha razão. Eu era tão plana quanto uma boneca de vestir, e a roupa pendia de meus ombros como de um cabide. A infância deveria durar até meus catorze anos, mas o que eu podia fazer se ela me escapava antes do tempo? Você nunca obtinha respostas para as perguntas importantes. Cheia de inveja, eu vigiava a infância de Ruth, firme e homogênea e sem uma única rachadura: dando a impressão de que sobreviveria a ela para que outra pessoa pudesse herdá-la e gastá-la. A própria Ruth não tinha consciência disso. Quando os garotos da rua gritavam para mim: "Como está o tempo aí em cima, irmã?", ela reagia gritando uma série de insultos e maldições na direção deles, fazendo-os fugir aterrorizados. Ela sabia que eu era vulnerável e tímida e sempre respondia por mim. Mas Ruth já não me bastava, tampouco a srta. Mollerup, que precisava tomar conta de tantas crianças, e eu era apenas uma delas. Eu sempre sonhava encontrar uma pessoa, uma única, a quem pudesse mostrar meus poemas, e que os elogiaria. Minha avó acharia que eram indecentes, Edvin riria deles. Eu havia começado a pensar muito na morte, e pensava nela como uma amiga. Me convenci de que queria morrer, e certa vez, quando minha mãe foi à cidade, peguei a faca do pão e serrei o pulso na esperança de encontrar a artéria. Enquanto isso, chorava pensando no desespero de minha mãe, que dali a pouco se jogaria aos prantos sobre o meu cadáver. A única coisa que aconteceu foi que fiquei com algumas esfoladuras, cujas marcas tênues guardo até hoje. Meu único consolo neste mundo incerto, trêmulo, era escrever versos como estes:

Uma vez fui jovem, bela e feliz,
plena de festas e risos.
Era como a rosa que se abre.
Agora estou velha e esquecida.

Na época, eu tinha doze anos. Esse e todos os meus poemas ainda estavam "cheios de mentiras", como dizia Edvin. A maioria falava de amor, e a crer no que eles diziam eu vivia uma vida leviana repleta de conquistas interessantes.

Eu estava convencida de que seria enviada para um reformatório caso algum dia meus pais lessem um poema como este:

Foi júbilo o que senti, meu amigo,
quando nossos lábios se encontraram,
sabendo que aquele era o momento
para o qual havíamos nascido, porém…

Meus vagos sonhos de juventude se desfizeram.
A porta da vida está aberta.
A vida é linda, amigo, obrigada,
você me batizou para a paixão.

Eu escrevia poemas de amor para o homem na lua, para Ruth — ou para ninguém. Achava que meus poemas protegiam os lugares em carne viva de minha infância como a pele nova, frágil, que se forma sob uma casca de ferida que ainda não terminou de se desprender. Será que minha figura adulta nasceria deles? Naquela época eu andava quase o tempo todo deprimida. O vento na rua soprava tão frio contra meu corpo alto, magro, que o mundo via com um olhar de desaprovação. Na escola eu sempre encarava os professores, assim como encarava todos os adultos; um dia uma professora substituta de música se aproximou calmamente do lugar onde eu estava sentada e disse em voz baixa mas clara: "Não vou com a sua cara". Fui para casa e me olhei no espelho acima da cômoda. Era uma cara pálida, com bochechas redondas e olhos amedrontados. Atravessando meus dentes da frente, os de cima, havia pequenos sulcos no esmalte, resultantes de eu ter sofrido de raquitismo quando pequena. Eu sabia disso pelo dentista da escola, que disse que a doença era causada por má nutrição. Claro, guardei a informação comigo, pois não era coisa para comentar em casa. Como eu não conseguia explicar minha crescente melancolia para mim mesma, imaginei que finalmente tinha sido atingida pela "depressão mundial". Também pensei muito em minha primeira infância, que nunca mais voltaria, e me pareceu que tudo era melhor naquele tempo. À noite me instalei no parapeito da janela e escrevi em meu caderno de poesia:

Cordas finas que se rompem
nunca mais são reunidas,

a não ser que seu tom ceda,
a não ser que uma nota morra.

Ali, diferentemente do que aconteceria mais tarde, não havia nenhum Kai Friis Møller para sussurrar: "Atenção à ordem e à escolha das palavras, srta. Ditlevsen!". Meus modelos literários, àquela altura, se limitavam a letras de hinos, baladas e letras de música da década de 1890.

Uma manhã acordei me sentindo muito mal. A garganta doía e eu tremia de frio quando pus os pés no assoalho. Perguntei a minha mãe se podia ficar em casa em vez de ir à escola, mas ela franziu o cenho e me disse para poupá-la daquelas bobagens. Ela não tolerava situações inesperadas ou visitas que não fossem anunciadas com antecipação. Ardendo em febre, fui para a escola e me mandaram para casa já na primeira hora. Então minha mãe havia se conformado, aceitando que eu estava doente. Adormeci assim que voltei para a cama, e quando acordei minha mãe estava em meio a uma superfaxina no apartamento inteiro. Pendurava cortinas limpas no quarto e se virou quando a chamei. "Que bom que você acordou", disse ela, "daqui a pouco chega o doutor, quero ver se acabo aqui antes." Eu tinha um medo horroroso do médico da assistência social, e minha mãe também. Depois que ela trocou os lençóis das camas e escarafunchou minhas orelhas com um grampo de cabelo, a campainha tocou e ela, atordoada, foi correndo abrir a porta. "Bom dia", disse ela, respeitosamente. "Desculpe a inconveniência…" Não conseguiu dizer mais nada antes de ser interrompida por um violento acesso de tosse do médico. Enquanto tossia e cuspia em seu lenço, ele a afastou com a bengala: "Pois é, pois é", rugiu, quando recuperou o fôlego. "Todas essas escadas — vão acabar comigo. Não há espaço nem para a pessoa se virar: ou segue em frente ou volta para trás. Isso não é maneira de clinicar. Estou bem lembrado da senhora, com o problema dos dentes. Mas, pelo amor de Deus, quem está doente? Ah, sim, sua filha — onde diabos ela está?" "Ali dentro." Minha mãe foi na frente e o médico encolheu a barriga com a maior dificuldade ao passar para o outro lado da cama de casal e se aproximar de mim. "E então?", gritou, e inclinou o rosto sobre mim. "O que você tem? Não está matando aula, está?" Seu aspecto era odioso, e puxei o acolchoado até bem debaixo do queixo. Ele me fixou com aqueles olhos saltados, pretos, e fiquei com vontade de dizer que, embora fôssemos pobres, não éramos nem um pouco surdos. Suas mãos eram revestidas de uma camada densa de pelos, e um tufo espesso, preto, brotava de cada uma de suas orelhas. Ele pediu uma colher com um rugido e minha mãe quase caiu das pernas ao correr até a cozinha para buscá-la. Ele acendeu uma luzinha para examinar minha garganta, apalpou as laterais de meu pescoço e perguntou, ameaçador: "Há casos de difteria na escola? Hein? Algum dos seus colegas de classe?". Fiz que não com a cabeça. Então ele fez uma careta como se estivesse sentindo um gosto azedo e gritou: "Ela está com difteria! Precisa ir imediatamente para o hospital! Que diabo!". Minha mãe olhou para mim com ar de reprovação, como se nunca tivesse esperado que eu pudesse apresentar a um médico ocupado como aquele uma coisa tão impertinente. O médico, furioso, agarrou sua bengala e foi até a sala batendo os pés para escrever um pedido de internação, e eu fiquei apavorada. Hospital! Meus poemas! Onde iria escondê-los agora? O sono me venceu uma vez mais, e quando acordei minha mãe estava sentada na beirada da cama. Perguntou muito gentilmente se eu queria alguma coisa e, para agradá-la, pedi um pedaço de chocolate, mesmo sabendo que não ia conseguir engoli-lo. Graças a Jytte agora sempre tínhamos chocolate em casa. Enquanto esperávamos pela ambulância, expliquei a ela que gostaria muito de levar meu caderno de poesia para o caso de alguém, no hospital, ter vontade de escrever nele. Ela não tinha nada contra. Sentou-se a meu lado na ambulância e ficou o tempo todo acariciando minha testa ou minhas mãos. Eu não me lembrava de ela alguma vez ter feito isso, o que me deixou ao mesmo tempo constrangida e feliz. Sempre que eu andava pela rua ou entrava numa loja, olhava com uma mistura de alegria e inveja para as mães que pegavam os filhos pequenos no colo ou que os acariciavam. Talvez minha mãe tivesse feito isso algum dia, mas eu não conseguia me lembrar. No hospital, me puseram numa grande enfermaria com crianças de todas as idades. Todas nós estávamos com difteria, e a maioria tão doente quanto eu. Larguei meu caderno de poesia numa gaveta e ninguém estranhou o fato de eu ter um caderno de poesia. Mesmo tendo passado três meses lá, não me lembro de quase nada de minha estadia. Nos horários de visita, minha mãe se posicionava do lado de fora da janela e conversava comigo aos gritos. Pouco antes de eu voltar para casa, ela conversou com o médico-chefe, que lhe disse que eu estava anêmica e com peso abaixo do normal. As duas coisas foram um tormento para minha mãe, que nos primeiros tempos depois de eu voltar para casa preparava mingau de farinha de centeio e outros pratos engordativos para mim, mesmo meu pai estando de novo desempregado. Durante minha longa ausência, Ruth se aproximara da filha da síndica, Minna, uma menina gorda, de cabelo branco, que em breve completaria treze anos; agora Ruth passava praticamente o tempo todo com ela, instaladas perto do canto das lixeiras, mesmo ela estando longe de chegar à idade de conseguir essa promoção. Senti-me abandonada e sozinha. Só a noite e a chuva e minha silenciosa estrela da tarde — bem como meu caderno de poesia — me proporcionavam, na época, algum conforto. Eu escrevia poemas exclusivamente assim:

Noite negra como a raposa, melancólica,
acolhedora me agasalhas no escuro,
tão calma e suave em minha alma,
me deixas sonolenta e frágil.

Chuva fina e serena
bate leve na vidraça.
Deito a cabeça no travesseiro,
sinto o frescor do linho.

Tranquila adormeço,
abençoada noite, minha melhor amiga.
Amanhã desperto de novo para a vida
com essa tristeza na alma.

Um dia meu irmão me disse que eu deveria tentar vender um de meus poemas para alguma revista, mas não achei possível que alguém quisesse me dar dinheiro em troca deles. Além disso, para mim tanto fazia, desde que alguém estivesse disposto a imprimi-los, mas eu nunca ficaria cara a cara com esse "alguém". Algum dia, quando eu fosse adulta, é claro que meus poemas iriam parar num livro de verdade, mas eu não sabia como a coisa se daria. Meu pai decerto sabia, mas ele havia declarado que uma garota não podia ser poeta, de maneira que eu não lhe diria nada a respeito. De todo modo, para mim bastava escrever poemas; eu não tinha a menor pressa em mostrá-los a um mundo que até ali só lhes dedicara risadas e desdém.

13.

Tio Peter matou minha avó. Ao menos é o que dizem meus pais e tia Rosalia. Ele e tia Agnete foram buscar minha avó na véspera de Natal; havia uma nevasca terrível. Os três esperaram ao menos um quarto de hora pelo bonde e, apesar de sua legendária riqueza, tio Peter não teve a ideia de chamar um táxi que os levasse para casa. À noite minha avó estava com pneumonia; eles a deitaram num sofá que havia na sala — que, evidentemente, sempre está aquecida no Natal. "Mas você sabe", diz minha mãe, "como é úmido um cômodo que fica o tempo todo sem aquecimento, com exceção de três dias por ano." Foi lá que minha avó passou os feriados de Natal, recebendo a visita de todos nós e sabendo muito bem que ia morrer. A gente não acreditava. Ela ficou ali deitada, vestindo uma camisola branca de gola alta, e suas mãos miúdas, parecidas com as de minha mãe, se moviam o tempo todo, agitadas, por cima do acolchoado, como se procurassem alguma coisa muito importante e não a encontrassem. Agora que ela não estava usando óculos, dava para ver que seu nariz era comprido e fino, os olhos de um azul profundo, muito claros, e que sua boca chupada tinha uma expressão severa, inflexível, sempre que ela não estava sorrindo. Falava incessantemente sobre seu sepultamento e as quinhentas coroas que perdera com a falência escandalosa do banco Landmands. Minha mãe e minhas tias riam com gosto e diziam: "Você vai ter um belo enterro, mãezinha, quando chegar a hora". Acho que eu era a única que a levava a sério. Afinal, ela estava com setenta e seis anos, portanto não ia demorar tanto assim, eu achava. Combinamos que os hinos para a ocasião seriam: "Sino da igreja, não para as cidades grandes", e "Lançaste mão da colheita do Senhor?". Este último não era hino de enterro, claro, mas tanto minha avó como eu gostávamos muito dele e costumávamos cantá-lo juntas sempre que eu ia visitá-la. Do meu lado havia também uma pequena dose de despeito nessa escolha. Meu pai odiava esse hino mais que os outros, porque a estrofe "Se o pranto afogar a voz, lembre-se da colheita de ouro" comprovava, na opinião dele, o antagonismo da Igreja com os trabalhadores.

Eu gostaria tanto de ter escrito um hino para minha avó, mas não consegui. Havia tentado muitas vezes, mas eles sempre saíam parecidos com os velhos hinos, então, com muita pena, tive de abandonar a ideia. No segundo dia depois do Natal aconteceu uma coisa terrível. As três irmãs estavam sentadas perto da cama de minha avó, com tio Peter também no quarto, quando de repente soou a campainha e uma de minhas primas abriu a porta para o Perna Bamba, que, num estado deplorável, abriu caminho até a cama da doente. Tia Rosalia cobriu o rosto com as mãos e caiu no choro. O Perna Bamba se virou para ela e gritou que era melhor ela ir imediatamente para casa, do contrário ele partiria todos os ossos do seu corpo. Tio Peter se aproximou e agarrou o homem embriagado, enquanto nós, crianças, fomos postas para fora do recinto. Houve um tremendo alarido, as mulheres gritando, e no meio de tudo a voz tranquila e respeitável de minha avó procurando apelar para alguma boa porção remanescente do caráter dele. Então, de repente, fez-se silêncio e depois ficamos sabendo que tio Peter o tinha posto para fora à força. Antes, ele nunca fora autorizado a entrar naquela casa. Na nossa rua era igual. Ou bem os homens bebiam — esses eram a maioria —, ou desenvolviam um ódio violento contra os que o faziam. Quando minha avó piorou — e o médico havia dito que era provável que ela não vencesse a crise —, não me deixaram mais visitá-la. Minha mãe ficava com ela dia e noite, e voltava para casa com os olhos vermelhos e notícias desanimadoras. Quando minha avó morreu, também não fui autorizada a vê-la, mas Edvin sim. Ele disse que ela parecia estar viva. Mas acompanhei o sepultamento. Sentei-me entre minha mãe e tia Rosalia na igreja de Sundby e já no sermão fui tomada por um ataque histérico de riso. Foi uma coisa tão terrível que comprimi o lenço contra o nariz e a boca, na esperança de que achassem que eu estava chorando como os outros. Por sorte, lágrimas também escorriam por minha face. Fiquei horrorizada pensando que não conseguia sentir nada diante da morte. Eu amava minha avó de verdade, e então foram cantados os hinos que havíamos escolhido juntas. Por que razão eu era incapaz de sentir pesar? Bem depois do sepultamento, meu acolchoado foi substituído pelo de minha avó — única herança recebida por minha mãe. Quando, à noite, puxei-o e cobri meu corpo com ele, fui envolvida pelo cheiro de linho limpo característico de minha avó, chorei pela primeira vez e entendi o que tinha acontecido. Ah, vó, você nunca mais vai me ouvir cantar. Nunca mais vai passar manteiga de verdade no meu pão, e o que você se esqueceu de me contar sobre sua vida nunca mais será revelado. Durante muito tempo, chorei toda noite até adormecer, pois aquele cheiro continuava preso ao acolchoado.

14.

"Deus que te proteja, se você não devolver essa máquina de torcer roupa agora mesmo", diz minha mãe, jogando a pesada máquina para mim; sou obrigada a pular para que ela não acerte meus pés. Ela está na lavanderia do porão, inclinada sobre a caldeira fumegante, e sei que neste dia específico do ano ela está transtornada. Mas estou numa situação pavorosa. Ela me deu dez centavos para pagar o aluguel da máquina e ela custa quinze centavos por hora. Na última vez o aluguel havia subido cinco centavos, e tive de prometer que pagaria na vez seguinte os cinco centavos que faltavam. Ou seja, hoje eles deveriam receber vinte centavos, e eu só tinha dez. "Mãe", digo timidamente, "não posso fazer nada se o preço subiu." Ela levanta a cabeça e afasta o cabelo úmido do rosto. "Vá de uma vez", diz, ameaçadora, e saio do porão úmido para o pátio, onde ergo os olhos para o céu cinzento como se esperasse ajuda vinda de lá. A tarde já vai avançada e perto das lixeiras está a turma de sempre, de pé, com as cabeças reunidas. Tomara eu fosse um deles. Tomara fosse como Ruth, que é tão pequena que desaparece no meio do pessoal.

"Oi, Tove", ela grita, feliz, pois não tem noção de ter me abandonado. "Oi", respondo, e de repente me sinto esperançosa. Avanço e faço sinal a Ruth para que se aproxime de mim. Então explico a ela meu encargo e ela diz: "Vou junto, me encarrego de devolver. Me dê os dez centavos, pois é melhor que nada". Para Ruth tudo é simples e direto; o comportamento dos adultos nunca a surpreende. Eu também não me surpreendo muito, em se tratando de minha mãe, cuja personalidade imprevisível aceitei. Chegando à Sundevedsgade, fico parada na esquina, pronta para a fuga, enquanto Ruth se precipita loja adentro, deposita a máquina sobre o balcão juntamente com os dez centavos e dispara na minha direção. Corremos sem parar até a Amerikavej, onde paramos, sem fôlego, e rimos como nos velhos tempos, sempre que conseguíamos realizar algum projeto arriscado. "A desgraçada gritou para mim", diz Ruth, ofegante. "'O preço é quinze centavos', ela gritou, mas não conseguiu passar depressa que chegasse pela máquina com aquele barrigão. Ai, Deus, que divertido que foi!" Lágrimas límpidas riscam o rostinho bonito e me sinto feliz e agradecida. A caminho de casa, Ruth me pergunta por que não quero me juntar aos outros no canto das lixeiras. "Elas são tão engraçadas, as garotas grandes", diz ela. "Se divertem tanto!" Se Ruth tem idade suficiente para participar desses encontros, então eu também tenho. Quando chegamos em casa e entramos no pátio, só Minna e Grete estão no canto das lixeiras. Não entendo o que Ruth vê em Minna. Grete mora no bloco da frente e é filha de mãe divorciada, costureira como minha tia. Frequenta a sétima série e quase não a conheço. Está com uma blusa de tricô que revela dois promontórios minúsculos na frente, aqueles de que, para minha tristeza, não disponho. Quando ela ri, dá para ver que sua boca é torta. Está quase escuro no canto, e há um fedor horroroso por causa dos latões de lixo. As duas garotas grandes estão sentadas em cima deles, e Minna, num gesto acolhedor, abre espaço para Ruth ao lado dela. De modo que fico ali parada, empertigada feito um poste, e não consigo encontrar nada para dizer. Aquela é uma promoção que aguardo há anos, mas agora já não sei se ela tem alguma importância. "O bebê da Gerda já está quase chegando", diz Grete, e bate com os calcanhares na lata de lixo. "Ele vai ser retardado que nem o Belo Ludvig", diz Minna, esperançosa. "Crianças concebidas numa bebedeira nascem retardadas." "De jeito nenhum", diz Ruth. "Se fosse verdade, a maioria de nós seria retardada." Elas sempre falam coisas assim, e têm coisas negativas e indecentes a dizer sobre todo mundo. Fico pensando: será que elas falam coisas assim sobre nós quando eu viro as costas? Às risadas, falam de embriaguez e sexo e ligações secretas inomináveis. Grete e Minna não querem continuar virgens nem por uma hora depois de sua confirmação, dizem elas, e vão tomar cuidado para não engravidar antes dos dezoito anos. Sei disso tudo porque Ruth me contou, e as conversas no canto das lixeiras me parecem mortalmente tristes e aborrecidas. Elas oprimem meu peito e me dão vontade de ficar longe do pátio e da rua e dos edifícios. Não sei se é possível encontrar outras ruas, outros pátios, outras casas e pessoas. Até hoje só me aventurei até a Vesterbrogade, sempre que me encarregavam de comprar um quilo e meio de batatas comuns do merceeiro, que sempre me dava um caramelo, e que mais tarde se revelou como sendo O X Perfurante. Durante o dia ele tomava conta tranquilamente de seu pequeno negócio e à noite fazia a polícia de trouxa ao se introduzir nos postos de correio da cidade. Só foi apanhado depois de muitos anos. Estou perdida em meus pensamentos quando Ruth diz, de repente: "A Tove tem namorado!". As duas grandes caem na risada ao mesmo tempo. "Mentira sua", diz Minna, "ela é santinha demais para isso."

"Mentira coisa nenhuma", diz Ruth, e abre um grande sorriso para mim, completamente desprovido de maldade. "E tem mais, eu sei quem ele é. É o Charles Crespo!" "Oh! Ha ha ha!" Elas se dobram ao meio de tanto rir, e eu rio mais alto ainda. Faço isso porque Ruth só teve a intenção de fazer graça, mas não há nada no assunto que eu ache engraçado. Gerda atravessa o pátio, oscilante e sobrecarregada, e as risadas cessam. Ela tem na mão uma sacola com garrafas de cerveja que tilintam umas contra as outras. Seu cabelo curto ficou mais escuro que antes, e ela tem manchas marrons no rosto. Apresso-me em fazer votos de que ela tenha um lindo filhinho com uma mente normal. Faço votos de que ela tenha uma menina de cabelo dourado formando uma trança grossa e comprida a descer pelas costas. Talvez Gerda estivesse apaixonada pelo Focinho de Lata, pois ninguém consegue decifrar o coração de uma mulher. Talvez ela chore toda noite, até adormecer, por mais que passe o dia rindo e cantando. Houve um tempo em que ela frequentava o canto das lixeiras, anunciando aos gritos o que aconteceria quando ela fizesse catorze anos. Não vou acompanhar as tradições, nesse aspecto. Não vou fazer isso enquanto não encontrar um homem que eu ame, mas até hoje nenhum homem ou garoto olhou para o meu lado. Não quero ter "um trabalhador especializado que volte direto para casa com o salário da semana e que não beba". Sendo assim, prefiro ficar solteirona, perspectiva com a qual aparentemente meus pais também foram pouco a pouco se conformando. Meu pai sempre fala em "posição estável com aposentadoria" depois que eu terminar a escola, mas para mim isso é tão horroroso quanto o trabalhador especializado. Quando penso no futuro, me vejo diante de uma parede, por isso quero tanto prolongar minha infância. Não consigo achar uma saída para a questão, e quando minha mãe me chama da janela lá em cima, abandono aliviada o sacrossanto canto das lixeiras e subo. "E então?", diz ela, toda carinhosa, "devolveu a máquina de torcer roupa?" "Devolvi", respondo, e ela sorri para mim como se eu tivesse completado com sucesso uma missão difícil que ela houvesse me dado.

15.

A srta. Mathiassen me disse para perguntar em casa se posso frequentar o ensino médio mesmo não tendo conseguido responder, no exame, quanto tempo durou a Guerra dos Trinta Anos. Não vou aprender nunca a prestar atenção nessa espécie de gracinha. A srta. Mathiassen diz que sou inteligente e que deveria prosseguir nos estudos. Eu também gostaria muito de fazer isso, mas sei muito bem que não temos meios para tanto. Mesmo assim, sem maiores esperanças, pergunto ao meu pai, que é tomado por uma estranha agitação e fala com menosprezo das meias-azuis e das estudantes mulheres, tanto umas como outras feias e presunçosas. Uma vez ele ia me ajudar a escrever uma redação a respeito de Florence Nightingale, mas a única coisa que ele conseguiu dizer a respeito dela foi que Florence tinha pés grandes e mau hálito, por isso troquei os conselhos dele pelos da srta. Mollerup. Em outras ocasiões, meu pai escreveu muitas de minhas redações e recebeu boas notas da srta. Mathiassen. A primeira vez que não deu certo foi quando ele escreveu uma redação sobre os Estados Unidos que acabava assim: "Os Estados

Unidos foram chamados de Terra da Liberdade. Antes, isso significava liberdade para ser quem você é, para trabalhar e para ser dono de terras. Agora o significado mais próximo dessa expressão é: liberdade para morrer de fome, caso não tenha dinheiro para comprar comida". "Que diabos você quer dizer com essa maluquice?", perguntou minha professora regente. Não consegui explicar, e recebemos só um B em troca do esforço. Não, não posso continuar estudando e só posso continuar sendo criança por pouco tempo. Preciso concluir o preparatório e passar pela confirmação e encontrar uma colocação em alguma casa onde haja muito a fazer. O futuro é um colosso todo-poderoso e ameaçador que em breve vai se abater sobre mim e me esmagar. Minha infância esfarrapada se agita a meu redor, e nem bem remendo um buraco, já se abre outro num lugar diferente. Isso me deixa vulnerável e irritadiça. Respondo a minha mãe e ela diz, provocadora: "Quando você estiver entre estranhos, vai ver o que é bom!". A grande tristeza deles é o Edvin, de quem me aproximei muito depois de ele entrar em conflito com nossos pais. Não tenho nenhum sentimento intenso ou doloroso em relação a ele, e por isso ele pode me confiar sem medo o que bem entender. Mas meu pai sempre acreditou que ele iria se destacar em alguma coisa, pois tinha tantos talentos quando pequeno. Cantava, tocava violão e era sempre o príncipe nas peças da escola. Todas as garotas da escola e do pátio do condomínio eram loucas por ele, e como frequentávamos a mesma escola, as professoras sempre me perguntavam, admiradas: "Você é irmã daquele menino bonito e inteligente?". Meu pai também ficava feliz por ele ser membro da organização das crianças e jovens da classe trabalhadora da Dinamarca e por participar apaixonadamente das atividades do partido. Meu pai sempre dizia que não respeitava um ministro que nunca houvesse empunhado uma pá, de modo que sabe-se lá que futuro ele um dia imaginou que Edvin teria! Agora todos esses sonhos estão desfeitos. Edvin só espera pelo dia abençoado em que for artífice e puder, por sua vez, torturar os coitados dos aprendizes. Ele também está à espera de completar dezoito anos para se mudar de casa e alugar um quarto onde possa ter suas coisas em paz. Vai morar num lugar aonde possa levar garotas, pois quanto a isso minha mãe é irredutível. Para ela, todas as garotas são representantes do inimigo e pensam unicamente em se casar e ser sustentadas por um trabalhador cuja formação os pais penaram para conseguir pagar. "E agora que ele vai começar a ganhar dinheiro", diz ela amargamente para meu pai, "e poderia devolver um pouco do que a gente gastou com ele, claro que resolve ir embora de casa. Isso é coisa que uma dessas garotas enfiou na cabeça dele." Ela diz esse tipo de coisa quando os dois já estão na cama e pensam que estou dormindo. Entendo bem o Edvin, pois o nosso não é um lar onde se possa ficar, e quando eu completar dezoito anos também vou sair de casa. Mas também entendo bem a decepção de meu pai. Porque recentemente, numa das discussões dele com Edvin, Edvin disse que Stauning bebia e tinha amantes. Meu pai ficou com o rosto rubro de fúria e deu uma tremenda bofetada nele, de modo que ele bambeou e caiu no chão. Até aquele dia, eu nunca tinha visto meu pai bater em Edvin, assim como ele nunca bateu em mim. Uma noite em que meus pais estavam na cama discutindo o problema, meu pai disse que estava disposto a permitir que Edvin trouxesse a namorada a nossa casa. "Ele não tem namorada, nenhuma firme", atalhou minha mãe. "Tem, sim", disse meu pai, "do contrário não sairia toda noite. Desse jeito, você é que o está expulsando de casa." Como sempre, nas raras vezes que meu pai insiste em alguma coisa, minha mãe teve de ceder, e Edvin foi instruído a convidar Solvejg para ir lanchar conosco na noite seguinte. Sei muitas coisas sobre Solvejg, mas nunca a vi. Sei que ela e meu irmão se amam e que vão se casar, quando ele virar artífice. Sei também que ele frequenta a casa dela e que os pais dela gostam muito dele. Ele a conheceu num baile na Folkets Hus. Ela mora na Enghavevej e tem dezessete anos, como ele. O pai dela é mecânico de bicicletas e tem uma oficina na Vesterbrogade. Ela própria é cabeleireira formada e ganha muito dinheiro.

Chegou a noite e todos acompanhávamos ansiosos os movimentos de minha mãe. Eu a ajudei a pôr a mesa com nossa única toalha branca e Edvin tentou em vão capturar seu olhar para sorrir para ela. Ele tinha vestido seu terno da confirmação, que ficava curto nos pulsos e nos tornozelos. Meu pai estava com a roupa boa de domingo, sentado na beirada do sofá, lidando nervosamente com o nó da gravata, como se a visita fosse ele. Peguei a bandeja com os bolinhos de creme e a depositei no centro da toalha. Nisso a campainha tocou e meu irmão quase tropeçou na própria perna ao pular para abrir a porta. Ouvimos uma leve risada no vestíbulo e minha mãe apertou os lábios, agarrou seu tricô e começou a tricotar furiosamente. "Boa noite", disse, seca, e apertou a mão de Solvejg sem erguer os olhos. "Por favor, sente-se." Ela poderia muito bem ter dito: "Vá para o inferno", mas aparentemente Solvejg não estava se dando conta da atmosfera tensa. Sentou-se sorridente, e achei-a muito bonita. Seu cabelo loiro formava uma guirlanda em torno da cabeça, suas bochechas eram rosadas, com covinhas fundas, e seus olhos azul-escuros tinham uma expressão de sorriso constante. Ela não percebeu que estávamos quietos demais; conversava toda alegre e segura de si, como se estivesse habituada a dar ordens. Falou de seu trabalho, de seus pais, de Edvin, e de como estava feliz por afinal estar na casa dele. Minha mãe foi ficando com um ar cada vez mais inflexível, tricotando como se trabalhasse por encomenda. No fim Solvejg acabou percebendo, pois disse: "Que coisa estranha! Quando Edvin e eu nos casarmos, a senhora ficará sendo minha sogra". E riu com gosto dessa conclusão, inteiramente sozinha, e de repente minha mãe rompeu em pranto. Foi tremendamente embaraçoso, e nenhum de nós sabia o que fazer. Ela chorava, sem parar de tricotar, e não havia nada de comovente ou tocante em suas lágrimas. "Alfrida!", disse meu pai, severo, e ele nunca a chamava pelo nome. Em desespero, empunhei a cafeteira. "Aceita mais uma xícara?", perguntei a Solvejg, e enchi sua xícara sem esperar pela resposta. Achei que ela talvez imaginasse que aquilo era uma coisa perfeitamente normal para nós. "Obrigada", ela disse, e sorriu para mim. Todos ficamos calados por um momento. Meu irmão olhava para a toalha com expressão sombria. Solvejg tirou o máximo proveito do gesto de pôr creme e açúcar no café. Lágrimas escorriam feito chuva dos olhos de minha mãe, teimosamente voltados para baixo, e de repente Edvin empurrou sua cadeira para trás, fazendo-a chocar-se com o aparador. "Vamos, Solvejg", disse ele. "Bem que eu achei que ela ia estragar tudo. Pare de choramingar, mãe. Vou me casar com a Solvejg, queiram vocês ou não. Boa noite." Levando Solvejg pela mão, ele saiu para o vestíbulo sem dar tempo a ela de se despedir. A porta bateu com força atrás deles. Só então minha mãe tirou os óculos e enxugou os olhos. "Está vendo", disse ela em tom de crítica para meu pai, "no que dá a insistência dele em ser aprendiz? Aquela garota nunca vai abrir mão de uma mina de ouro dessas!" Cansado, ele se deitou no sofá de novo, afrouxou a gravata e abriu o último botão da camisa. "Não é isso", disse ele sem irritação, "mas agindo assim você expulsa seus filhos de casa."

    Edvin nunca mais levou uma garota a nossa casa, e quando mais tarde se casou, só depois do casamento vimos a mulher dele pela primeira vez. Não era a Solvejg.

16.

A última primavera de minha infância é fria e ventosa. Tem sabor de pó e cheiro de partidas dolorosas e de mudança. Na escola, estão todos ocupados com os exames e os preparativos para a confirmação, mas não vejo significado algum em nenhuma das duas coisas. Ninguém precisa de diploma do ensino fundamental para fazer faxina e lavar a louça de desconhecidos, e a confirmação é a pedra tumular sobre uma infância que agora me parece luminosa, segura e feliz. Tudo o que se faz nesse período se inscreve profunda e indelevelmente em mim, e é como se eu fosse me lembrar mesmo das observações mais triviais pelo resto da minha vida. Quando saio com minha mãe a fim de comprar sapatos para a confirmação, ela diz, na presença da vendedora: "Pois é... quer dizer que esses são os últimos sapatos que compramos para você". Suas palavras abrem uma perspectiva apavorante para o futuro, e não sei como vou fazer para me sustentar sozinha. Os sapatos são de brocado e custam nove coroas. São de salto alto, e como, de um lado, sou incapaz de andar com eles nos pés sem torcer os tornozelos, e de outro minha mãe acha que quando os calço fico parecendo uma torre, de tão alta, meu pai corta um pedaço dos saltos com um machado. O resultado é que a ponta dos sapatos fica virada para cima, mas considerando que só vou usá-los uma vez..., diz minha mãe como consolo. No dia em que completou dezoito anos, Edvin se mudou para um quarto na Bagerstræde e agora durmo numa cama preparada no sofá da sala, o que interpreto como outro sinal lúgubre de fim da infância. Na sala não posso me sentar no parapeito da janela, pois ele está coberto de gerânios e só tenho vista para a praça com o trailer verde e a bomba de gasolina com o grande sinal luminoso redondo que me iludiu uma vez: "Mãe, a lua caiu". Não me lembro disso por mim mesma, e além do mais os adultos têm sobre nós recordações completamente diferentes das que nós mesmos temos. Sei disso há muito tempo. As recordações de Edvin também são diferentes das minhas, e sempre que pergunto a ele se está lembrado dessa ou daquela circunstância que me parecia termos partilhado, ele invariavelmente responde que não. Meu irmão e eu gostamos um do outro, mas não conseguimos conversar direito. Quando vou visitá-lo no quarto em que ele mora, a senhoria dele abre a porta. Ela tem bigode preto e parece ser tão desconfiada quanto minha mãe. "Irmã dele...", diz ela. "Essa é boa... Nunca tive um inquilino com tantas irmãs e primas quanto ele." Edvin não está bem, embora agora tenha um quarto inteiro só para ele. Ele fuma cigarros e bebe cervejas e sai bastante à noite para dançar, na companhia de um amigo chamado Thorvald. Os dois foram aprendizes juntos e planejam ter, algum dia, uma oficina própria. Nunca encontrei o Thorvald, porque nenhum de nós está autorizado a levar convidados a nossa casa, independentemente do sexo. Edvin está infeliz porque Solvejg o deixou. Um dia ela foi até o quarto dele, onde enfim os dois podiam ficar sozinhos juntos, e disse que afinal não queria se casar com ele. Edvin põe a culpa em minha mãe, mas eu acho que Solvejg arrumou outro. Na verdade, li em algum lugar que o amor verdadeiro só aumenta quando é contrariado, mas não comento isso com o Edvin porque com certeza é melhor para ele acreditar que ela foi embora porque minha mãe a assustou. O quarto dele é bem pequeno, e os móveis parecem no ponto para ir para o lixo. Nunca fico muito tempo na casa de Edvin, porque há longas pausas em nossa conversa e ele parece tão aliviado quando vou embora quanto feliz quando chego. Conto a ele acontecimentos miúdos lá de casa. Por exemplo, que estou usando um par de botas de couro engraxado que, como de hábito, herdei dele. Meu pai envernizou as solas para que durem mais, e também deu uma esfregada nos bicos, o que os deixou completamente pretos, enquanto o resto das botas é marrom. Um dia minha mãe jogou alguns trapos para mim, dizendo: "Esfregue as botas com isto e depois queime no fogão". "As botas?", perguntei, feliz, e ela riu muito e abertamente de mim. "Não, sua pateta, os trapos!", disse. Coisas desse tipo fazem Edvin rir também, por isso as conto para ele agora, porque ele já não participa de nosso dia a dia. Nada mais é do jeito que era antes. Só a Istedgade continua a mesma, e agora também eu posso sair para a rua à noite. Vou com Ruth e Minna, e Ruth parece não perceber que existe algo semelhante a ódio entre mim e Minna. Às vezes vamos até a Saxogade visitar Olga, irmã mais velha de Minna, que se casou com um policial e se deu bem. Olga embala a bebê e sou autorizada a segurá-la no colo. É uma sensação infinitamente agradável. Minna também quer se casar com um homem de uniforme, "porque são tão bonitos", diz ela. E depois vão morar perto da Hedebygade, porque é o que faz todo mundo que se casa. Ruth concorda balançando a cabeça e se prepara para a mesma sorte, que as duas consideram desejável. Sorrio em aprovação, como se também estivesse à espera de um tal futuro, e, como de hábito, sinto medo de ser desmascarada. Me sinto uma estranha neste mundo e não tenho ninguém com quem falar dos problemas monumentais que me tomam sempre que penso no futuro.

    Gerda teve um menininho lindo, e passeia com ele toda orgulhosa para cima e para baixo na rua, enquanto seus pais estão no trabalho. Ela tem só dezessete anos, e só é permitido ter filhos depois dos dezoito. É malvista porque não demonstra, em sua atitude e seu comportamento, que as coisas não deram certo para ela e em decorrência aceita educadamente a compaixão que a rua lhe oferece. Todos estão ofendidos porque ela se recusou a receber o enxoval de roupas de bebê que a mãe de Olga havia coletado para ela. Lá vai ela, altaneira, deixando-se sustentar pelos pais depois da idade razoável, e "se tivesse acontecido com você", diz minha mãe, "você teria sido despachada de casa há muito tempo". Ah, como eu teria gostado de ter nos braços meu próprio filhinho! Eu o sustentaria e daria um jeito de resolver a situação. Se ao menos eu tivesse chegado lá... À noite, depois que vou para a cama, imagino que encontrei um jovem atraente e amável a quem peço, com cortesia, que me faça um grande favor. Explico que gostaria de ter um filho e pergunto se ele poderia fazer o necessário para que eu o tenha. Ele concorda e eu aperto os dentes com força e fecho os olhos e faço de conta que é a uma pessoa completamente diferente que aquilo está acontecendo, uma pessoa que não tem nada a ver comigo. Depois, nunca mais quero vê-lo. Mas nem no pátio nem na rua existe um jovem assim, e escrevo um poema no meu caderno de poesia, que agora fica no fundo de uma gaveta do aparador:

Voava a pequena borboleta
lá no alto, na aragem azul.
Ria dos deveres do mundo,
decência, moral, sensatez.

Ébria do encanto do dia de primavera,
desfraldando suas asas trêmulas,
levada pelos raios dourados do sol,
desceu para o esplêndido mundo.

E numa rósea flor de macieira
que pouco antes desabrochara,
pousou a pequena borboleta
e encontrou um noivo adorável.

E a flor de macieira se fechou,
o voo sem rumo se acabara.
Ah, obrigada, pequenos. Vocês mostraram
como se ama com gosto.

17.

Nem bem minha avó esfriou no túmulo, meu pai cancelou nosso registro na Igreja do Estado. A expressão é coisa da minha mãe. Minha avó não tem túmulo. Suas cinzas estão numa urna no crematório de Bispebjerg, e não sinto nada ao contemplar a idiota da vasilha. Mas faço isso frequentemente, porque esse é o desejo da minha mãe. Ela chora muito toda vez que vamos lá, e fico com a consciência pesada quando ela me pergunta: "Por que você não chora? No enterro, você chorou". Agora que Edvin saiu de casa, sempre que não estou na escola ou lá embaixo, no pátio, estou com minha mãe. Também fui com ela a um baile na Folkets Hus, mas não teve graça dançar com ela, porque sou uma cabeça mais alta que ela e me sinto muito grande e desajeitada em comparação com ela. Enquanto ela foi dançar com um senhor, um rapaz se aproximou e se inclinou na minha frente. Isso nunca tinha acontecido, e eu já ia dizer "não", porque os únicos passos de dança que conheço são os que minha mãe me ensinou na sala de casa em seus momentos de animação. Mas o rapaz já estava com o braço em torno da minha cintura, e como ele dançava bem, também dancei bem. Ele permaneceu completamente calado, e, só para dizer alguma coisa, perguntei o que ele fazia. "Trabalho nos serviços de *courier*", disse ele, e mais não disse. Achei que tinha alguma coisa a ver com "curar", e concluí que ele era médico. Coisa muito diferente de "trabalhador especializado". Talvez ele quisesse dançar comigo a noite inteira, ou talvez já estivesse ficando um pouco apaixonado por mim. Meu coração bateu mais depressa e cheguei um pouco mais para perto dele. "É noite, é noite, os ladrões estão ativos", ele cantou em meu ouvido, acompanhando a música. De repente a música parou; ele me deixou ao lado de minha mãe, se inclinou formalmente e desapareceu para sempre. "Rapaz bonito", disse minha mãe. "Tomara que volte." "Ele é médico", me gabei, acrescentando que ele trabalhava nos serviços de *courier*. "Ah, Deus meu", riu minha mãe. "Ele trabalha numa central de recados, só isso!"

Como não somos membros da Igreja, minha confirmação será civil. Isso me afasta de todas as meninas da classe, que veem um pastor, mas para mim não faz muita diferença, porque desisti de me parecer com elas. Elas se revezam para visitar umas às outras nos sábados, quando Victor Cornelius toca nos bailes de sábado da rádio. Nessas ocasiões, os garotos também são convidados, e muitas das minhas colegas de classe já estão saindo com alguém. Lá em casa não tem rádio, e faz muito tempo que perdeu a graça utilizar fones de ouvido para ouvir o som arranhado produzido pelo aparelho de cristal construído por meu irmão na escola. E mesmo que tivéssemos rádio, meus pais não estariam inclinados a organizar uma festa de dança em minha honra no sábado. Neste momento estou fazendo exames, e para mim tanto faz tirar notas boas ou ruins. Pode ser que afinal de contas eu esteja frustrada por não poder frequentar o ensino médio. Só uma das garotas da minha classe fará isso. Ela se chama Inger

Nørgård e é tão alta e magricela quanto eu. Ela não faz outra coisa senão estudar, e sempre tira notas altas em todas as matérias. Os outros dizem que ela vai ficar solteirona e que é por isso que precisa continuar estudando. Nunca conversei direito com ela, nem com mais ninguém na escola. Guardo tudo para mim mesma, e às vezes tenho a sensação de que vou sufocar. Parei de circular pela Istedgade à noite com Ruth e Minna porque, cada vez mais, as conversas delas consistem unicamente em risadinhas provocadas por alusões a coisas grosseiras, obscenas, que nem sempre é possível transformar em versos gentis e ritmados em minha alma cada vez mais suscetível. Com minha mãe, só falo sobre coisas totalmente insignificantes: sobre as coisas que comemos ou sobre as pessoas que moram embaixo de nós. Meu pai ficou muito calado desde que Edvin saiu de casa, e para ele não passo de alguém que deve "tomar um rumo", com todos os acontecimentos horrorosos que ele associa a essa expressão. Um dia em que visito meu irmão, ele diz, para meu desconcerto, que seu amigo Thorvald gostaria de me dar um "olá". Ele disse a Thorvald que escrevo poemas e pergunta se Thorvald pode lê-los. Horrorizada, digo que não, mas meu irmão diz que Thorvald conhece um editor do *Social-Demokraten* que talvez publique meus poemas, se achar que são bons. Diz isso em meio a muitas crises de tosse, pois tem alergia ao verniz de celulose com que trabalha. Acabo me rendendo e prometo trazer meu caderno de poesia na noite seguinte, para que Thorvald possa ver os poemas. Thorvald também é pintor, tem dezoito anos e não é comprometido. Me certifico quanto a este último item, pois já comecei a sonhar com ele como sendo o jovem amável que, quase sem palavras, haverá de compreender tudo.

Assim, com o caderno de poesia em minha bolsa de escola, ando até a Bagerstræde na noite seguinte. Olho com muita firmeza para as pessoas que encontro, já que em breve ficarei famosa e elas ficarão orgulhosas do fato de haver me encontrado a caminho das estrelas. Sinto um medo terrível de que Thorvald ria de meus versos, como fez Edvin muito tempo atrás. Imagino que ele se pareça com meu irmão, a não ser pelo bigodinho preto e fino que ele tem. Quando entro no quarto de Edvin, Thorvald está sentado na cama, ao lado de meu irmão. Ele se levanta e me estende a mão. É pequeno e vigoroso. Seu cabelo é claro e grosso, e seu rosto está coberto de espinhas em todas as fases de amadurecimento. Está visivelmente intimidado e passa o tempo todo a mão pelo cabelo, de modo que o cabelo fica eriçado. Olho para ele horrorizada, pois acho que é impossível mostrar-lhe meus poemas. "Essa é a minha irmã", diz Edvin sem a menor necessidade. "Ela é bonita demais", diz Thorvald, enrolando o cabelo nos dedos. Penso que é muito amável da parte dele dizer isso, e sorrio para ele, enquanto me instalo na única cadeira do quarto. É um equívoco se deixar levar pelas aparências, penso, e vai ver que ele me acha mesmo bonita. De toda maneira ele foi a primeira pessoa que me disse isso. Tiro o caderno da bolsa e fico com ele nas mãos por algum tempo. Tenho tanto medo de que essa pessoa influente ache os poemas ruins... Se são bons, não faço a menor ideia. "Mostre logo a ele", diz meu irmão, impaciente, e entrego o caderno com relutância. Enquanto ele o folheia e lê, sério, testa franzida, tenho a sensação de estar num plano completamente diferente de existência. Estou agitada e comovida e temerosa, e é como se o caderno fosse uma parte trêmula, viva de mim, que pode ser destruída com uma só palavra rude ou insultante. Thorvald lê em silêncio e em seu rosto não há nem sombra de sorriso. Por fim, fecha o caderno e me dirige um olhar de admiração com seus olhos azuis aguados e diz com convicção: "Bons pra cacete!". O linguajar de Thorvald me lembra o de Ruth. Também ela dificilmente articula uma frase sem embelezá-la com um leque reduzido de expressões chulas. Mas isso não é razão para condenar uma pessoa, e naquele momento acho Thorvald inteligente e bonito. "Acha mesmo?", pergunto, feliz. "Caramba, acho mesmo", ele declara. "Você pode vendê-los, com certeza." "O pai dele é tipógrafo", esclarece Edvin, "e conhece todos os editores." "É", diz Thorvald com orgulho. "Prometo cuidar do assunto. Me deixe levar o caderno para casa para que eu possa mostrá-lo ao velho." "Não", digo às pressas, estendendo a mão para recuperar o caderno. "Eu... vou até lá pessoalmente mostrar a esse editor. É só vocês me dizerem onde ele mora." "Está certo", diz Thorvald com amabilidade. "Passo o endereço para o Edvin e ele explica a você." Guardo outra vez o caderno em minha bolsa de escola e trato de voltar para casa. Quero ficar sozinha para sonhar com minha sorte. Agora tanto faz o assunto da confirmação, tanto faz o assunto de ficar adulta e sair entre estranhos, tanto faz qualquer coisa, exceto a perspectiva extraordinária de ter um poema que seja publicado no jornal.

Thorvald e Edvin cumprem o que prometeram e uns dias depois estou com um papel na mão no qual se lê: "Editor Brochmann, Revista de Domingo, *Social-Demokraten*, Nørre Farimagsgade 49. Terça-feira, duas da tarde". Visto minhas roupas domingueiras, esfrego o lenço de papel rosa-claro de minha mãe nas bochechas, aviso-a de que vou tomar conta do bebê da Olga, e me dirijo à Nørre Farimagsgade. Localizo, no grande edifício, a porta na qual o nome do editor está escrito numa tabuleta e bato cautelosamente. "Entre!", ouve-se alguém dizer do outro lado. Entro num escritório onde um velho de barba branca está sentado junto a uma vasta escrivaninha atulhada. "Sente-se", diz ele, muito gentil, e estende a mão, indicando uma cadeira. Me instalo e sou tomada por uma imensa vergonha. "E então...", diz ele, tirando os óculos. "O que deseja?" Visto que não consigo articular uma só palavra, não vejo outra saída senão estender para ele o livrinho, a essa altura bastante bombardeado. "O que é isso?" Ele o folheia e lê um par de poemas a meia-voz. Em seguida olha para mim por cima dos óculos: "Um bocado eróticos, não é mesmo?", diz, surpreso. Fico rubra e digo depressa: "Nem todos". Ele prossegue a leitura e depois diz: "Hmm, mas os eróticos são os melhores, sem dúvida. Que idade você tem?". "Catorze anos", respondo. Indeciso, ele cofia a barba. "Só cuido da página infantil, onde não temos como utilizá-los. Volte em dois anos." Fecha meu pobre caderno com um golpe e o estende para mim, sorridente. "Até logo, amiguinha", diz ele. De alguma maneira consigo me esgueirar porta afora levando comigo minhas esperanças destroçadas. Volto para casa devagar, anestesiada, cruzando a primavera da cidade, a primavera dos outros, a jubilosa transformação dos outros, a felicidade dos outros. Nunca serei famosa, meus poemas não valem nada. Vou me casar com um trabalhador especializado estável que não beba, ou conseguir uma colocação sólida, com direito a aposentadoria. Depois dessa decepção acachapante, muito tempo se passa até eu voltar a escrever em meu caderno de poesia. Mesmo que ninguém goste de meus poemas, preciso escrevê-los, porque isso amortece a dor e a saudade em meu coração.

18.

Durante os preparativos para minha confirmação surge a grande questão: devemos ou não devemos convidar o Perna Bamba? Ele nunca esteve em nossa casa, mas agora o fato é que ele de repente parou de beber. Passa o dia inteiro sentado bebendo tantos refrigerantes quanto antes bebia cervejas. Minha mãe e meu pai dizem que é uma grande felicidade para tia Rosalia. Só que ela não parece feliz, porque o marido está com o rosto amarelo por causa do fígado avariado e pelo jeito não vai viver muito tempo. Na opinião da família, também isso é do interesse dela. Agora posso muito bem ir à casa deles sem ter de me preocupar com ver ou ouvir alguma coisa que não me faça bem. Só que tio Carl não mudou nem um pouco. Sentado à mesa, ele continua murmurando em voz áspera e indistinta sobre a podridão da sociedade e os ministros incompetentes, e de vez em quando dirige ordens curtas, telegráficas a tia Rosalia, que atende a seus menores gestos, como sempre fez. As garrafas de refrigerante ficam alinhadas diante dele, e é inacreditável que uma pessoa seja capaz de ingerir uma tal quantidade de líquido. Meus pais me surpreendem. Quando um de nós desce até o porão para buscar carvão, em geral dá com algum homem alcoolizado dormindo embrulhado nas ruínas de um sobretudo, e na rua os bêbados são uma visão tão corriqueira que ninguém se dá o trabalho de se virar para olhar para eles. Junto à porta do condomínio, quase toda noite há um grupo de homens bebendo cerveja e brandy, e só as crianças bem pequenas têm medo deles. Porém, ao longo de toda a nossa infância não tivemos autorização para ver tio Carl, mesmo que, se isso acontecesse, tia Rosalia por certo teria ficado imensamente feliz. Depois de longas discussões entre minha mãe e meu pai e entre minha mãe e tia Agnete, ficou decidido que ele pode ir com os outros à minha confirmação. Com isso, toda a família estará presente, exceto minhas quatro primas, para as quais simplesmente não há lugar na sala. Minha mãe está de bom humor porque alguma coisa vai acontecer, e diz que eu sou uma ingrata e uma esquisita porque não consigo esconder que para mim todos esses preparativos parecem dizer respeito a outra pessoa.

Os exames chegaram ao fim e tivemos uma festa de formatura na escola. Todos festejavam que agora "a prisão vermelha" ficaria para trás, e eu festejei mais que todos. Me entristece muito a sensação de que pelo jeito já não tenho sentimentos autênticos e estou sempre imitando as reações dos outros para fazer de conta que tenho. É como se eu só me comovesse com o que me chega indiretamente. Sou capaz de chorar ao ver no jornal a foto de uma família infeliz que foi despejada, mas, se vejo a mesma cena trivial na realidade, não fico mexida. Poemas e prosa poética me tocam tanto agora como antes, mas as coisas que descrevem me deixam completamente fria. Não tenho maior apreço pela realidade. Quando me despedi da srta. Mathiassen, ela me perguntou se eu tinha encontrado uma colocação. Respondi que sim, e discorri com falso entusiasmo sobre como, dali a um ano, passaria a frequentar um curso de economia doméstica; contei que até lá ficaria morando na casa de uma senhora para cuidar do filho dela. Na verdade, todos os outros iam trabalhar em escritórios ou em lojas, e eu ficava com vergonha de não ser mais que uma assistente doméstica. A srta. Mathiassen olhou para mim com expressão interrogativa nos olhos sábios e acolhedores. "Ótimo, ótimo", suspirou, "mas foi uma pena você não entrar no ensino médio." Assim que minha confirmação estiver concluída, devo assumir meu cargo. Fui até lá com minha mãe para me candidatar. A senhora era divorciada e nos tratou com fria condescendência. Não parecia estar interessada em saber que eu escrevia poemas e que simplesmente precisava deixar o tempo passar para, em dois anos, voltar ao editor Brochmann, no *Social-Demokraten*. O apartamento também não era lá muito elegante, embora evidentemente houvesse um piano de cauda e tapetes no assoalho. Ela passa o dia no trabalho, e enquanto isso devo cuidar da limpeza, fazer comida e tomar conta do garoto. Nunca fiz nenhuma dessas coisas, e não sei como corresponder às vinte e cinco coroas que vou receber por mês como salário. Atrás de mim estão a infância e a escola, e diante de mim uma vida desconhecida e assustadora em meio a estranhos. Estou emparedada e presa entre esses dois polos, assim como meus pés estão espremidos nesses sapatos de brocado de bico fino. Sentada entre meus pais no auditório do Odd Fellows, ouço uma palestra que discorre sobre como a juventude é o futuro com que a Dinamarca inteira está contando, e sobre como nunca devemos desapontar nossos pais, que tanto fizeram por nós. Todas as garotas estão sentadas, como eu, com um buquê de cravos no colo, e parecem estar se aborrecendo tanto quanto eu. Meu pai repuxa o colarinho engomado e Edvin sofre com seus ataques de tosse. O médico disse que ele precisa mudar de trabalho, mas claro que isso é impossível, já que ele passou quatro anos aprendendo a ser pintor. Minha mãe enverga um vestido novo, preto, de seda, com três rosas de tecido na lapela, e o cabelo recém-encrespado envolve sua cabeça. Para ela foi um caro custo fazer a permanente, em parte porque meu pai achava que eles não tinham meios para tanto e em parte porque ele acha que isso é "coisa da moda", pouco séria. Eu gostava muito mais do cabelo dela quando era comprido e liso. De vez em quando ela leva o lenço aos olhos, mas não sei se está mesmo chorando. Não vejo nenhuma razão para isso. Penso que houve um tempo em que a coisa mais importante do mundo para mim era minha mãe gostar de mim, mas a criança que demandava esse amor com tanto empenho e que estava sempre à espreita de sinais que o comprovassem não existe mais. Agora eu acredito que minha mãe gosta de mim, só que isso não me deixa feliz.

    Temos porco assado e torta de limão para o jantar e minha mãe, que fica brava e irritadiça com todo esforço doméstico, só se acalma na hora da sobremesa. Tio Carl está sentado ao lado do fogão e transpira tanto que a todo momento precisa secar com o lenço a cabeça calva e redonda. Na outra ponta da mesa está tio Peter, que é carpinteiro e, juntamente com tia Agnete, que quando jovem cantava no coro da igreja, representa o ramo culto da família. Ela escreveu uma canção para mim, porque tem uma "veia" que se manifesta em todos os eventos do tipo. A canção é sobre diferentes acontecimentos sem interesse de minha infância, e todos os versos terminam assim: "Que Deus esteja a seu lado ao longo do caminho, lá-lá-lá, e assim terá sorte e alegria a todo momento, lá-lá-lá". Quando cantamos o refrão, Edvin olha para mim com um riso no olhar e eu olho depressa para a letra da canção para não começar a rir. Então tio Peter bate seu talher no copo e se levanta. Vai fazer um discurso. É um discurso parecido com o do auditório do Odd Fellows e não presto muita atenção. Tem algo a ver com entrar nas hostes dos adultos e ser tão diligente e eficiente quanto meus pais. É um pouco longo. Tio Carl diz: "Ouça!" a todo momento, até parece que tomou vinho, e Edvin tosse. Minha mãe está com os olhos brilhantes e eu me encolho de constrangimento e tédio. Quando ele acaba e todos damos hurras, tia Rosalia diz suavemente, envolvendo-me em seu olhar cálido: "As hostes dos adultos — meu Deus! Ela não é ave nem peixe". Sinto meus lábios tremerem e olho depressa para meu prato. Foi a declaração mais amorosa e talvez também a mais verdadeira de minha confirmação. Depois do jantar podemos enfim espichar as pernas e todos temos a sensação de estarmos mais bem-dispostos do que ao chegar, talvez também por causa do vinho. Elogiam o reloginho de pulso que ganhei de meus pais. Também gostei dele e acho que ele faz meu punho fino parecer um pouco mais consistente. Os outros me deram dinheiro, mais de cinquenta coroas, mas devo deixá-las no banco para gastar na velhice, de modo que minha alegria é apenas relativa.

Depois de os convidados irem embora e de eu ajudar minha mãe a arrumar tudo, nos sentamos um pouco à mesa para conversar. Mesmo passando da meia-noite, estou completamente desperta e muito aliviada porque minha festa ficou para trás. "Meu Deus, o que ele comeu", diz minha mãe, referindo-se ao tio Peter. "Você viu?" "Vi", diz meu pai indignado, "e o que bebeu! Como é de graça, ele aproveita." "E se comportou como se Carl não existisse", prossegue minha mãe. "Coitada da Rosalia." De repente ela sorri para mim e diz: "Não foi um dia incrível, Tove?". Penso na trabalheira e nos gastos que eles tiveram de enfrentar. "Foi", minto. "Uma bela confirmação." Minha mãe balança a cabeça, concordando, e boceja. Em seguida, um pensamento lhe ocorre. "Ditlev", diz ela, animada, "como agora a Tove vai começar a ganhar dinheiro, será que a gente podia comprar um rádio?" Com a surpresa e a raiva, o sangue me sobe à cabeça. "Vocês não vão comprar um rádio com o meu dinheiro", digo exaltada. "Eu mesma posso querer usá-lo." "Entendo", diz minha mãe, fria como gelo, antes de se levantar e sair, batendo a porta, de modo que um pouco do reboco cai da parede. Meu pai olha para mim, constrangido. "Não entenda as coisas assim, ao pé da letra", esclarece. "Nós temos uma pequena economia no banco, que podemos usar para comprar um rádio. Você só precisa pagar pela sua manutenção, aqui em casa." "De acordo", digo arrependida de minha impulsividade. Sei muito bem que agora minha mãe vai ficar vários dias sem falar comigo. Meu pai dá boa-noite com delicadeza e entra no quarto onde nunca mais vou me sentar no parapeito da janela e devanear em toda a felicidade disponível apenas para pessoas adultas.

Estou sozinha na sala de minha infância, onde meu irmão uma vez cravou pregos numa tábua enquanto minha mãe cantava e meu pai lia o livro proibido que não vejo há anos. Tudo isso se passou séculos atrás, e penso que era muito feliz naquele tempo, apesar de minha sensação dolorosa de infância interminável. Na parede está a mulher do marinheiro a olhar para o mar. O rosto sério de Stauning olha para mim lá de cima, e faz muito tempo que meu Deus foi criado a sua imagem. Embora eu vá continuar morando em casa, sinto que esta noite estou me despedindo desta sala. Não estou com a menor vontade de ir para a cama e além disso não sinto sono. Estou tomada por uma infinita tristeza. Levo os gerânios para o parapeito da janela e ergo os olhos para o céu, onde uma estrela criança brilha no fundo do berço da lua nova, que oscila com doçura e em silêncio entre as nuvens fugidias. Repito para mim mesma algumas linhas de *Bræen*, de Johannes V. Jensen, livro que li tantas vezes que conheço longos trechos de cor: "E ora como a estrela vespertina ora como a estrela da manhã brilha a menininha morta no seio da mãe; branca e introspectiva como a alma de uma criança que vaga sozinha e brinca tão bem consigo mesma em infinitos caminhos". Lágrimas escorrem por meu rosto porque as palavras sempre me fazem pensar em Ruth, que perdi para sempre. Ruth da linda boca em forma de coração e dos olhos claros e decididos. Minha amiguinha perdida, com sua língua afiada e seu coração amoroso. Acabou-se nossa amizade, assim como a infância acabou. Agora os últimos resquícios se desprendem de mim como flocos de pele queimada pelo sol, e por baixo assoma uma adulta errada, impossível. Leio meu caderno de poesia enquanto a noite vagueia do lado de fora da janela e, sem que eu me dê conta, minha infância cai silenciosamente no fundo da minha memória, essa biblioteca da alma de onde hei de extrair conhecimento e experiência pelo resto da minha vida.

JUVENTUDE

1.

Durei um único dia no meu primeiro emprego. Saí de casa às sete e meia para chegar cedo, porque no começo é preciso fazer um esforço, dizia minha mãe, que, na juventude, nunca havia ido além do começo em suas colocações. Eu estava usando meu vestido de recém-confirmada, costurado por tia Rosalia. Era de lã azul-clara e tinha preguinhas na frente, de modo que nele eu não ficava tão despeitada como de hábito. Andei pela Vesterbrogade sob a luz tênue e clara do sol e achei que todas as pessoas pareciam livres e felizes. Depois de passarem a porta do edifício perto da Pile Allé que logo me tragaria, os passos delas se tornavam dançantes e leves, e a felicidade vivia em algum lugar do outro lado da Valby Bakke. A entrada escura cheirava a medo e me fez recear que a sra. Olfertsen notasse, como se eu tivesse trazido o cheiro comigo. Meu corpo e meus movimentos se tornavam rígidos e forçados, enquanto escutava sua voz tremulante me explicar um montão de coisas e, entre as explicações, disparar como uma bobina vazia, tagarelando sobre nada numa torrente sem fim, sobre o tempo, sobre o menino, sobre como eu era alta para minha idade. Ela perguntou se eu trouxera um avental, e, da bolsa escolar esvaziada, tirei o da minha mãe. Havia um furo perto da costura, porque sempre tinha algo de errado com tudo o que era de responsabilidade da minha mãe, e me emocionei ao vê-lo. Minha mãe estava longe, eu só a veria dali a oito horas. Eu estava entre estranhos, para quem era apenas alguém cuja força física eles tinham comprado por um certo número de horas todos os dias em troca de determinado pagamento. Todo o resto de mim pouco lhes importava. Quando entramos na cozinha, o menininho veio correndo de pijama. Bom dia, mamãe, disse ele docemente, se encostando nas pernas da mãe e me lançando um olhar hostil. A patroa se desvencilhou dele gentilmente e disse: Essa é a Tove, cumprimente-a com educação. Hesitante, ele estendeu a mão, e assim que a peguei, ele disse em tom ameaçador: Você vai fazer tudo o que eu mandar, senão atiro em você. A mãe deu risada e foi me mostrar uma bandeja com xícaras e um bule de chá, instruindo-me a preparar o chá e levá-lo para a sala de estar. Em seguida, ela pegou o menino pela mão e foi para a sala de estar, dando passinhos curtos em seus saltos altos. Fervi a água e a despejei no bule, no fundo do qual havia folhas de chá. Não tinha certeza se estava correto, porque nunca tinha bebido nem feito chá. Imaginei que os ricos tomavam chá, enquanto os pobres tomavam café. Apertei a maçaneta com o cotovelo e entrei na sala, onde parei assustada. A sra. Olfertsen estava sentada no colo de tio William, de cuja existência eu havia me esquecido completamente, e no chão Toni estava brincando com um trem. A patroa se levantou depressa e começou a andar de um lado para outro, de modo que suas mangas largas cortavam sem cessar a luz do sol em pequenas centelhas furiosas. Por favor, sibilou ela, bata à porta antes de entrar aqui, senhorita. Não sei com que a senhorita está acostumada, mas aqui fazemos assim, e a senhorita deve se acostumar o quanto antes. Saia de novo! Ela apontou para a porta, e, confusa, larguei a bandeja e saí. Por alguma razão, o fato de ter me chamado de senhorita me atingiu como uma alfinetada. Isso nunca tinha me acontecido. Assim que cheguei ao hall de entrada, ela chamou. Agora bata à porta! Bati. Entre!, foi a resposta, e dessa vez ela e o calado tio William estavam sentados em cadeiras separadas. Com o rosto rubro de humilhação, logo decidi que não suportava nenhum dos dois, o que ajudou um pouco. Tendo tomado o chá, ambos foram se vestir no quarto de dormir. Então tio William saiu, depois de apertar a mão da mãe e do menino. Evidentemente, eu não era alguém de quem ele devia se despedir. A patroa me entregou uma extensa lista datilografada sobre as tarefas que caberiam a mim nas diversas horas do dia. Sem demora ela desapareceu dentro do quarto outra vez e voltou com uma expressão dura e afiada no rosto. Descobri que estava fortemente maquiada, irradiando um afetado frescor sem vida. Achei-a mais bonita antes. Ela se ajoelhou e beijou o menino, que ainda estava brincando, levantou-se, fez um leve aceno em minha direção e desapareceu. Imediatamente, a criança se levantou, agarrou meu vestido e olhou insinuante para mim. Toni quer anchovas, disse ele. Anchovas? Eu era muito ignorante sobre os hábitos alimentares de crianças e fiquei pasma. Não pode. Aqui diz — estudei a lista de horários — 10h: mingau de pão para Toni; 11h: ovo cozido e um comprimido de vitamina; 13h... Ele não quis escutar o resto. Hanne sempre me dava anchovas, disse ele impaciente, tudo o mais ela mesma comia, você também pode fazer isso. Pelo visto, Hanne fora minha antecessora, e de qualquer forma eu não estava preparada para atochar um monte de coisas numa criança que só queria anchovas. Tudo bem, falei, me sentindo mais animada agora que os adultos tinham ido embora. Onde ficam as anchovas? Ele subiu numa das cadeiras da cozinha e tirou algumas latas, para depois pegar o abridor numa gaveta. Abra essa, disse ele guloso, me dando a lata. Abri-a e sentei o menino na bancada, seguindo suas ordens. Prontamente deixei uma anchova atrás da outra desaparecer dentro da boca dele, e quando não havia mais, ele pediu para descer ao pátio e ir brincar. Eu o ajudei a se vestir e o mandei descer a escada de serviço. Pela janela eu podia vigiar suas brincadeiras. Já estava na hora de eu limpar a casa. Um dos pontos dizia: passar o aspirador nos tapetes. Peguei a pesada geringonça e a conduzi até o grande tapete vermelho da sala de estar. Fiz uma tentativa de passá-la sobre alguns fiapos que, no entanto, não desapareceram. Então a sacudi um pouco e cutuquei o mecanismo, com o resultado de que uma tampa se abriu e um monte de sujeira caiu sobre o tapete. Não consegui remontar o dispositivo, e como não sabia o que fazer com a sujeira, chutei-a para debaixo do tapete, pisoteando um pouco nela para nivelar a pilha. Durante esses esforços, o relógio chegou a marcar dez horas e eu estava com fome. Comi a primeira das refeições de Toni e me fortifiquei com alguns comprimidos de vitamina. Aí era hora do item seguinte: escovar com água todos os móveis. Olhei perplexa para o papel e depois para a mobília. Era estranho, mas afinal deveria ser o que costumavam fazer naquela casa. Peguei uma escova boa e dura, enchi um balde de água fria e comecei pela sala de estar. Esfreguei firme e meticulosamente até chegar na metade do piano de cauda. Então me dei conta de que algo estava muito errado. Na superfície fina e brilhante, a escova havia deixado centenas de ranhuras finíssimas que eu não sabia como remover antes de a patroa voltar. O medo rastejou feito cobras frias sobre minha pele. Peguei o papel e li outra vez: escovar com água todos os móveis. Não importando como eu interpretasse a instrução, ela era bem clara e não excluía o piano de cauda. Será que ele não era considerado um móvel? O relógio marcava uma hora da tarde, e a patroa voltaria para casa às cinco. Senti uma necessidade tão intensa de estar com minha mãe que achei que não havia tempo a perder. Rapidamente tirei o avental, chamei Toni pela janela, explicando a ele que íamos sair para dar uma olhada nas lojas de brinquedos. Ele subiu, eu o agasalhei, e com ele pela mão desci correndo a Vesterbrogade, de modo que ele mal pôde me acompanhar. Vamos para a casa da minha mãe comer anchovas, disse eu ofegante. Minha mãe ficou muito surpresa ao me ver àquela hora do dia, mas assim que entramos e lhe contei sobre o piano de cauda arranhado, ela desatou a rir. Meu Deus, gemeu ela, você realmente escovou um piano de cauda com água? Ai, não, como é possível ser tão burra! De repente, ficou séria. Preste atenção, disse ela, não adianta você voltar lá. Vamos encontrar com facilidade outra colocação para você. Fiquei grata, mas não muito surpresa. Ela era assim, e se dependesse dela, Edvin poderia ter trocado de posto de aprendiz sem problema. Sim, falei, mas e o papai? Ah, respondeu ela, vamos só contar a história de tio William, seu pai não tolera esse tipo de coisa. Um clima alegre tomou conta de nós duas, como nos velhos tempos, e quando Toni chorou por anchovas, nós o levamos à Istedgade e compramos duas latas para ele. Um pouco antes das quatro horas, minha mãe e o menino voltaram para a casa da sra. Olfertsen, onde o avental e a bolsa escolar foram entregues a minha mãe. Eu nunca soube o que foi dito sobre o piano de cauda danificado.

2.

Estou trabalhando numa pensão na Vesterbrogade, perto da Estátua da Liberdade. Para minha mãe, me mandar para outro bairro seria tão impensável quanto me mandar para os Estados Unidos. Entro às oito da manhã todo dia e trabalho doze horas numa cozinha coberta de fuligem e gordura, onde nunca há paz nem descanso. Quando chego em casa à noite, estou cansada demais para fazer qualquer coisa que não seja ir para a cama. Desta vez, diz meu pai, você tem obrigação de permanecer no seu emprego. Minha mãe também acha que me faz bem trabalhar e, além do mais, a artimanha com tio William não pode ser repetida. Não penso em outra coisa a não ser como escapar dessa triste existência. Já não escrevo poemas, porque nada em meu cotidiano me inspira a fazê-lo. Tampouco vou à biblioteca. É certo que folgo toda quarta-feira a partir das duas da tarde, mas depois também vou direto para casa e para a cama. As donas da pensão são a sra. e a srta. Petersen. São mãe e filha, mas acho que parecem ter mais ou menos a mesma idade. Além de mim, há uma menina de dezesseis anos que se chama Yrsa. Ela está muito acima de mim, porque na hora das refeições dos pensionistas põe um vestido preto, um avental branco e uma touca branca e anda para lá e para cá com as travessas pesadas. Ela é a copeira e serve os hóspedes. Dali a dois anos, prometem as patroas, eu também poderei servir à mesa e receber quarenta coroas por mês como Yrsa. Agora recebo trinta. É minha responsabilidade cuidar para que haja sempre fogo no fogão, bem como limpar o banheiro, a cozinha e os quartos dos três pensionistas. Embora eu faça tudo correndo, estou sempre atrasada em todas as tarefas. A srta. Petersen me repreende: Será que sua mãe nunca a ensinou a torcer um pano? A senhorita nunca limpou um vaso sanitário? Por que faz careta? Para seu próprio bem, espero que a senhorita jamais enfrente coisas piores do que aqui! Yrsa é pequena e magra e tem um rosto estreito e pálido com nariz arrebitado. Quando as patroas tiram a sesta, tomamos um café à bancada da cozinha e ela diz: Se você não tivesse sempre as unhas pretas, poderia servir à mesa. Ouvi a srta. Petersen dizer isso. Ou: Se você lavasse seu cabelo de vez em quando, os pensionistas poderiam vê-la, tenho certeza. Para Yrsa, não existe mundo fora da pensão e não há objetivo mais elevado do que correr ao redor da mesa durante cada refeição. Não respondo a seus comentários nem aos das patroas, os quais saem feito estalos de um estilingue e nunca acertam o alvo. Enquanto eu e Yrsa lavamos a louça e as patroas fazem comida em grandes panelas sobre o fogão atrás de nós, elas falam de suas doenças, que as levam de médico em médico, pois nenhum lhes convém. Elas sofrem de cálculos na vesícula, calcificação das artérias, pressão alta, dores por toda parte, misteriosas enfermidades internas e avisos sombrios do estômago toda vez que comem. Aos domingos, desfilam em frente ao Lar dos Deficientes em Grønningen para se animar com a vista dos inválidos, e de resto falam mal de tudo e todos com volúpia suspeita. Em especial, elas têm algo contra os pensionistas e sabem absolutamente tudo de suas vidas privadas, cujos detalhes íntimos discutem enquanto distribuem a comida sobre as travessas de Yrsa, lamentando-se da quantidade que aquelas pessoas são capazes de comer. Às vezes, sinto que sua mentalidade baixa e mesquinha penetra minha pele de tal forma que mal consigo respirar. Mas a maior parte do tempo acho essa vida insuportavelmente enfadonha e me lembro com saudades da minha infância variada e cheia de peripécias. Naquela estreita faixa do dia em que estou acordada o suficiente para conversar um pouco com minha mãe, interrogo-a sobre o que está acontecendo no prédio e na família, absorvendo com avidez cada notícia balsâmica. Gerda está trabalhando na Carlsberg, e sua mãe fica em casa cuidando do pequeno. Ruth começou a andar com garotos, o que era de esperar, diz minha mãe, nunca se deve adotar os filhos dos outros. Edvin está desempregado e voltou a frequentar nossa casa. Mas não se preocupe, diz minha mãe, porque agora ele já não tosse tanto. Isso ainda me abala um pouco, porque meu pai sempre disse que os trabalhadores especializados nunca poderiam ficar desempregados. Mas, meu Deus, exclama minha mãe mais animada, quase me esqueci de contar que tio Carl foi internado. Está muitíssimo doente, o que não é de estranhar, considerando seu estilo de vida. Tia Rosalia está lá todos os dias, mas na verdade seria melhor para ela se ele morresse. E a margarina subiu dois centavos no Irma, não é demais? Então está custando quarenta e nove centavos, comento, pois sempre estive por dentro dos preços, já que costumo ir às compras com minha mãe ou sozinha. Tomara que o papai continue na Ørsted, diz ela, está lá há três meses agora, mesmo que não seja legal trabalhar de noite. Sua voz tagarela gira suavemente em torno de mim na escuridão crescente até eu adormecer com os braços sobre a mesa.

Uma noite acordo como de hábito nessa posição com o tilintar das xícaras e o cheiro de café. Assim que ergo minha cabeça sonolenta, um nome no jornal me chama a atenção: editor Brochmann. Olho despertíssima para o texto e lentamente percebo que é um obituário. Aquilo me atinge como uma chicotada. Nunca me ocorreu que ele pudesse falecer antes de os dois anos terem passado. É como se ele tivesse me traído e abandonado no mundo sem a menor esperança para o futuro. Minha mãe serve o café e põe o bule sobre o nome dele. Beba agora, diz ela, acomodando-se do outro lado da mesa. Então anuncia: O Belo Ludvig foi para o hospício. Afinal, sua mãe morreu, e aí simplesmente foram lá e o levaram embora. Pois é, digo, e mais uma vez sinto que estamos infinitamente distantes uma da outra. Ela diz: Será ótimo para você quando conseguir aquela bicicleta. Faltam só dois meses. Sim, respondo. Todo mês pago dez coroas em casa, dez são depositadas no banco para minha velhice e as dez restantes são minhas. No momento, não me importo com a bicicleta nem com nada. Bebo o café e minha mãe observa: Você está muito quieta, tem alguma coisa te incomodando? Ela fala com rispidez, pois só gosta de mim se minha mente repousa por completo na sua e não guardo nenhuma parte secreta para mim. Se você não parar de ser tão esquisita, alerta ela, nunca vai se casar. Nem quero, digo, embora esteja cogitando justamente essa saída desesperada. Penso no fantasma da infância: o trabalhador estável. Não tenho nada contra um trabalhador, é a palavra "estável" que bloqueia todos os sonhos de um futuro brilhante. É cinzenta como um céu chuvoso no qual nenhum raio de sol alegre consegue se infiltrar. Minha mãe se levanta. Bem, conclui ela, temos que ir para a cama. Afinal, vamos levantar cedo. Boa noite, diz ela da porta, com ar desconfiado e sentido. Assim que ela sai, mudo a cafeteira de lugar e leio o obituário novamente. Há uma cruz negra acima do nome. Visualizo seu rosto gentil e ouço sua voz: Volte daqui a dois anos, mocinha. Minhas lágrimas caem sobre as letras e sinto que esse dia é o mais pesado de minha vida.

3.

Afundei num prolongado estado de letargia que me roubou qualquer iniciativa. A senhorita anda dormindo, diziam as patroas, cujas reprimendas me impressionavam menos que nunca. Perdi a vontade de conversar com minha mãe, e certa noite Edvin veio com um convite de Thorvald mas eu rejeitei. Não estava a fim de sair para dançar com o jovem que tinha gostado dos meus poemas. Talvez seu pai conhecesse outro editor que também morreria antes de eu ter idade suficiente para escrever poemas adultos de verdade. Eu havia me tornado receosa e não ousava mais me expor a decepções. Já era verão. Quando eu voltava para casa no fim do dia, o ar ameno refrescava minhas bochechas de fogão como um lenço de seda, e garotas de vestido claro andavam de mãos dadas com seus namorados. Eu me sentia muito sozinha. Das meninas do canto das lixeiras, a essa altura Ruth era a única que eu conhecia, e ela sempre me dava um "olá" se eu passava pelo pátio. Olhei para o muro do prédio da frente, coberto de vida e lembranças, o muro das lamentações de minha infância, por trás do qual as pessoas comiam e dormiam, brigavam e lutavam. Subi as escadas no meu vestido vermelho de bolinhas azuis e mangas bufantes, o único vestido de verão que eu tinha. Às vezes, Jytte estava na sala fumando cigarros, os quais ela também oferecia a minha mãe. Minha mãe fumava desajeitada e sem prática, a fumaça a cada instante entrando nos olhos. Atualmente, Jytte estava trabalhando numa fábrica de fumo. De acordo com meu pai, ela roubava os cigarros, e minha mãe não se importava. Por ela mesma ser muito juvenil, queria sempre ter uma amiga bem mais nova. Mas já havia mechas grisalhas em seus cabelos pretos, e ela ganhara peso nos quadris. Por essa razão, ela frequentava o banho público da Lyrskovgade, onde tomava banhos de vapor, e sempre que chegava em casa, falava com muita animação sobre o horror que era a obesidade de todas as outras mulheres.

Certa noite a campainha da porta de serviço da pensão tocou e, ao abri-la, me deparei com Ruth. Olá, disse ela sorrindo, você vai para casa agora? Tem uma coisa que quero lhe contar. Sim, falei, espere aí fora. Despejei a última água de lavar louça, tirei meu avental e saí sorrateiramente, como se ela fosse um contato secreto que ninguém poderia descobrir. O que será que ela queria comigo? Fazia muito tempo que ninguém queria nada comigo. Ela estava usando um vestido de brim branco com mangas curtas e um largo cinto de verniz preto na cintura. Estava de batom, e suas sobrancelhas haviam sido feitas, como as da minha mãe. Embora continuasse pequena de estatura, ela me parecia muito adulta. Não conversamos até sairmos na rua, mas então Ruth desembestou a falar, como se nunca tivesse havido nenhuma questão de afastamento entre nós. Ela contou que Minna tinha saído da escola e agora morava no emprego, em Østerbro. Em Østerbro?, repeti atônita. Isso mesmo, disse Ruth, afinal ela sempre teve um parafuso a menos. Isso não me encheu da esperada alegria. Só pensei que Ruth nunca sentia falta de ninguém. Ela descartou Minna com um encolher de ombros, da mesma forma que ela presumivelmente tinha me descartado mais ou menos um ano antes. Não havia espaço para sentimentos profundos e duradouros em seu coração. Quando chegamos à Sundevedsgade, onde eu costumava virar, paramos. Você nem escutou o que eu queria lhe contar, disse Ruth. Hesitante, continuei a caminhar com ela, pois minha mãe já me esperaria em vão, e se eu demorasse demais, ela iria à pensão perguntar por mim. Assim que soubesse que eu tinha ido embora, ela teria certeza de que houvera um acidente. Mas Ruth irradiava um pouco da velha magia e do poder de me convencer a fazer coisas que eu mesma nunca imaginaria fazer. Ela me contou que tinha um namorado, um rapaz de dezesseis anos que se chamava Ejvind e morava na Amerikavej. Ele era aprendiz de mecânico, e um dia eles iam se casar. Ele havia tirado a virgindade dela, o que fora "uma delícia e tanto". Além disso, ela conhecera um homem muito rico que era sebista e morava na Gammel Kongevej. Era à casa dele que ela queria me levar. Pois ela o tinha visitado sozinha, mas ele tentou seduzi-la, e isso, disse ela com pudor, era algo que em atenção a Ejvind ela não permitiria. O homem rico se chamava sr. Krogh, e seu melhor amigo era Holger Bjerre, o qual ele facilmente poderia persuadir a fazer de Ruth uma corista. Você também, disse ela, ele prometeu. Eu? Um raio de esperança passa por minha mente. Uma corista fica no palco dançando todas as noites e de dia pode fazer o que quiser. Sei muito bem que os de casa nunca vão permitir isso, mas o mundo não é de todo real quando estou com Ruth. E sabe de uma coisa?, acrescenta Ruth entusiasmada, ele é muito velho e também está doente. Enquanto eu estava lá, achei que ele fosse morrer de infarto, de tanto que tossia, ofegava e gemia. Ele vive totalmente sozinho, e se formos bem gentis com ele, talvez nos deixe todas as suas posses como herança, e aí Ejvind pode ter sua própria oficina. Ela olha eufórica para mim com seus olhos claros e fortes, e seu plano maluco me deixa de bom humor. Sei bem o que Ruth quer de mim, e digo: Isso não quero, mas gostaria de conhecê-lo. Ruth dá risada e põe a mão sobre a boca enquanto enxuga o nariz com o polegar. Ela diz que ele tem uma aparência horripilante, mas preciso pensar no dinheiro e no nosso futuro como coristas. O sr. Krogh mora no último andar de um edifício que de maneira nenhuma parece abrigar milionários. Tocamos a campainha e logo ouvimos uma tosse violenta do outro lado da porta. Está vendo, cochicha Ruth, ele não vai durar muito. Após um longo chacoalhar com a corrente de segurança e as chaves, a porta se entreabre, e o rosto do sr. Krogh aparece na fresta. Por um instante, ele nos olha desconfiado, depois solta a corrente de segurança e nos deixa entrar. Oh, quantos livros!, exclamo. A sala está praticamente forrada de livros e grandes pinturas, de um jeito que até agora só vi em museus. O sr. Krogh não diz nada antes de estarmos sentadas. Ele me olha com atenção e diz, gentil: Gosta de livros? Gosto, sim, digo, observando-o mais de perto. Ele não é tão velho quanto disse Ruth, mas também não é jovem. É completamente careca e tem bochechas carnudas e vermelhas, como se passasse muito tempo ao ar livre. Seus olhos são castanhos e um pouco melancólicos como os do meu pai. Gosto dele e tenho a impressão de que também simpatiza comigo. Ele prepara café para nós, e Ruth pergunta se já falou com Holger Bjerre. Não, infelizmente, ele está de férias no momento. Quando olha para Ruth, seu olhar percorre o corpo dela de cima a baixo, mas por sorte não parece se interessar pelo meu. Ele nos oferece bolachas e fala sobre o tempo bonito e as moças da cidade que desabrocham nas calçadas como flores. É, diz ele, uma visão refrescante. Ruth está entediada e chuta minhas pernas por baixo da mesa. Eu digo: Será que também posso me tornar corista, sr. Krogh? Você!, exclama ele surpreso. Não, você não foi talhada para tal de forma alguma. Sim, protesta Ruth, se ela fizer permanente, se maquiar e coisas assim. Ela é bonita sem roupa. Ruborizo e pela primeira vez na vida fico irritada com Ruth. O sr. Krogh passa o olhar de mim para Ruth e diz: Mas como diabos vocês duas se encontraram? Pergunto se posso dar uma olhada nos livros, e ao descobrir que prefiro ler poemas, ele me mostra onde ficam. Pego um volume ao acaso e abro. Leio enlevada e feliz:

— *os cântaros repletos de vinho,*
a terra velada pelo crepúsculo.

Baudelaire. As *flores do mal*, leio na folha de rosto, e me dirijo ao sr. Krogh para perguntar como pronunciar o nome. Ele me ensina e diz que posso pegar o livro emprestado se prometer devolvê-lo. Prometo e torno a me sentar à mesa. Só agora me dou conta de que o sr. Krogh está de roupão. Ele tem outro acesso de tosse, durante o qual fica com a cabeça muito vermelha e, ofegante, pede a Ruth que lhe bata nas costas. Enquanto faz isso, ela ri para mim inaudivelmente, mas eu não rio de volta. Entre mim e o sr. Krogh há um acordo tácito que eu não me lembro de ter tido com nenhuma outra pessoa. Desejo fervorosamente que ele fosse meu pai ou meu tio. Ruth percebe e, ressentida, puxa os cantos da boca para baixo. Vou para casa, diz ela mal-humorada, vou encontrar Ejvind. Na hora da despedida, o sr. Krogh tenta beijar Ruth, mas ela vira seu doce rosto e fico com dó dele. Eu não teria nada contra beijá-lo, mas ele só me estende a mão e diz: Você pode pegar emprestados todos os livros que quiser, desde que eu os receba de volta.

A essa hora da noite, sempre estou em casa. Ao chegar, vejo minha mãe sentada à mesa com o rosto inchado e os olhos chorosos. Ela pergunta onde, meu Deus, eu estive, e onde consegui aquele livro. Digo que passei na casa de Edvin e que a tosse dele realmente melhorou. O livro, peguei emprestado de um dos pensionistas. Enquanto estou na cama, me ocorre o pavoroso pensamento de que o sr. Krogh possa morrer, assim como meu editor. Parece-me que o mundo com o qual desejo entrar em contato de todo o coração consiste exclusivamente em homens velhos e doentes que a qualquer momento podem cair mortos, antes de eu mesma ter idade suficiente para ser levada a sério.

4.

Tio Carl morreu. Ele faleceu tranquilamente durante o sono, diz tia Rosalia, e morreu segurando a mão dela. Ela está sentada na ponta de uma cadeira, de chapéu, e com o trabalho de costura sobre o braço como sempre, embora não tenha nada que a aguarde em sua casa. Seus olhos estão totalmente inchados de tanto chorar, e minha mãe não consegue encontrar nenhum consolo para ela. Minha mãe sempre achou que seria melhor para tia Rosalia se tio Carl morresse, mas não parece que tia Rosalia pensa assim. Estamos todos presentes no enterro, incluindo tio Peter e tia Agnete, que não queriam saber de tio Carl enquanto estava vivo. Minhas três primas também estão lá. São baixas e gordas com caras branquelas, e minha mãe diz triunfante que nunca vão se casar, então como é que seus pais são tão convencidos? Ela e meu pai sempre falam mal de tia Agnete e de tio Peter, mas ainda assim continuam jogando cartas com eles duas noites por semana. É algo que me irrita quando chego do trabalho, pois não consigo ir para a cama antes de eles irem embora. Enquanto o pastor discursa sobre tio Carl, eu não dou risada como no enterro da minha avó, mas penso no fato de que ninguém além de tia Rosalia chegou a conhecê-lo e saber como ele era de fato. Primeiro ele foi hussardo, mais tarde se tornou ferreiro, depois ele bebia cerveja e no fim refrigerante. Isso é tudo o que o resto de nós sabe. Tomamos café num restaurante perto do cemitério, e o clima é pesado, porque tia Rosalia não se deixa animar com nada. Suas lágrimas caem na xícara de café, e ela é obrigada a levantar o véu negro do chapéu de luto toda vez que sente necessidade de enxugá-las. Ele era bonito quando jovem, diz ela para minha mãe, não era, Alfrida? Era, sim, concorda minha mãe, ele era bonito naquela época. Então tia Rosalia diz: Sei muito bem que nenhum de vocês gostava dele porque ele bebia. Ele sofria muito com isso. Sua própria família também não gostava dele. É constrangedor e ninguém responde, pois ela está certa. Bem, diz Edvin, e se levanta. Preciso ir agora. Vou encontrar um amigo. Depois que ele sai, olho em volta para minha família, para esses rostos que rodearam toda a minha infância, e me parecem cansados e envelhecidos, como se os anos que passei crescendo os tivessem exaurido completamente. Até minhas primas, que não são muitos anos mais velhas que eu, parecem desgastadas e esgotadas. Meu pai está muito calado e sério, fica assim sempre que enverga seu terno de domingo. É como se este fosse forrado de pensamentos sombrios e melancólicos que ele veste juntamente com o terno. Conversa em voz baixa e murmurante com tio Peter, até no enterro eles discutem política, mas ao menos não se exaltam como de hábito. Meu pai ainda trabalha na H. C. Ørsted, e minha mãe enfim ganhou aquele rádio que ela queria que eu pagasse. Ela o deixa tocar o dia inteiro e só desliga se tiver alguém na sala com quem quer falar. Quando meu pai está em casa, ele sempre fica deitado no sofá, dormitando. Assim que minha mãe desliga o rádio, ele acorda com um sobressalto e diz: Não dá para dormir com essa barulheira infernal. Achamos isso muito engraçado. Mas eu já não me envolvo tanto com tudo o que se passa lá em casa, não como antes. Só vivo de verdade quando estou com o sr. Krogh. Vou para sua casa sempre que tenho coragem, apesar da minha mãe. Falo que visito Yrsa, mas minha mãe não consegue entender como de repente nos tornamos amigas, afinal nunca parei de falar que não gosto dela. Pego emprestados livros do sr. Krogh e os devolvo depois de ler. Ele tem o costume de me receber de roupão de seda e pantufas vermelhas, e nos serve café de um bule de prata. Se não tiver folhados, me dá cinquenta centavos para eu descer e comprar alguns. Tomamos o café a uma mesa baixa com tampo de latão cinzelado. As mãos longas e brancas do sr. Krogh sempre tremem levemente, e ele tem uma voz grave e agradável que gosto muito de ouvir. Quando estou lá, é mais ele quem fala, pois não aprova nenhuma demonstração de curiosidade de minha parte. Certa noite perguntei por que não era casado, e ele respondeu: Não se deve saber tudo sobre uma pessoa, lembre-se disso. Aí o fascínio acaba. Também não sei se Ruth ainda frequenta a casa, se ela vai se tornar corista, ou se o sr. Krogh sequer conhece Holger Bjerre. Ruth acha que não. Sempre que a encontro no pátio ou na rua, ela reclama: Aquele Krogh é cheio de mentiras, é um velho safado. Ainda não deu em cima de você? Não, digo, e sinto que ela está falando de alguém bem diferente do sr. Krogh que conheço. Bem, eu não tenho coragem de ir lá sozinha, afirma ela. Outra vez ela diz que ele é mesquinho, já que nunca me dá nada. Por que ele me daria alguma coisa?, pergunto. Ela me lança um olhar cheio de impaciência. Porque, diz ela, ele é velho e você é jovem. Ele é louco por moças e tem que pagar por isso, sabe? Uma noite, depois de o sr. Krogh acender as velas de um alto castiçal de prata que está sobre a mesa entre nós, tomo coragem e digo: Sr. Krogh, quando eu era criança, eu escrevia poemas. Ele sorri. Pois é, diz ele, e você gostaria de mostrá-los para mim?

Fico rubra porque adivinhou o que eu queria com ele e pergunto como sabe. Ah, diz ele, ou isso ou qualquer outra coisa. As pessoas sempre querem algo umas das outras, e sempre soube que você me usaria para alguma coisa. Faço um gesto de protesto, e ele diz: Não há nenhum mal nisso, é perfeitamente natural. Acho que eu também quero algo com você. O quê?, pergunto. Nada em particular, diz ele, tirando seu cachimbo comprido e fino da boca. Simplesmente coleciono originais, pessoas que são diferentes, casos especiais. Gostaria muito de ver seus poemas. Bata nas minhas costas. A última coisa sai aos arrancos, e ele fica bem azul no rosto. A cada tapa que lhe dou, ele tosse e se curva para a frente de modo que os braços pendem para o chão. De que doença será que sofre? Não tenho coragem de perguntar se é fatal, mas já na noite seguinte corro para a casa dele com meu caderno de poesia, meio convencida de que não está mais entre os vivos. Ele está, e tão logo nos sentamos à mesa de café, eu lhe estendo o livro, muito receosa de decepcioná-lo, habituado como está a ler a mais elevada poesia. Ele pousa o cachimbo e folheia o livro, enquanto observo ansiosamente seu rosto. Pois é, diz ele balançando a cabeça, poemas de criança. Ele lê em voz alta:

> Menina adormecida, um hino a ti cantarei.
> Nenhuma visão me causou maior alegria
> do que tu deitada, imóvel e bela,
> sorrindo em teus sonhos, a roupa branca
> teu terno seio mal cobria,
> oh, que visão encantada,
> mas por ti ignorada.

Há quatro ou cinco estrofes, e ele murmura todas para si mesmo. Depois ele olha para mim com gentileza e seriedade e observa: É interessante. Em quem você estava pensando quando escreveu aquele poema? Ninguém, respondo, ou em Ruth, talvez. Ele ri com vontade. A vida é engraçada, diz ele então, percebemos isso só quando estamos prestes a perdê-la. Mas, sr. Krogh, digo assustada, o senhor não tem tanta idade assim, não é mais velho que meu pai. Ah, não, diz ele, mas ainda assim já vivi muito tempo. Ele fecha o livro e o deixa sobre a mesa. Esses poemas, afirma ele, não podem ser usados para nada, mas me parece que você um dia se tornará poeta. Com essas palavras, uma onda de felicidade me invade. Eu lhe conto sobre o editor Brochmann que havia dito que era para eu voltar dali a dois anos, e ele diz que o conhecia bem. Também me promete que quando eu um dia escrever algo que preste, algo que outras pessoas terão prazer em ler, preciso lhe mostrar que ele cuidará de publicá-lo. As velas tremulam no castiçal, e o céu azul-escuro da noite está cheio de estrelas. Gosto demais do sr. Krogh, mas não tenho coragem de lhe dizer isso. Ficamos calados por um longo tempo. As estantes exalam um odor agradável de couro, papel e pó, e o sr. Krogh me observa com um olhar entristecido, como se o que ele quer me dizer nunca pudesse ser dito, o mesmo olhar com que meu pai sempre me contempla. Então ele se levanta. Bem, diz ele, agora é melhor você ir. Tenho trabalho a fazer antes de ir para a cama. No hall de entrada, ele segura meu queixo e fala: Será que quer dar um beijo na bochecha de um velhinho? Eu o beijo com cuidado, como se meu beijo pudesse provocar sua temida morte. É uma bochecha macia de velhinho que me faz lembrar a da minha avó.

5.

Na Alemanha, Hitler chegou ao poder. Meu pai diz que a reação ganhou e que, porque votaram nele, os alemães não merecem nada melhor. O sr. Krogh o chama de um desastre para o mundo inteiro e está sombrio e desolado como se fosse um luto pessoal. As donas da pensão comemoram, argumentando que se Stauning fosse como Hitler, não teríamos desemprego, mas ele é fraco, corrupto e dado à bebida, e tudo o que faz no governo está errado. Elas ouvem o radiojornal em vez de tirar a sesta e voltam com os olhos brilhando, anunciando que o incêndio do Reichstag foi provocado pelos comunistas, algo que certamente será provado durante o julgamento. Meu pai e o sr. Krogh dizem que foram os próprios nazistas que provocaram o incêndio, e se eu tiver alguma opinião, concordo com eles. Mas acima de tudo estou apavorada, é como se as vagas do grande oceano pudessem fazer minha pequena e frágil embarcação virar a qualquer momento. Não gosto mais de ler os jornais, embora não possa evitá-los completamente. Meu pai me mostra os cartuns sombrios e satíricos de Anton Hansen no *Social-Demokraten*, os quais aumentam minha angústia. Num deles, vê-se um velho judeu com um grande cartaz nas costas, cercado de homens da ss que dão risada. No cartaz, está escrito em alemão: Sou judeu, mas não vou reclamar dos nazistas. Preciso explicar para meu pai o que significa. O sr. Krogh assina o *Politiken*. Ele me mostra um cartum de Van der Lubbe e a legenda que o acompanha:

As palavras que já sabe, diga logo,
sobre Torgler e o fogo.
—
Já sabe o que queremos, jogue o jogo.
Diga que Dimitrov
esperava perto da escada com Popov,
assim salva sua pele.

Ah, sim, observa ele, agora a intelligentsia alemã vai ver o que é bom. Pergunto-lhe o que quer dizer "intelligentsia alemã", e ele me explica. Entre outras coisas, são os artistas. Ser poeta é ser artista, e o sr. Krogh já disse que um dia hei de ser poeta. As patroas leem o *Berlingske Tidende*, e ali, dizem elas, escrevem a verdade sobre Hitler, que talvez venha a salvar a Europa inteira e criar uma espécie de paraíso para todos nós. Mais do que nunca, quero fugir da cozinha abafada e imunda da pensão, e das pessoas com quem passo meus dias lá. Quando chego em casa, meu pai está sempre dormindo, e cerca de duas horas depois ele sai para o trabalho. Uma noite, na hora que ele acorda, pergunto se posso procurar outro emprego. Falo que detesto lavar louça, limpar e de modo geral fazer trabalhos domésticos. Prefiro trabalhar num escritório e aprender a datilografar. Ainda não, diz ele. Primeiro você precisa aprender a cuidar direito de uma casa e a fazer comida para seu marido quando ele chega do trabalho. Isso virá automaticamente, intervém minha mãe em meu socorro, o dia em que for necessário. Ela acrescenta: Você fala como se ela fosse se casar amanhã. Acabou de fazer quinze anos. Meu pai aperta os lábios e puxa os cantos da boca para baixo. Quem decide sou eu ou você?, pergunta. Então minha mãe se cala, mas também se ofende, o clima da sala está tenso. Depois que meu pai sai, ela põe seu tricô de lado e sorri: Vamos fingir, sugere ela, que um dos pensionistas andou dando em cima de você. Então você pode muito bem conseguir outro emprego. É mesmo, digo aliviada e maravilhada por nunca ter pensado nisso antes. Dois dias depois chego em casa e vejo meu pai sentado no sofá. Bem, diz ele, sua mãe me contou o que aconteceu. Agora você está naquela idade em que precisa se cuidar bastante. Você não deve voltar para lá. Sua mãe pode ir buscar seu salário e depois você deve começar a procurar outro emprego. Portanto, fico em casa durante algum tempo. Compramos o *Berlingske Tidende*, e eu me candidato a muitos empregos de escritório, mas não recebo nenhuma resposta. Além disso, ando por Vesterbro tentando os cargos para os quais os candidatos devem se apresentar pessoalmente. Converso com senhores distintos em salas espaçosas e claras, e todos perguntam o que meu pai faz. Quando ficam sabendo, supõem que terei de viver do salário, o que nunca é a intenção. Mas no fim consigo uma colocação num lugar onde o diretor só pergunta se sou sindicalizada. Ao ouvir que não, ele imediatamente me contrata por quarenta coroas mensais. É uma empresa de material de enfermagem na Valdemarsgade, onde serei estoquista. Empresa sabotadora, diz meu pai, ao ouvir a parte que diz respeito ao sindicato, mas de qualquer forma ele cede, pois não é fácil conseguir emprego, nem mesmo para uma moça.

 Enquanto tudo isso acontecia, não tive oportunidade de visitar o sr. Krogh. Ele nunca havia me perguntado onde eu morava, e de modo geral não era nem um pouco curioso, assim como não gostava que os outros o fossem. Certa noite saio para visitá-lo outra vez. É inverno e estou vestindo o casaco reformado de Edvin, que prima mais pela quentura que pela beleza. Não vejo a hora de rever meu amigo e lhe contar sobre meu novo emprego, com o qual por enquanto estou feliz. Como de hábito, pego o atalho pela passagem da Vesterbrogade e assim que chego à Gammel Kongevej, empaco como se estivesse paralisada, incapaz de entender qualquer coisa. O edifício amarelo não está mais lá. No seu lugar, há somente um espaço com destroços de alvenaria, caliça e canos de água retorcidos e enferrujados. Vou até lá e apoio a mão sobre um fragmento baixo de parede, pois sinto que minhas pernas não me aguentam mais. As pessoas passam por mim com rostos fechados, cada uma ocupada com seus próprios compromissos noturnos. Tenho vontade de pegar uma delas pelo braço e dizer: Aqui havia uma casa ontem, pode me dizer onde está? Onde está o sr. Krogh? Afinal, ele deve morar em outro lugar agora, mas como encontrar uma pessoa desaparecida? Não entendo como ele poderia fazer isso comigo. Mas talvez conhecesse tantas moças, e eu fosse apenas uma delas. Ele tinha dito que colecionava originais, mas quem sabe eu não fosse original o suficiente? Enquanto volto devagar para casa, ainda meio anestesiada por essa desgraça, penso que não teria acontecido se eu tivesse escrito poemas bons. Também penso que não teria acontecido se ele tivesse desejado meu corpo, assim como evidentemente desejava o de Ruth, mas até agora ninguém demonstrou interesse algum por mim nesse sentido, e a exortação de meu pai é absolutamente supérflua. Na rua de casa, Ruth está com seu aprendiz de mecânico diante da entrada do prédio da frente, eu paro e abotoo o casaco no pescoço, porque o vento está gelado, o que só percebo agora. A casa do sr. Krogh foi demolida, aviso. Sabe onde ele está morando? Não, diz ela por cima do ombro do jovem, nem quero saber. Eles desaparecem de novo nos braços um do outro, e eu atravesso o pátio. Ao subir as escadas do prédio dos fundos, sou tomada pelo medo de nunca escapar desse lugar onde nasci. De repente, não consigo gostar dele e acho cada lembrança escura e triste. Enquanto viver aqui, estou fadada à solidão e anonimidade. Para o mundo, não sou ninguém, e toda vez que consigo pegar um pedaço dele, ele torna a escapar das minhas mãos. As pessoas morrem, e as casas são demolidas por cima delas. O mundo está em constante mudança, é só o mundo da minha infância que permanece. Lá em cima na sala, tudo está como sempre. Meu pai está dormindo e minha mãe está sentada à mesa fazendo tricô. Seus cabelos grisalhos sumiram, porque muito secretamente ela os tinge, de onde tira o dinheiro, só Deus sabe. De vez em quando, meu pai diz: É curioso, o seu cabelo continua tão preto. O meu já está totalmente grisalho. A ingenuidade dele o faz acreditar em tudo o que dizemos, pois ele mesmo nunca mente. Aonde você foi?, pergunta minha mãe, olhando para mim com desconfiança. Na casa de Yrsa, respondo, sem me importar se consigo convencê-la ou não. Ela diz: Está frio aqui, ponha mais carvão no fogão. Depois ela põe água para ferver para o café, e eu decido que, tal como Edvin, quero sair de casa quando fizer dezoito anos. Antes disso, não vão deixar. Quando eu estiver morando num lugar bem diferente — longe de Vesterbro —, será mais fácil entrar em contato com pessoas do tipo do sr. Krogh. Enquanto bebemos café, dou uma olhada no jornal. Diz que Van der Lubbe foi executado e que Dimitrov fez Göring de bobo total durante o julgamento. Passo aos obituários, mas não encontro o nome do sr. Krogh entre os falecidos. Ocorre-me que ele meio que perdeu o interesse por mim assim que Hitler chegou ao poder, e mais uma vez minha pequena embarcação treme com um inexplicável temor de ser virada.

6.

Entro no trabalho às sete da manhã e com o sr. Jensen tenho que deixar o escritório limpo e organizado para a chegada dos funcionários e do diretor. O sr. Jensen tem dezesseis anos de idade, é comprido, magro e tonto. Ele infla camisinhas deixando-as voar em volta da minha cabeça enquanto lavo o chão, e ele tenta me beijar, obrigando-me a me defender aos risos com o pano de chão numa das mãos. Ele é apenas um moleque e não me ofendo com suas impertinências. No escritório do diretor, ele senta na cadeira com as pernas sobre a mesa e um cigarro entre os lábios. Não me pareço com ele?, pergunta, enrolando sua franja longa nos dedos. Diz que sou careta porque sou virgem e não quero beijá-lo. Se o senhor estivesse apaixonado por mim, retruco, eu gostaria. Estou, insiste, mas não acredito nele. Certa manhã, no momento em que estou passando pano no chão do escritório do diretor, o próprio de repente entra pela porta, e enquanto freneticamente recolho o esfregão e o balde, ele me agarra por trás e apalpa meu peito com as duas mãos. Ele faz isso mais ou menos como minha mãe apalpa a carne no açougue, e fico rubra de vergonha e humilhação, escapando dele com o balde e o esfregão sem dizer uma palavra. Relato o ocorrido ao sr. Jensen, que diz que eu deveria ter lhe dado um tapa na mão, pois sempre vai para a cama com as funcionárias e não devo aturar esse tipo de coisa. O diretor é casado e, por ser católico, tem muitos filhos. Depois, porém, não me sinto tão mal em relação a essa história. É o primeiro homem que demonstra interesse pelo meu corpo, e criei a noção de que nunca poderei progredir no mundo sem isso. Logo após a chegada das duas secretárias e do encarregado do estoque, os pedidos precisam ser despachados. É minha tarefa embrulhar as mercadorias no balcão comprido da sala de estoque. São termômetros, algodão hidrófilo, seringas vaginais, bolsas de água quente, camisinhas e suspensórios. O sr. Jensen já me ofereceu uma explicação minuciosa sobre o uso de todos esses itens, e fico com a impressão de que a vida sexual é extremamente complicada e pouco atraente. Certas coisas devem ser usadas antes e outras depois, e durante as explicações do sr. Jensen, que provavelmente as apresenta de maneira nada simples, me sinto muito inadequada. O encarregado do estoque se chama sr. Ottosen, e as lindas secretárias estão claramente apaixonadas por ele. Quando estão ao balcão com seus papéis e lhe explicam qualquer coisa, ele insinua um braço em volta da cintura das duas, e elas se inclinam para ele com olhos embaçados. São duas jovens jeitosas e moderninhas, com pequenos cachos cobrindo a cabeça, sapatos de salto alto e largos cintos de verniz na cintura. Quando eu algum dia virar funcionária de escritório, tentarei me parecer com elas. Hei de fazer um grande esforço para me interessar pelos vestidos que uso e em como está meu cabelo. No entanto, adio esses esforços, porque me deixam entediada. Uso uma bata marrom fornecida pela empresa. Na hora de procurar emprego, esfrego minhas bochechas com o lenço de papel de minha mãe, e isso é tudo o que já fiz para me produzir. Meu cabelo é longo, loiro e liso, e eu o lavo com sabão alcalino sempre que acho necessário. O sr. Krogh disse que eu tinha cabelo bonito, mas talvez não encontrasse mais nada em mim para elogiar. De qualquer forma, fico muitas vezes ao lado do sr. Ottosen e também já tentei me inclinar de leve para ele, mas ele não cingiu minha cintura com seu braço nem pareceu notar minha tímida aproximação. Penso muito nisso e chego à conclusão de que a maioria das mulheres exerce uma atração irresistível sobre os homens, só eu é que não. É triste e estranho ao mesmo tempo, mas ao menos me protege de ter filhos precocemente, como a maioria das moças da minha rua. Um dia, o sr. Jensen me pergunta se quero ir ao cinema à noite. Aceito o convite, pois desde criança desejei ter permissão para assistir a um filme. Meus pais nunca me deixaram. Para variar, falo a verdade em casa, e minha mãe parece bem animada. Quer saber tudo sobre o sr. Jensen e, em sua mente, logo me casa com ele. Contudo, não sei o que seu pai faz ou que planos ele mesmo tem para o futuro, portanto não posso satisfazer a curiosidade dela. Meu pai fica muito animado com o fato de ele ser membro da Juventude Social-Democrata da Dinamarca, à qual, para sua grande tristeza, Edvin não quis se filiar. Sem dúvida, diz ele, retorcendo as pontas do bigode, um jovem muito sensato. Então, pela primeira vez, estou numa sala de cinema ao lado de um sr. Jensen muito bem escovado em sua roupa de confirmação, um tanto curta nos pulsos, cujo asseio deixa um pouco a desejar. Penduramos os casacos no encosto do assento. Para começar, alguém toca piano. Depois, as luzes se apagam e comerciais brilhantes passam tremulantes na tela. Tão logo acabam, as luzes tornam a se acender e quero me levantar, pois penso que era só isso, mas o sr. Jensen me puxa de volta para a cadeira. É só agora que começa, explica ele com paciência.

O filme se chama *Meu comandante*, e o pajem do navio é o belo e comovente Jackie Coogan. Estou completamente absorta, esquecendo onde estou e com quem estou. Choro como se estivesse sendo flagelada e aceito maquinalmente o lenço que o sr. Jensen me enfia na mão. Quando põe a mão no meu joelho, eu a afasto como se fosse um objeto inanimado. Ao lado do comandante, o pajem afunda com o navio, depois de ter sacrificado sua vida por uma bela e muito lacrimosa mulher com sua filhinha. Choro convulsivamente e não consigo parar na hora que as luzes se acendem. Shhh, diz o sr. Jensen envergonhado, e me pega pelo braço para sair. Por que o senhor não chora?, pergunto, não acha triste? Acho, sim, diz o sr. Jensen, mas desatar a chorar assim no cinema! Andamos pelo Sdr. Boulevard, e os dedos do sr. Jensen se entrelaçam nos meus. Olho para ele de lado e descubro que tem cílios longos. Talvez esteja apaixonado por mim de verdade. A neve estala sob nossos pés, e o céu está estrelado. Seu braço treme um pouco, mas pode ser por causa do frio. No portão escuro de casa, ele me abraça e beija. Não resisto, mas aquilo não me faz sentir nada. Seus lábios são duros e frios como couro. Vamos nos tratar pelo primeiro nome?, pede ele com voz rouca. Sim, respondo. Como você se chama? Ele se chama Erling, e concordamos em continuar a usar nossos sobrenomes na empresa.

Quando não há nada a fazer na sala de estoque, sou mandada ao sótão para organizar latas em longas fileiras. Gosto bastante desse trabalho porque estou totalmente sozinha naquele espaço escuro e empoeirado. Fico deitada no chão, dispondo as latas em fileiras uniformes de acordo com o que está escrito nelas: pomada de zinco, lanolina. Afundo-me numa doce melancolia, na qual sequências ritmadas de palavras mais uma vez me inundam. Anoto-as em papel pardo, constatando com tristeza que os poemas ainda não são bons o suficiente. Poemas de criança, disse o sr. Krogh. Ele também falou: Para escrever um bom poema é preciso ter passado por muitas coisas. Acho que já passei por muitas coisas, mas talvez tenha de passar por ainda mais. No entanto, um dia escrevo algo que é diferente de tudo o que já escrevi, só não sei no que consiste a mudança. Escrevo o seguinte:

> *Uma vela queima à noite,*
> *ela queima só para mim,*
> *e se eu a atiçar com meu sopro,*
> *ela arde mais,*
> *e arde só para mim.*
> *Mas se tu respirares silenciosamente*
> *e se tu respirares caladamente,*
> *a vela de repente se torna mais que brilhante*
> *e arde no meu peito profundamente,*
> *só para ti.*

Penso que é um poema de verdade, e a ferida do desaparecimento do sr. Krogh começa a sangrar de novo, pois queria tanto mostrá-lo a ele. Queria lhe contar que agora entendo o que ele quis dizer. Mas, para mim, ele está tão morto quanto o velho editor, e não consigo achar uma nova cunha para o mundo que é movido pela poesia e — espero — por aqueles que a escrevem. Você ficou muito tempo lá em cima, reclama Erling assim que desço. O tempo todo ele se comporta como se estivéssemos noivos. Ele está embalando um irrigador vaginal — que é usado depois, ele já me explicou — e diz, enquanto dobra os tubos vermelhos sob o monstro: Que tal dormirmos juntos num hotel no sábado? Já juntei dinheiro para isso. Não, digo, porque se agora sei escrever poemas de verdade, não tem problema eu ser virgem. Pelo contrário, isso pode ser útil quando eu encontrar o homem certo. Pelo amor de Deus, diz Erling irritado, quer se guardar para o médico-legista? Quero, digo, rindo tanto que quase não consigo parar. Eu mesma mal sei o que virgindade e poesia têm a ver uma com a outra, então como poderia explicar a Erling essa estranha ligação?

7.

Todo sábado à noite, Erling e eu vamos ao cinema. Ele fica me esperando, encostado ao muro do prédio da frente com as mãos enterradas nos bolsos do casaco de seu pai, que ele herdou, assim como eu herdei o do meu irmão. Se o faço esperar por muito tempo, ele mastiga fósforos e enrola o cabelo nos dedos. Assim que saímos pelo portão, minha mãe abre a janela e grita: Tchau, Tove. Isso significa que ela aprova o relacionamento, e Erling também entende dessa forma. Ele pergunta se em breve poderá conhecer meus pais. Não, digo, ainda não. Minha mãe quer saber se Erling tem pé torto ou lábio leporino, já que não são autorizados a vê-lo. Eu tampouco quero visitar os pais de Erling, porque aí vão achar que estamos noivos. Ter uma amiga seria mais fácil e divertido para mim, mas não tenho mais, então Erling é melhor do que nada. Gosto muito dele, porque ele também é um pouco esquisito e se parece comigo em muitos aspectos. Seu pai é operário e volta e meia está desempregado. Tem uma irmã adulta que é casada. Ele mesmo quer ser professor, mas não pode começar a cursar o magistério antes de completar dezoito anos. Está juntando dinheiro para isso. Diz que é deplorável como a empresa opera com mão de obra não sindicalizada, mas se ele se tornar membro do sindicato, será demitido. Ganha vinte e cinco coroas por semana. Quando vamos ao cinema, pago minha entrada, já que ele não tem condições de pagar para os dois e também porque sinto que isso me deixa mais livre. Todas as noites decorrem da mesma maneira. Depois do filme, ele me leva para casa e, do lado de dentro do portão escuro, me abraça e beija. Enquanto isso, eu o observo com certa curiosidade fria para ver a que nível de paixão posso levá-lo. Se estivesse apaixonada por ele, eu também mostraria paixão, mas não estou, e ele está bem ciente disso. A certa altura, solto suas mãos da minha nuca e digo: Não, não faça isso. Ah, sim, sussurra ele ofegante, não dói nada. Tudo bem, respondo, só que não tenho vontade. Sinto pena dele e beijo seus lábios de couro antes de ir. Ele me pergunta quando vou querer, e, só para dizer alguma coisa, prometo fazê-lo quando tiver dezoito anos, porque de qualquer forma falta um tempão para isso. Além do mais, sinto uma peninha de mim mesma, porque seus abraços não fazem vibrar a menor corda em mim. Será que sou anormal nesse sentido também? Uma delícia e tanto, Ruth havia dito, e ela só tinha treze anos. Todas as meninas do canto das lixeiras diziam a mesma coisa, mas talvez estivessem mentindo. Talvez fosse só algo que diziam. Quando, pergunta minha mãe lá em cima na sala, vamos ver seu namorado? Na época em que conheci seu pai, logo o convidei para casa. Ela também diz que ele evidentemente está atrás de uma única coisa, e, se eu deixá-lo fazer o que quiser, ele não vai querer mais nada comigo. E não me venha com um filho aqui, afirma ela. Certa noite comento que ela não estava nem de perto tão ansiosa para que Edvin trouxesse sua namorada em casa, e com rispidez ela diz que é muito diferente com um menino. Não há pressa, e um homem sempre pode se casar, mas uma menina precisa ser sustentada, e ela sempre tem que pensar nisso. Meu pai diz que ela deve parar de pegar no meu pé. Acrescenta que Erling está sendo sábio em querer ser professor, pois os professores ganham bem e não ficam desempregados. São proletários de colarinho branco, diz meu irmão, que felizmente conseguiu um novo emprego, e eles são os piores. Meu irmão está chateado porque estou namorando, pois sempre tirou sarro de mim, dizendo que eu nunca me casaria. Está ouvindo o radiojornal sobre o casamento do príncipe herdeiro Frederik, algo que é de imenso interesse para minha mãe. Desligue essa bajulação da casa real, diz meu pai do fundo do sofá, agora temos mais uma boca para sustentar, é só isso. Lá na firma, as secretárias estão completamente extasiadas com a encantadora princesa Ingrid. Elas organizam uma de suas costumeiras coletas, passando pela sala de estoque de salto alto com uma extensa lista onde anotam o que cada um doa para um buquê destinado à casa real. Dou uma coroa, e alguns dias atrás dei uma coroa para a confirmação da filha do diretor. Ele tem tantos filhos que constantemente há coletas para seus batizados ou suas confirmações. Antes que você perceba, diz Erling, o salário inteiro já se foi nessas bobagens. Erling é social-democrata como meu pai e meu irmão, e ele sonha com uma revolução que levantará as massas. Gosto de ouvi-lo elaborar esse plano, pois se os pobres chegassem ao poder meus próprios planos seriam promovidos. Erling quer mudar a social-democracia e torná-la mais vermelha. Na verdade, diz ele, sou sindicalista. Não pergunto o que é, porque aí vou ouvir um longo e incompreensível discurso sobre política. Certa vez ele me leva a um encontro na Blågårds Plads, mas a comoção se torna violenta, e a polícia empunha seus cassetetes, dispersando as facções beligerantes. Abaixo a polícia, grita Erling, que está usando seu uniforme da Juventude Social-Democrata da Dinamarca, e no mesmo instante ele leva uma pancada na cabeça que o faz soltar um uivo. Apavorada, agarro seu braço, e, de mãos dadas, corremos pela rua, que ressoa os passos da multidão em fuga. Não é para mim, e nunca mais farei isso. Na firma, há dois operários e um motorista, além de nós. Almoçamos todos juntos numa edícula nos fundos da sala de estoque. Não tem aquecimento, e isso também, diz Erling, é deplorável. Em geral, ficamos todos de casaco.

Nossas cadeiras são caixas de cerveja viradas de ponta-cabeça, e eu me dou bem com esse pequeno grupo de pessoas. Não tenho vergonha deles, nem fico com vergonha quando me perguntam, por exemplo, se eu realmente sei para que serve um irrigador vaginal ou um suspensório. Mas digo a eles que deveriam se filiar ao sindicato, e um dia em que estou animada, subo numa das caixas de cerveja e imito o discurso de Stauning: Companheiros! Passo a mão sobre minha barba invisível, fazendo uma voz grave, e minha plateia é muito fácil de agradar. Todos riem e aplaudem, e depois não penso mais nisso. Passado algum tempo, o sr. Ottosen chega e diz que o diretor quer falar comigo. Não estive a sós com ele desde o dia em que apalpou meu peito, e temo que ele queira algo comigo nesse sentido. Sente-se, ordena ele secamente, apontando para uma cadeira. Sento-me bem na ponta e, para meu horror, noto que seu rosto está vermelho de raiva. Não podemos tê-la aqui, diz ele furioso, não quero ter bolcheviques na minha empresa. Não, digo, sem saber o que são bolcheviques. Ele bate na mesa, me causando um sobressalto. Em seguida se levanta e vem até minha cadeira, enfiando seu rosto vermelho bem no meu. Viro um pouco a cabeça, porque ele tem um hálito desagradável. A senhorita andou instigando meu pessoal a se filiar ao sindicato, grita ele, mas tem noção das consequências que isso teria? Não, murmuro, embora no fundo eu saiba muito bem. Eles seriam demitidos, berra ele, dando mais um murro na mesa, do mesmo jeito que agora demito a senhorita — sem recomendação! Pode buscar seu salário na recepção. Ele se endireita e volta para seu lugar. Sinto que devo romper em lágrimas, mas em vez disso estou cheia de uma alegria sombria à qual não consigo dar nome. Esse homem me considera muito perigosa, muito importante numa área que nem é a minha. Não é coisa para achar graça, esbraveja ele, ou seja, eu devo ter sorrido. Fora! Ele aponta para a porta, e apresso-me a sair. Nunca mais quero vê-la, grita ele atrás de mim, batendo a porta. Lá fora, na sala de estoque, o sr. Ottosen e Erling estão com cara de espanto. Perguntam o que diabos era o problema, e lhes conto tudo com orgulho. O sr. Ottosen encolhe os ombros. A senhorita é nova, diz ele, e mal paga, sem dúvida conseguirá outra coisa para fazer. Além do mais, é solteira. Eu tenho mulher e quatro filhos, portanto tenho que ficar calado. Erling diz que eu deveria ter guardado minhas opiniões para mim, e eu fico furiosa com ele. Jamais haverá uma revolução na Dinamarca, reclamo exaltada, enquanto houver pessoas como você, sem coragem de arriscar a própria pele. Ofendida, entro na sala das secretárias e peço meu salário, que já foi separado para mim. Quando volto para casa, a neve está alta nas ruas e um vento gelado atravessa meu casaco. Sofri por minhas convicções e mal posso esperar para contar isso a meu pai. Sinto-me como uma Joana d'Arc, uma Charlotte Corday, uma jovem que escreverá seu nome na história do mundo. Afinal, aquela coisa dos poemas está progredindo devagar demais. De cabeça erguida e costas eretas, subo as escadas e, cheia de dignidade dolorosa, entro na sala, onde meu pai está dormindo de traseiro para o mundo. Minha mãe me pergunta por que estou voltando para casa tão cedo, e quando relato o ocorrido, ela diz que não devo me meter em coisas que não são da minha conta. Consternada, ela acrescenta que era uma boa colocação, e que homem nenhum quer se casar com uma moça que sempre troca de emprego. Dessa vez ela não toma meu partido, e eu pigarreio alto, fazendo um pouco de barulho na mesa para acordar meu pai, que afinal acorda. E enquanto ele se põe sentado e esfrega os olhos, minha mãe anuncia: Tove foi posta na rua. Todo esse seu falatório sobre sindicatos infestou o cérebro dela. Ao ouvir os detalhes, meu pai faz uma cara furiosa. Quem diabos você pensa que é, grita ele, e dá um murro na mesa de punho fechado, fazendo o lustre dançar nos ganchos. Finalmente você consegue um emprego decente, e aí é posta na rua por uma bobagem dessas. Você não entende de política. Esses são tempos ruins, e há tantos sabotadores que se pode servi-los aos porcos. Mas no próximo emprego que você conseguir, será obrigada a ficar, senão acabará como sua mãe. Eles olham com raiva um para o outro, como sempre quando há problemas com Edvin ou comigo. Calo-me, e na verdade não sei o que havia esperado. Mas em poucos minutos perco meu súbito interesse por política, bandeiras vermelhas e revoluções. Erling e eu vamos ao cinema ainda mais alguns sábados, então ele para de ficar encostado ao muro me esperando. Sinto um pouco sua falta, porque ele me deixava menos só, mas sobretudo sinto falta do sótão com as latas, onde escrevi meu primeiro poema de verdade. O que aconteceu com seu rapaz?, pergunta minha mãe, que tinha sonhado em ser sogra de um professor. Ele encontrou outra pessoa, digo. Minha mãe sempre precisa de razões muito concretas para tudo. Ela diz: Você também deveria cuidar um pouco mais de sua aparência. Deveria comprar um terninho de primavera em vez daquela bicicleta. Quem não tem beleza natural, aponta ela, tem que fazer um esforço a mais. Minha mãe não diz essas coisas para me magoar. Sua ignorância sobre o que se passa na cabeça dos outros é simplesmente absoluta.

8.

Consegue ver com quem me pareço? A srta. Løngren me olha com seus olhos esbugalhados, e eu realmente não consigo ver com quem ela se parece. Ela sorri, movimentando as sobrancelhas num sobe e desce. Talvez ela se pareça um pouco com Carlitos, mas não tenho coragem de dizer isso, pois ela se ofende facilmente. Agora já está enrugando a testa com impaciência. Mas a senhorita nunca vai ao cinema?, questiona. Vou, digo desgostosa, vasculhando meu cérebro em vão. De perfil, então, diz ela, virando a cabeça. Agora a senhorita com certeza consegue ver. Pois todo mundo fala a mesma coisa. O perfil também não me diz nada a não ser que ela tem o nariz adunco e o queixo recuado. Em meio a meus esforços, toca o telefone. Ela o atende dizendo: I. P. Jensen. Sempre pronuncia o nome num tom alto e ameaçador, de modo que não entendo como a pessoa do outro lado da linha ousa apresentar sua solicitação. É um pedido, e ela o anota enquanto segura o fone com a mão esquerda ao ouvido direito. Depois de desligar, ela arremata: Greta Garbo, agora está vendo, certo? Ah, sim, respondo, desejando que tivesse alguém com quem rir. Não tenho. Nesse lugar, estou completamente sozinha de uma maneira estranha. O emprego que consegui é no escritório de uma gráfica de litografia. Na sala interna reside o dono, que é chamado de Mestre. Quando ele está lá, sua porta sempre fica fechada. Na antessala, há duas mesas. A uma delas, senta-se um dos filhos, Carl Jensen, de costas para a cadeira da srta. Løngren. Ela senta de frente para mim, ao lado do telefone e do quadro de distribuição, e na ponta de nossa mesa há uma mesinha com uma máquina de escrever, que eu supostamente vou aprender a usar. Mas durante o dia todo eu não tenho quase nada para fazer, e ninguém parece saber direito por que fui contratada. No andar acima dos escritórios, há um apartamento, e ali mora o outro filho, Svend Åge, que é litógrafo e trabalha na gráfica. Carl Jensen é magro e ágil nos movimentos como um esquilo. Ele tem olhos castanhos muito juntos e levemente estrábicos, o que lhe dá um ar pouco confiável. Ele nunca fala comigo, e quando ele e a srta. Løngren estão ali, os dois se comportam como se eu fosse invisível. Eles flertam muito, e às vezes Carl Jensen se vira na cadeira, que é de girar, e tenta beijar a srta. Løngren. Ela ensaia uma palmadinha, rindo lisonjeada e à vontade, o que acho muito ridículo, já que são tão velhos. Sempre que o Mestre passa pela sala, eles se debruçam sobre o trabalho, e eu depressa anoto alguns números ou algumas palavras, que depois apago meticulosa e lentamente. Carl Jensen não fica muito lá, e sinto o olhar da srta. Løngren me espreitar atento o tempo todo. Ela comenta cada movimento meu. Por que olha sempre para o relógio?, diz ela, isso não faz o tempo passar mais rápido. Ela indaga: A senhorita não tem lenço? Essa fungação me dá nos nervos. Ou: Por que eu sempre tenho que fechar a porta? A senhorita também é nova. A palavra "também" me surpreende. Um dia, ela me pergunta quantos anos acho que ela tem. Quarenta, respondo com cautela, pois estou convencida de que deve ter no mínimo cinquenta. Tenho trinta e cinco, esclarece ela indignada, e as pessoas ainda dizem que pareço mais jovem. Quando me esforço para ficar absolutamente quieta e descansar meu olhar num ponto neutro, ela diz: Está dormindo? Alguma coisa deve fazer pelas cinquenta coroas que ganha por mês. Solto um bocejo sem querer, e ela me pergunta com sua voz de homem se nunca durmo de noite. O dia inteiro sou obrigada a ouvir esses comentários, e ao chegar em casa à noite, estou tão cansada como quando trabalhava na pensão. Mas eu mesma queria trabalhar num escritório e preciso permanecer nesse posto até completar dezoito anos, embora a ideia seja desconcertante. Insiro ordens de serviço num livro, tarefa que termino em uma hora. Por causa do barulho, a srta. Løngren não gosta que eu pratique datilografia. Um belo dia, o Mestre lhe pergunta timidamente se eu poderia cuidar da central telefônica, mas ela responde raivosa que não quer ficar de costas para os clientes. Atrás de mim, há um balcão onde se realizam os despachos verbais. O Mestre parece estar com tanto medo dela quanto eu. Ele é um homem pequeno e pesado com um nariz roxo e poroso, o qual, como diz a srta. Løngren, não adquiriu de graça. Sempre que precisa entrar em contato com ele, ela liga para o restaurante Grøften no Tivoli, que parece ser seu paradeiro fixo quando não está no escritório. De vez em quando, ele me chama e me dá algumas folhas de papel para passar a limpo. São cartas, e todas começam com "Caro irmão" e se encerram com "Saudações fraternas". Às vezes, referem-se a um irmão que faleceu, e enquanto escrevo sobre suas numerosas e esplêndidas qualidades, sobretudo entre os irmãos, fico toda triste e penso que a união naquela família é de uma rara beleza. Mas um dia me atrevo a perguntar para a srta. Løngren quantos irmãos o Mestre tem, e ela cai na gargalhada, esclarecendo: Todos eles são irmãos maçônicos. Ele é membro da Ordem de São Jorge. Depois ela conta tudo isso para o filho, e ele dá um giro completo na cadeira para ver a cara da imbecilidade em pessoa. Toda sexta-feira à tarde dou a volta pela gráfica para distribuir os envelopes de pagamento. É uma provação e tanto, porque não consigo dar uma resposta de bate-pronto aos comentários chistosos ou ousados que os trabalhadores fazem para mim. Afinal, não faço parte do grupo deles como fazia na empresa de material de enfermagem. De acordo com meu pai, esse emprego é o melhor que já tive e não tenho nenhuma desculpa para não permanecer nele. Todos são membros do sindicato, eu também, o Mestre paga a contribuição, e vou fazer um curso de estenografia que o Mestre também vai pagar. Não sei por que vou aprender a estenografar, já que só me é permitido escrever para os irmãos. As faturas e as cartas comerciais, a srta. Løngren redige. Tenho a impressão de que ela sempre foi contra minha contratação e agora está me impedindo de aprender qualquer coisa. Fico olhando para ela das oito da manhã às cinco da tarde, o que é uma tarefa árdua e desgastante. Nunca conheci uma pessoa assim. De repente, ela é gentil e me oferece, por exemplo, uma maçã. Ela me dá uma, mas, assim que começo a mastigar, enruga a testa e reclama: A senhorita nem consegue comer uma maçã sem fazer barulho? E se eu vou ao banheiro com muita frequência, pergunta se ando mal da barriga. Um dia ela me conta que sua sobrinha vai se confirmar e pergunta se conheço alguém que possa escrever a letra de uma canção para a ocasião. Só para surpreendê-la, digo que posso, e ela me olha desconfiada. Precisa ser boa, exige ela, como aquelas que ficam expostas nas vitrines das bancas de jornal. Prometo que ficará boa, e com hesitação ela me deixa tentar. Escrevo a letra para a melodia encomendada, "O feliz ferreiro", e a srta. Løngren fica impressionada. Realmente, diz ela, a letra é tão boa quanto aquelas pelas quais se paga. Ela a mostra para o filho, que exclama: Caramba, isso eu não esperava da srta.

Ditlevsen. Ele gira a cadeira e me fita com seus olhos dissimulados, curioso. Como de hábito, não diz nada para mim. Sim, concorda a srta. Løngren, esse tipo de coisa é um dom. Para mim, os dois são muito estúpidos. A srta. Løngren nem sabe falar direito. Por exemplo, ela diz "de qualquer maneiras", e ela diz isso com frequência. Se quer dar ênfase a suas palavras, ela fala "eu digo e continuo dizendo que" etc. Mas naturalmente ela não continua dizendo nada. Passarei mais dois anos dessa forma desoladora, uma ideia que para mim beira o insuportável. Quando chego em casa à noite, Jytte está quase sempre lá, e me cansa ouvir a conversa dela com minha mãe. Alta, loira e bonita, Jytte mesma diz que nunca se casará porque se cansa dos homens rápido demais. Já teve uma série de namorados e sempre entretém minha mãe com sua última conquista. Elas riem muito dessas histórias, de modo que me sinto excluída também em casa. Meu pai ronca alto, e só posso ir dormir depois que ele sair para trabalhar e Jytte voltar para a casa dela. No entanto, não consigo entender por que mal suporto as pessoas, ou como precisam falar para que eu as ouça com prazer. Devem falar como o sr. Krogh falava, e sempre que ando pela rua, penso que é ele quem está dobrando a esquina ou atravessando a rua. Corro para alcançá-lo, mas nunca é ele. No lugar onde ficava sua casa, estão construindo um novo edifício, e evito olhar naquela direção quando pego o atalho a caminho de casa. Sei muito bem que posso procurá-lo na lista telefônica, mas meu orgulho me impede. Eu não significava nada para ele. Por apenas um momento fui uma diversão para ele, depois ele deu de ombros e virou as costas. Mas estou infeliz nessa existência e preciso inventar alguma coisa. Lembro-me de uma seção de classificados no *Politiken* que se chama "Ofertas em Teatro e Música". Isso deve ser algo que se pode fazer à noite, e agora estou autorizada a ficar fora até as dez horas. A música é um domínio fechado para mim, mas gostaria de ser atriz.

Em grande segredo, envio uma resposta a um anúncio onde procuram atores para um teatro amador. Recebo uma carta da Companhia de Teatro Sucesso, que está instalada num restaurante em Amager, local aonde pedem que eu compareça em determinada noite. Visto meu terninho marrom, que, por insistência da minha mãe, comprei em vez da bicicleta, e pego o bonde para o restaurante. Lá, cumprimento três rapazes sérios e uma moça, que, assim como eu, está ali pela primeira vez. Sentamo-nos em torno da mesa, e o líder nos conta que tem a intenção de montar uma comédia diletante chamada *Tia Agnes*. Ele trouxe os roteiros e, após um olhar breve e avaliador, decide que eu serei tia Agnes. É, esclarece, um papel cômico, para o qual serei perfeita. A mulher tem uns setenta anos, mas isso se resolve facilmente com um pouco de maquiagem. Na peça, há um casal jovem, e o papel masculino será interpretado por ele mesmo, enquanto a srta. Karstensen terá o papel feminino. Olho para a jovem e a acho muito bonita. Seu cabelo é loiro platinado, os olhos de um azul profundo, e os dentes brancos e impecáveis. Entendo perfeitamente que eu não poderia fazer o papel dela. Ainda assim, não imaginava minha estreia como sendo uma septuagenária cômica. Depois da distribuição dos papéis e da convocação para outro encontro com nossas falas já decoradas, tomamos um café e nos despedimos. A srta. Karstensen e eu caminhamos juntas até o bonde. Ela pergunta se podemos nos tratar pelo primeiro nome. Ela se chama Nina e mora em Nørrebro. Quero saber por que ela respondeu ao anúncio. Porque estava morrendo de tédio, diz ela. Seus quadris balançam um pouco quando ela anda, e já me sinto feliz em sua companhia. Nina tem dezoito anos, e estou convicta de que nos tornaremos amigas.

9.

O líder de nossa companhia de teatro é conhecido pelo apelido de Gammeltorv. Tem vinte e dois anos, mulher e filhos. Ensaiamos na casa dele, e sua esposa fica brava porque o bebê acorda com o barulho. Ela, lamenta Gammeltorv, carece de qualquer apreciação pelas artes. Mas ele não. Quando nos instrui, movimenta a cabeça, os braços e as pernas tal qual os famosos maestros. Ele ralha, dá bronca e, quase em lágrimas, nos implora para darmos mais alma às falas e encarnarmos completamente nossos papéis. Tia Agnes é uma pessoa muito tonta e ingênua, alvo constante das artimanhas do jovem casal da peça, e é aí que reside o elemento cômico, pois as falas em si não são engraçadas. São poucas e breves. O clímax ocorre na hora que a tia entra na sala com uma bandeja de chá nas mãos. Ao ver o casal abraçado numa namoradeira, ela deixa cair a bandeja, aperta as mãos e exclama: Deus nos livre e guarde! Assim que ela disser isso, a plateia cairá na gargalhada, garante Gammeltorv, mas eu estou falando as palavras como se estivesse lendo-as de um livro! De novo!, berra ele, de novo! Por fim consigo encher a fala de espanto suficiente, e ele acredita que funcionará no momento em que tiver xícaras de verdade na bandeja. Estas, sua esposa se recusa a me fornecer. Na sala lá em casa, represento o papel de tia Agnes para minha mãe, que fica muito entusiasmada. Talvez, diz ela, você realmente se torne atriz. É uma pena que não saiba cantar. Nina sabe, e ela vai trinar um dueto amoroso com Gammeltorv, algo que, em minha opinião, faz com muita graça. A peça será apresentada no Stjernekroen em Amager, e, de acordo com Gammeltorv, a casa há de estar cheia, pois haverá um baile depois. Nina e eu estamos muito animadas com isso. Nina é de Korsør, e seu noivo, que é guarda-florestal, vive lá. Ele virá para a estreia. Nina trabalha no departamento de classificados do *Berlingske Tidende* e mora num quarto alugado em Nørrebro. É um quarto triste sem aquecimento, onde ficamos sentadas de casaco na beirada da cama, fazendo confidências sobre nossos planos para o futuro, enquanto podemos ouvir o crepitar do fogo no fogão da família do outro lado da parede fina. Um dia, Nina vai se casar com seu guarda-florestal, porque quer viver sua vida no campo, mas antes disso vai se divertir e aproveitar sua juventude em Copenhagen. Ela respondeu ao anúncio porque queria conhecer pessoas interessantes. São sobretudo os homens que ela quer conhecer. Homens que podem cortejá-la e convidá-la para sair. Ela diz que, tão logo estivermos menos ocupadas com a peça, frequentaremos os bailes para encontrar parceiros de dança. Sozinha, uma moça não pode ir a bailes, mas, se estiverem em duas, não há problema. Lembro-me do comentário do sr. Krogh de que as pessoas sempre usarão os outros para algum fim, e estou feliz porque tenho utilidade para Nina. Desde que a conheci, penso menos em Ruth. Aliás, ela mudou de casa com seus pais, então nunca mais a vejo quando chego à noite. Nina cresceu na casa da avó, que é dona de um hotel em Korsør. Sua mãe mora em Copenhagen com um homem que não é seu marido. Sendo pobre, ela limpa a casa dos outros, e, uma noite dessas, Nina diz que me levará lá para conhecê-la. Minha mãe não tem nenhuma vontade de conhecer Nina. Por que ela mora em Copenhagen, questiona, se seu noivo está em Korsør? Suas amigas sempre são más companhias. No escritório, a srta. Løngren diz em tom ameaçador: A senhorita anda tão alegre ultimamente. Tem alguma boa notícia em casa? Assustada, nego, tentando parecer menos contente. Estou fazendo um curso de estenografia na Vester Voldgade, o que é muito divertido. Às vezes, penso só em caracteres estenográficos. Certa noite, ao sair da firma, vejo Edvin lá fora com uma cara muito feliz. Enquanto caminhamos juntos para casa, ele me conta que logo se casará com uma moça chamada Grete, de Vordingborg. Vão se casar em segredo e já conseguiram um apartamento em Sydhavnen. Fico cheia de uma inveja obscura e tenho dificuldade de compartilhar seu entusiasmo. Minha mãe e meu pai não podem saber de nada até o casamento ser um fato consumado. Vão ficar loucos, afirmo, sentindo um pouco de pena deles. Você conhece nossa mãe, diz ele simplesmente, ela trata minhas namoradas com frieza. Observo que nesse ponto será mais fácil para mim, pois minha mãe ficou encantada com Erling, embora nunca tenha chegado a conhecê-lo. Ele diz que é assim na maioria das casas, e não há nada de estranho nisso. Pergunta como estão indo meus poemas e se não quero tentar outro editor. Afinal, nem todos devem morrer. Digo que aos poucos estou começando a escrever poemas melhores e, antes de conseguir fazer isso direito, não tentarei outra vez. Mas Edvin acha que meus poemas de criança são tão bons quanto os que se leem em livros didáticos e jornais, de modo que não posso explicar a ele a diferença indefinível entre um poema bom e um poema ruim, já que eu mesma só recentemente me apercebi disso. Ficamos conversando um pouco ali na frente do portão de casa, enquanto batemos os pés no chão para nos aquecer. Edvin não quer subir comigo, pois então nossa mãe desconfiará que viemos juntos para casa, e ela não gosta que compartilhemos nada sem que ela participe. Meu irmão tampouco superou seu velho ressentimento de meu pai pelos quatro anos duros de aprendiz. É a ele que devo minha tosse, diz com amargura um tanto injustamente. Edvin já tem vinte anos, e a pele em torno de sua mandíbula está escura depois de fazer a barba. Seus cachos pretos caem sobre a testa, e seus olhos castanhos lembram os do meu pai e do sr. Krogh. Um dia, quero me casar com um homem de olhos castanhos. Assim meus filhos talvez também os tenham, e penso que provavelmente vou querer o primeiro quando tiver dezoito anos. Nina está completamente horrorizada com o fato de eu ainda ser virgem, algo que, a seu ver, é um defeito que terá de ser corrigido o quanto antes. Ela também tinha medo, conta, porque se escuta tanta coisa, mas na realidade foi maravilhoso. Nina já comprou um vestido de seda longo e justo para o baile do Stjernekroen. Tem um decote profundo nas costas, e ela comprou parcelado. Custou duzentas coroas, e não consigo entender como ela algum dia vai pagá-lo. Ela ri, dizendo que não foi boba de informar seu verdadeiro nome. Fico impressionada, como sempre quando alguém tem coragem de fazer algo que não ouso fazer. Lá no Stjernekroen, estamos ocupadas com os figurinos e a maquiagem. Meu traje é o vestido preto da avó de Gammeltorv. Vai até o chão, e por baixo dele tenho uma almofada amarrada na barriga. Na cabeça, trago uma peruca de fios de lã cinza, e para imitar rugas, Gammeltorv desenhou linhas pretas no meu rosto. É para eu andar dobrada feito um canivete, pois sofro de reumatismo em vários pontos do corpo. Espiamos por um buraco na cortina, olhando para nossas famílias e fazendo a contagem para ver se estão todos ali. Eles preenchem apenas as primeiras três ou quatro fileiras, e o resto do salão está quase vazio, com a exceção de alguns poucos jovens que bocejam com desinteresse total, pois só vieram por causa do baile. Nina me mostra seu guarda-florestal, que está sentado logo atrás de tia Rosalia. Ele parece desaprovar tudo, mas Nina já me contou que ele é muito contra ela viver em Copenhagen. Ele está chateado com quê?, pergunta Gammeltorv, que também está olhando. Então a orquestra começa a tocar, e a cortina se abre. Meu coração bate forte de nervosismo, não estou certa de que minha tia Agnes conseguirá fazer alguém dar risada. No entanto, é um público animadíssimo. Todos batem palmas e se divertem, e depois de cada ato Gammeltorv diz que é impossível não ser um sucesso, por acaso já vimos aquele homem que está escrevendo num bloco de notas? É um jornalista do *Amagerbladet*, e só foi enviado para cá porque isto é um evento mesmo. No fim, chega o momento em que eu, de bandeja nas mãos, surpreendo os jovens no sofá. Deixo cair a bandeja, aperto as mãos e exclamo: Deus nos livre e guarde! No mesmo instante, uma porta se abre atrás da entrada do palco, e a peruca voa da minha cabeça. Horrorizada, quero pegá-la, mas do sofá Gammeltorv faz que não com a cabeça, porque gargalhadas entusiasmadas sobem da plateia para mim. Risos, palmas e batidas de pés no chão. Apenas Nina me lança um olhar ofendido, pois não seria ela a prima-dona? Depois que se fecha o pano, Gammeltorv aperta minhas duas mãos. Você salvou o espetáculo inteiro, comemora ele, o papel principal da próxima peça será seu. Minha família igualmente me elogia, e Edvin diz que tenho talento. Ele também tem, declara, mas nunca teve oportunidade. No baile, ele dança bastante comigo, e lhe sou grata por isso. Meu irmão dança bem, e Nina olha de soslaio para ele quando passa dançando com o guarda--florestal dela, que é mais baixo que ela e não parece grande coisa. Edvin ainda dança com minha mãe e as duas tias, e à meia--noite minha mãe diz que está na hora de ir para casa, portanto preciso me despedir de meus companheiros. Na outra vez que nos encontramos no café da Strandlodsvej, Gammeltorv me mostra um recorte do *Amagerbladet*, que, entre outras coisas, diz o seguinte: Uma moça bem jovem, Tove Ditlefsen, fez muito sucesso no papel de tia Agnes. Embora tenham errado a grafia do meu nome, é uma estranha sensação vê-lo impresso pela primeira vez. E aqui, diz Gammeltorv cheio de iniciativa, estão os roteiros para a próxima peça: *Trilby*. Trilby é uma pobre moça que está nas garras de um velho bruxo. Ele a força a cantar, e ela canta lindamente. E quem, diz Nina com frieza, vai representar Trilby? Esse papel será de Tove, responde ele, e como ela não sabe cantar, só vai abrir e fechar a boca. Aí você fica nos bastidores cantando. O rosto de Nina se torna rubro de fúria. Ela pega sua bolsa e se levanta. Recuso-me a fazer parte disso, diz, você mesmo pode cantar enquanto ela abre e fecha a boca. Já cansei. Olho aterrorizada para ela. Também me recuso a fazer parte, digo. Nina é mais bonita do que eu. Por que eu farei o papel de Trilby? De repente, estamos todos de pé. Gammeltorv esmurra a mesa. A companhia de teatro é sua ou minha?, grita ele. Ah, bufa Nina, a Companhia de Teatro Sucesso! Qualquer idiota pode colocar um anúncio no jornal e imaginar um monte de coisas. Vou-me embora! Eu também, grito, saindo em disparada atrás dela. Preciso correr para alcançá-la. De súbito paramos, como se tivesse sido combinado. Estamos entre dois postes de luz, e a rua está completamente deserta. Há um toque de primavera no ar. O rosto delgado de Nina, envolto por uma fina auréola de cabelo, ainda está escuro de raiva, mas de repente ela cai na gargalhada, e eu faço a mesma coisa. Então, você seria a prima-dona, ri ela, ai, que comédia. Imaginamos como eu ficaria abrindo e fechando a boca, sem que um som passasse por meus lábios, enquanto Nina cantaria a plenos pulmões, escondida do público. Rimos tanto que mal conseguimos parar, chegando à conclusão de que nenhuma de nós tem talento para o teatro. Vamos nos divertir em vez de entreter os outros. Vamos nos soltar na cidade grande e excitante, e encontrar alguns rapazes pelos quais podemos nos apaixonar. Uns rapazes de boa pinta com dinheiro no bolso. Agora que não vamos mais passar as noites nos ensaios idiotas de *Tia Agnes*, temos tempo de sobra. O único porém é que preciso estar em casa às dez da noite, mas por enquanto não há nada que possa ser feito em relação a isso.

10.

Tia Rosalia está internada. Minha mãe foi visitá-la um dia, e tia Rosalia disse rindo: Fiquei moça de novo, Alfrida. Minha mãe a aconselhou a ir ao médico, mas minha tia não quis. Assim como minha mãe, ela só vai ao médico em casos extremos. Minha mãe me contou isso à noite, na hora que voltei do escritório. Não entendi o significado do misterioso comentário, mas minha mãe explicou que minha tia havia começado a sangrar de novo, depois de ter parado por vários anos. Embora minha mãe nunca tenha me informado sobre nada referente àquelas partes, ela sempre supõe que sei de tudo. Mas claramente havia lacunas na educação sexual do canto das lixeiras. Minha mãe levou muito tempo para convencer minha tia a procurar o médico, e, quando ela por fim o fez, ele a internou de imediato. Logo será operada, e ela fala sobre aquilo como se fosse um passeio. É câncer, diz minha mãe, sombria, primeiro o marido e depois ela. E justo agora que ela ia ter alguns bons anos, agora que se livrou daquele animal. Minha mãe está genuinamente preocupada e triste, pois gosta muito mais de tia Rosalia que de tia Agnete.

Acompanho minha mãe na visita que lhe faz na véspera da cirurgia. Ela está deitada, comendo laranjas e conversando animada com as outras pacientes da sala. Não posso acreditar que minha mãe esteja certa, pois minha tia não parece doente e não está com dor. Mas depois de nos despedirmos e sairmos para o corredor, uma enfermeira se aproxima e pergunta a minha mãe quem são os parentes mais próximos de minha tia. Ao ouvir que somos nós, ela pede a minha mãe que entre para falar com o médico. Enquanto isso, espero num banco do lado de fora. Minha mãe volta com os olhos vermelhos. Ela assoa o nariz ruidosamente e se apoia em meu braço na hora da saída. Foi o que pensei, soluça ela, eu tinha razão. Eles não sabem se ela vai sobreviver à cirurgia. A caminho do escritório, ligo para Nina dizendo que não posso passar na casa dela à noite. Sinto que não posso deixar minha mãe, e Jytte não presta se alguém está triste. No escritório, a srta. Løngren pergunta desconfiada: E aí, como estava sua tia? Ela está com câncer, respondo com seriedade, e talvez morra. Bem, diz a srta. Løngren sem nenhuma sensibilidade, vamos todos morrer. Mãos à obra. Aqui estão algumas cartas. Escrevo as cartas aos irmãos que eu mesma estenografei seguindo o ditado do Mestre. Carl Jensen chega da gráfica e senta-se em sua cadeira giratória. Ele está de jaleco cinza e tem um lápis amarelo atrás da orelha. Pelo que consigo ver, ele nunca faz nada, mas diante da srta. Løngren também não precisa fingir que esteja fazendo qualquer coisa. Posso perceber que há algo que ele quer dizer para ela e que minha presença o incomoda, mas continuo batendo as teclas da máquina calmamente, estou começando a ficar mais rápida nisso. Løngren, diz ele, inclinando-se para trás, de modo que seu rosto fique perto do dela. Daqui a duas semanas, Svend Åge faz bodas de prata. A senhorita acha que seria possível encontrar alguém para escrever a letra de uma canção em sua homenagem? Seu olhar penetrante me percorre por um instante, mas não ergo os olhos. Meu Deus, sim, diz a srta. Løngren, a srta. Ditlevsen pode, não? A última palavra sai num tom alto e ríspido, e não ouso fingir que não ouvi. Sim, digo, me dirigindo à srta. Løngren, claro que posso. É claro que pode, explica ela para Carl Jensen, só precisa de algumas informações, sabe, o que aconteceu ao longo dos anos, coisas assim. Vou passar isso a ela, diz Carl Jensen aliviado, trago tudo amanhã. Olho de esguelha para ele, e de repente me dou conta de que uma curiosa espécie de timidez o torna incapaz de falar diretamente comigo. Isso deixa a situação menos desconfortável e coloca a falha nele. No dia seguinte, escrevo a letra da canção, enquanto as pessoas caminham lá fora ao sol, pessoas livres, para quem o mundo está aberto entre nove da manhã e cinco da tarde, cada uma com um objetivo próprio para sua caminhada que ela mesma definiu. Escrevo a letra da canção ridícula, enquanto minha tia está sendo operada e ninguém sabe se vai sobreviver. O telefone toca, e a srta. Løngren estende o fone para mim com uma expressão de quem está queimando os dedos: É para a senhorita, diz ela com rispidez, é uma moça. Com o rosto muito vermelho, contorno a mesa e atendo o telefone, precisando chegar bem perto de Carl Jensen e da srta. Løngren, que estão completamente calados. É Nina, e eu até a proibi de me ligar. Oi, diz ela, escuta aqui. Ontem, no Heidelberg, conheci um rapaz muito legal. Ele tem um amigo que também é do tipo certo. Alto, moreno, o pacote inteiro. Você vai gostar dele. Prometi que iríamos lá esta noite. Os dois vão estar lá. Não, digo baixinho, não posso hoje à noite. Vou ficar em casa. Por quê?, pergunta ela, e sussurro agoniada que depois explico. Agora estou ocupada. Nina fica ofendida e diz que sou estranha. Agora que ela afinal encontrou um rapaz para mim, eu não quero conhecê-lo. Preciso ir, insisto, estou ocupada. Tchau. Eu me atrapalho para pôr o fone no gancho. Obrigada, murmuro, e volto para meu lugar. Era sua amiga?, indaga a srta. Løngren após um silêncio longo e carregado. Confirmo que sim, e ela diz: Ela parecia um tanto leviana. Na sua idade, é preciso ter cuidado para não andar em más companhias. É verdade, concorda Carl Jensen, acrescentando filosoficamente: De certa forma, é melhor ter um namorado, pelo menos se sabe o que está acontecendo. Continuo trabalhando na letra da canção, irritada com a falta de rimas para "Svend Åge". Invento uma forte "neblina" na noite em que ele conheceu a "menina". Svend Åge é tão quieto quanto seu irmão é tagarela. Ele é gordo igual ao pai, e sua cabeça fica sempre levemente inclinada para o lado, como se um dos tendões do pescoço fosse curto demais. Isso lhe dá um ar de quem gosta de ser afagado. Os dois irmãos mal se falam, porque Svend Åge vive de graça no andar de cima, enquanto Carl Jensen é obrigado a pagar aluguel do próprio bolso em outro lugar. Além do mais, Svend Åge, por ser o mais velho, herdará a gráfica quando o Mestre morrer. É uma pena, diz a srta. Løngren com sentimentalidade, que os laços de sangue não sejam mais fortes. Quando termino os versos da canção, passo a limpo na máquina de escrever, e quando o Mestre entra de supetão, arranco a folha e enfio na gaveta, pois não recebo meu salário para escrever versos para datas especiais. Assim que o produto está pronto, eu o entrego à srta. Løngren, cujo entusiasmo quase supera o da última vez. Ela olha para mim como se eu fosse um novo Shakespeare e diz: É fantástico, olhe aqui, Carl Jensen. Ele pega os versos e lê todos, dando razão a ela e me olhando por um longo tempo sem dizer uma palavra. Então se dirige à srta. Løngren: De onde será que ela tirou isso? É um dom, define a srta. Løngren, uma dádiva de berço. Eu tinha um tio que também sabia fazer isso. Mas era desgastante. Era como se todas as forças o abandonassem quando terminava os versos de uma canção. É assim com os médiuns, eles também ficam totalmente exauridos. Não está cansada, srta. Ditlevsen? Não, não estou cansada, e nenhuma força me abandonou. Mas eu gostaria tanto de ter um lugar onde pudesse praticar a escrita de poemas de verdade. Gostaria de ter um quarto com quatro paredes e uma porta fechada. Um quarto com uma cama, uma mesa e uma cadeira, com uma máquina de escrever ou um bloco de papel e um lápis, nada mais. Sim, uma porta que eu pudesse trancar. Nada disso posso ter antes de completar dezoito anos e ser autorizada a sair de casa. O sótão com as latas foi o último lugar onde tive paz. Ele e o parapeito da minha infância. Volto para casa acariciada pelo ameno ar de maio. As noites são claras nessa época do ano, e não passo mais frio no meu terninho marrom. O casaco só vai até a cintura, e a saia tem pregas. Com ele tenho uma sensação agradável de estar bem-vestida. Nina diz que me faltam mudas de roupa, mas não tenho dinheiro. Agora que ganho toda a comida em casa, pago vinte coroas por mês lá, dez vão para o banco, e aí sobram vinte, um pouco menos depois de pagar o seguro-saúde. A maior parte gasto com doces, pois é uma luta interna passar a salvo pelas lojas de chocolates. Também preciso ter para os refrigerantes que bebo quando vou aos bailes com Nina. Infelizmente, os rapazes que poderiam pagar aparecem só depois das dez, hora em que tenho de dar adeus aos prazeres da vida noturna. Penso um pouco sobre que rapaz Nina escolheu para mim, e fico aborrecida por não poder vê-lo. Mas se minha tia morreu, não posso deixar minha mãe sozinha. Quando estou voltando para casa, espio sempre dentro dos carrinhos de bebê, porque adoro ver as criancinhas dormindo com as palmas das mãos para cima sobre um travesseiro de babados. Também gosto de ver pessoas que de uma forma ou de outra expressam suas emoções. Gosto de ver mães acariciando seus filhos e posso caminhar uns passos a mais para seguir um jovem casal de namorados claramente apaixonados que andam de mãos dadas. Isso me dá uma sensação de felicidade melancólica e uma esperança indefinida para o futuro. Lá em cima, na sala, minha mãe me aguarda. Ela está muito pálida e acaba de chorar. Também gosto da minha mãe quando ela está dominada por uma emoção simples e genuína. Sua tia não morreu, diz ela com seriedade, mas o médico falou que é apenas uma questão de tempo. O que importa agora é que ela não descubra o que há de errado com ela. Nunca lhe diga nada. Não vou dizer, prometo. Minha mãe vai para a cozinha fazer café, e eu observo as costas do meu pai adormecido. De repente, vejo que ele está velho e cansado. Não há nada específico a apontar, é apenas uma impressão que tenho. Meu pai tem cinquenta e cinco anos, e nunca o conheci jovem. Minha mãe primeiro era jovem, depois parecia jovem, e ela ainda se encontra nessa fase trêmula. Não se incomoda em descontar alguns anos, até para nós, que sabemos muito bem qual é sua idade. Ela continua a tingir o cabelo e a ir aos banhos de vapor uma vez por semana, e esses esforços me enchem de uma espécie de compaixão, pois são a expressão de uma angústia nela que não entendo. Só a observo. Quando ela põe as xícaras na mesa, meu pai acorda, esfrega os olhos e se põe sentado. Você contou para ela?, pergunta meu pai, carrancudo. Não, responde minha mãe calmamente, pode contar. Conseguimos um novo apartamento, diz ele com amargura, lá na Westend. Custa sessenta coroas por mês e não sei de onde virá esse dinheiro se eu ficar desempregado de novo. Bobagem, diz minha mãe com dureza. Afinal, Tove paga vinte. Fico assustada, pois não devem construir seu futuro com base em minha contribuição. Quando fazem planos pelas caladas, não devem contar comigo de forma alguma. Pergunto por que não me contaram antes, e minha mãe diz que queriam fazer surpresa. São três quartos, e um deles será meu. Ele dá para a rua, de modo que se pode ver o que está acontecendo. Fico um pouco feliz de qualquer jeito, pois sempre sonhei em ter meu próprio quarto. Que raio ela vai fazer naquele quarto?, retruca meu pai. Roer as unhas ou tirar caca do nariz? Hein? Fico com raiva, porque ele não sabe nada sobre seus próprios filhos. E quando fico brava, sempre falo algo de que me arrependo. Quero ler, digo, e escrever. Ele pergunta o que diabos eu quero escrever. Poemas, grito. Já escrevi muitos poemas, e uma vez um editor disse que eram brilhantes. Pronto, diz meu pai, esfregando o rosto com sua mãozona, ela também é maluca. Você sabia que ela se ocupava com esse tipo de coisa? Não, diz minha mãe secamente, mas isso é coisa dela. Se ela for escrever, é óbvio que precisa ter seu próprio quarto. Em silêncio ofendido, meu pai pega sua merendeira e veste o casaco para ir ao trabalho. Ao pôr o boné, ele fica parado por um instante, parecendo desconfortável. Tove, diz com voz suave. Será que posso ver seus — uh — poemas um dia? Afinal, tenho um pouquinho de noção desse tipo de coisa. Minha raiva desaparece por completo. Pode, sim, digo, e ele me faz um aceno sem jeito antes de sair. Meu pai é capaz de se arrepender e cair em si, uma capacidade que minha mãe não possui. Depois que ele sai, ela me entretém falando sobre o novo apartamento, para onde vamos nos mudar no dia 1º. Três belos quartos, recita ela, que são praticamente salas. Vai ser bom sair deste bairro proletário. Ela entra no quarto de dormir, e eu olho ao redor da nossa pequena sala. Olho para o velho e empoeirado teatro de bonecos que nos deixou tão felizes quando meu pai o montou. Provavelmente não vai sobreviver a uma mudança. Olho para o papel de parede, que tem diversas manchas, muitas de cuja origem eu me lembro. Olho para a mulher do marinheiro na parede, para a bandeja de cobre sobre o aparador, para a maçaneta que quebrou certa vez em que minha mãe bateu a porta, e que nunca foi consertada. Olho pela janela para a praça com a bomba de gasolina e o trailer. Olho para toda essa situação inalterada e me dou conta de que na realidade detesto mudanças. É difícil se manter firme quando as coisas a sua volta mudam de cara.

11.

O verão já se foi e o outono chegou. As folhas intensamente coloridas voam pelas ruas, e está frio demais para eu usar o terninho marrom. Como o casaco reformado de Edvin não me serve mais, compro um parcelado. Isso vai totalmente contra o conselho do meu pai. Ele diz que cada um deve responder por si e tratar de não dever nada a ninguém, pois senão você acaba em Sundholm. Moramos na Westend, já, no térreo do número 32. Meu quarto é tido por sala de estar quando não me aproprio dele e está separado da sala de jantar apenas por uma cortina de cretone florido. A mobília consiste numa mesa de pés curvos, duas poltronas de couro e um sofá de couro, tudo comprado em segunda mão e bastante gasto. Durmo no sofá durante a noite, e o encosto curvado me impede de me esticar por completo. Quem sabe assim você não para de crescer tanto, diz minha mãe esperançosa. Muitas vezes eu mesma me pergunto por quanto tempo uma pessoa pode continuar a crescer, mas no meu caso parece não haver fim. Logo farei dezessete anos e ganho sessenta coroas por mês. Meu salário segue a tabela do sindicato. Não aproveito muito meu quarto, porque se entro lá à noitinha minha mãe grita pela cortina: O que você está fazendo? Está tudo muito quieto. Normalmente, não faço nada senão ler os livros do meu pai, os quais já conheço. Você pode muito bem ler aqui dentro, grita minha mãe, como se portas pesadas de aço nos separassem. Quando ela está de bom humor, ela passa a cabeça pela fresta da cortina e pergunta: Está escrevendo poesia, Tove? Mas em geral não fico mais em casa à noite. Vou com Nina para o Lodberg, o Olympia ou o Heidelberg, e ficamos sentadas ali, com nossos refrigerantes, observando os casais que dançam no meio da pista, como se nós mesmas não estivéssemos lá para dançar. Normalmente, Nina é a primeira a ser solicitada. Sorrio para o jovem que quer dançar com ela, como se eu fosse a mãe dela e estivesse certa de que está em boas mãos. Continuo a ostentar um sorriso de aprovação enquanto eles passam dançando por mim, além de observar com interesse as outras pessoas do local. Imagino que pensem que estou estudando meu entorno com a intenção de um dia escrever um livro sobre eles. Por mim, as pessoas podem pensar o que quiserem, exceto que sou uma moça ignorada que apenas quer ficar noiva. Certa vez saio dançando com um rapaz que tem pena de mim, e um senhor na mesa vizinha diz a meia-voz: Galinha cega também encontra o milho. Estraga a noite inteira para mim. Nina diz que só fica divertido depois das dez, será que eu não consigo receber permissão para ficar fora até meia-noite? Mas minha mãe não quer saber disso. Além do mais, Nina tem muita vontade de cuidar um pouco da minha aparência. Juntas saímos para comprar um sutiã com bojo de algodão e uma túnica vermelha e preta a prestações. Não tenho coragem de contar isso em casa, portanto digo que os ganhei de Nina. Para minha surpresa, esses apetrechos ajudam alguma coisa, afinal sou a mesma, com ou sem bojo de algodão. O mundo quer ser enganado, diz Nina com satisfação, porque realmente quer que eu faça tanto sucesso quanto ela. Uma noite, um jovem bonito e sério me convida para dançar. Ele está malvestido e, enquanto dançamos, me conta que no dia seguinte partirá para a Espanha com o objetivo de participar da guerra civil. Encosta sua bochecha na minha durante a dança, e, apesar de me raspar um pouco, gosto de sua carícia. Inclino-me um pouco mais para perto dele, fazendo o calor de sua mão chegar até a pele das minhas costas. Minhas pernas ficam um pouco bambas e sinto algo que nunca senti com o toque de outro ser humano. Talvez ele sinta a mesma coisa, porque continua cingindo minha cintura com o braço até a música começar outra vez. Ele se chama Kurt e pergunta se pode me acompanhar até em casa. Você será a última moça com quem estarei antes de ir embora. Desempregado há três anos, Kurt prefere sacrificar sua vida por uma grande causa a apodrecer na Dinamarca. Ele vive de assistência social. Quando trabalhava, era motorista de táxi, e nunca aprendeu nada a não ser dirigir. Ele senta a nossa mesa e Nina sorri feliz porque enfim consegui um rapaz com quem eu talvez possa me relacionar. De modo geral, concordamos em manter distância dos desempregados, mas é difícil encontrar um que não esteja. Às dez horas, Kurt me leva para casa. A lua brilha, e meu coração está levemente comovido. Caminho pelas ruas com um homem que logo sofrerá uma morte heroica, o que, a meus olhos, o torna diferente de todos os outros. Seus olhos amendoados são azul-escuros, os cabelos pretos e a boca vermelha como a de crianças pequenas. Na entrada de nosso prédio, ele pega minha cabeça e me beija com muita ternura. Quer saber se moro sozinha, e eu falo que não. Ele mesmo mora num quarto de uma senhoria ranzinza que não permite visitas femininas. Enquanto estamos abraçados, minha mãe abre a janela e grita: Tove, suba logo! Assustados, nós nos separamos apressadamente, e Kurt pergunta: É sua mãe? Isso não posso negar, e agora temos de nos despedir. Kurt ainda vai ao Trommesalen para receber comida de uma sanduicheria cuja distribuição é feita à meia-noite, mas é preciso entrar na fila cerca de duas horas antes. Fico observando-o à distância, enquanto ele caminha pela rua quase deserta. Está sem casaco e já enfiou as duas mãos nos bolsos do paletó. Logo ele morrerá, e eu nunca mais o verei. Ao chegar em casa, reclamo da interferência de minha mãe, mas ela diz que posso muito bem convidar os jovens para casa, a fim de que ela possa ver se não há nada errado com eles. Não quer que eu ande com pessoas que não sejam confiáveis. E, além do mais, ela tem outras coisas com que se preocupar, pois em breve tia Rosalia sairá do hospital, onde já foi internada várias vezes. Ela virá para nossa casa para morrer. Foi o que os médicos disseram a minha mãe. Não há mais nada a fazer, e o hospital não tem espaço para as pessoas pelas quais os médicos não possam fazer mais nada. Tia Rosalia vai deitar na cama do meu pai, ao lado da minha mãe. Aí meu pai vai dormir no sofá da sala de jantar. Nada disso, diz minha mãe, seria possível no apartamento antigo, portanto foi como se uma voz interior tivesse falado com ela quando ela implorou a meu pai que se mudassem. Uma noite em que volto para casa sem acompanhante, encontro meu pai na porta do prédio. Ele está de saída, enquanto eu estou entrando. Parece furioso e ressentido. Edvin está lá em cima, diz. Casou-se sem dizer uma palavra a nenhum de nós. Está com mulher e apartamento, e deve ter um filho a caminho. Bá, e nós que nos sacrificamos tanto por ele. Tchau. Antes de eu destrancar a porta do apartamento — pois agora tenho uma chave —, assumo um ar de surpresa. Minha nossa, exclamo, você está aqui? Instalaram-se no meu quarto, pois agora Edvin é visita, e usa-se a sala de estar para esse fim. Minha mãe está se debulhando em lágrimas, e a cara de Edvin denota grande constrangimento. Talvez se arrependa de sua casmurrice, que também me parece um pouco excessiva. Era para fazer surpresa a vocês, diz ele, e evitar que tivessem despesas com o casamento. Isso só piora a situação. Indignada, minha mãe pergunta se ele acha que não teriam dinheiro para um presentinho de casamento, não temos fineza suficiente, é? Depois Edvin nos mostra uma foto de sua noiva. Ela se chama Grete e tem um rosto redondo com covinhas. Minha mãe a estuda com a testa franzida. Ela sabe cozinhar?, pergunta, parando de chorar. Edvin não sabe. Ela não tem cara de quem sabe, diz minha mãe. Minha mãe mesma não é nenhuma maravilha na cozinha, tudo o que ela faz de comestível tem uma textura de cimento, porque ela enche a mão de farinha. Durante nosso lanche de café e folhados doces, ela pergunta quanto é o aluguel de Edvin e se sua esposa vai trabalhar enquanto não tiverem filhos. Não vai, e minha mãe então quer saber como ela passará o tempo. Está muito claro que já formou uma opinião desfavorável sobre Grete que não mudará para melhor se a conhecer pessoalmente. O relógio da sala de jantar marca onze horas, e Edvin se levanta para ir embora. Viremos no domingo, então, diz ele abatido. Quando ele se vai, minha mãe tem vontade de conversar, mas eu quero muito ficar sozinha. Quero ficar sozinha e pensar em Kurt, e quero escrever algumas linhas que me vieram quando o vi caminhar pela rua sem se virar uma única vez. Na esquina da Westend com a Matthæusgade, há uma taverna onde uma banda chamada Bing e Bang faz barulho até as duas da madrugada. Por causa disso, somos obrigadas a quase gritar uma para a outra; o apartamento antigo era muito mais silencioso. Minha mãe pergunta quem era o jovem que eu estava beijando. Um rapaz com quem dancei, respondo, isso é tudo o que sei. Ela diz que sempre devo fazer questão de marcar um encontro antes de o jovem ir embora. Minha mãe sofre de um temor latente de que eu nunca fique noiva, e está pronta para receber regiamente qualquer rapaz, se ele estiver minimamente interessado em mim. Você é crítica demais, diz ela sem rodeios, não pode se dar ao luxo de ser assim. No fim, ela sai, e eu me sento à mesa dos pés curvos, pegando lápis e papel. Pensando no belo jovem que morrerá na Espanha, escrevo um poema que é bom. Ele se chama "Para meu bebê morto" e não tem uma ligação imediata com Kurt. No entanto, eu não teria escrito o poema se não o tivesse conhecido. Quando termino, não estou mais triste pelo fato de que nunca tornarei a vê-lo. Estou feliz e aliviada, porém desgostosa. É tão triste que eu não possa mostrar o poema a uma alma viva e que tudo ainda tenha de esperar até eu conhecer uma pessoa como o sr. Krogh. Já mostrei meus poemas a Nina, e ela acha todos bons. Quando mostrei o poema que escrevi no sótão das latas a meu pai, ele disse que era um poema amador, o tipo de coisa que seria um bom passatempo para mim, tal como fazer palavras cruzadas era para ele. Você exercita seu cérebro com essas coisas, acrescentou. Também não consigo explicar a mim mesma por que quero tanto ter meus poemas publicados para que possam agradar aos apreciadores de poesia. Mas é isso que quero. É isso que, por caminhos escuros e tortuosos, trabalho para alcançar. É isso que cada dia me dá forças para levantar, ir ao escritório da gráfica e me sentar diante dos olhos de lince da srta. Løngren durante oito horas. É por isso que quero sair de casa no mesmo dia em que fizer dezoito anos. Os bramidos da Bing e Bang soam através da noite, bêbados são despejados no nosso pátio pela porta dos fundos da taverna. Lá eles gritam alto, xingam e brigam, e só de manhãzinha o pátio e a rua se acalmam.

12.

Os rumores sobre minhas habilidades poéticas já circulam na gráfica, e a esta altura os pedidos estão chegando diariamente. Carl Jensen os recebe e os passa à srta. Løngren, que continua a ser a única com quem tenho contato direto. Escrevo versos para todo tipo de data especial, e sempre que vou lá entregar os envelopes de pagamento os trabalhadores me agradecem acanhados, enquanto eu, igualmente acanhada, digo que não há de quê. Escrevo versos e estenografo mensagens importantes para os irmãos ou obituários de irmãos falecidos. Estes são impressos no boletim da Ordem de São Jorge. Nada disso tem muito a ver com trabalho de escritório, mas a srta. Løngren não quer me ensinar, de modo que, no período em que ela saiu de férias, tudo ficou à beira do colapso, já que eu não sabia nada de coisa nenhuma. Quando eu completar dezoito anos, vou procurar um emprego de escritório de verdade e não mais desempenhar o papel de caloura. Assim posso ganhar um salário muito melhor. Quando eu fizer dezoito anos, o mundo mudará em todos os sentidos, e Nina e eu teremos a noite inteira a nossa disposição.

Então devo também tratar de dar adeus a minha virgindade, nisso Nina insiste muito. Ela mesma tinha apenas quinze anos quando o guarda-florestal tirou a sua. Sempre que saímos à noite, ela remove o anel de noivado. Só vai para a cama com rapazes que não estejam desempregados, e eu não lhe contei sobre Kurt. É uma experiência que quero guardar para mim. Se eu estivesse alugando um quarto, o deixaria entrar. Mas não sei se deixaria entrar outros rapazes que me levam para casa e me beijam no portão. Certo dia, quando Nina mais uma vez me pressiona por causa da minha escandalosa virgindade, digo-lhe que primeiro quero ficar noiva. Não cheguei a pensar nisso antes, mas a decisão me alivia. Na verdade, só teve um único pretendente à minha virgindade, o que é um pouco vergonhoso, pois Nina fala como se todos estivessem atrás disso. Agora que tia Rosalia está doente lá em casa, minha mãe se preocupa muito menos com o que eu faço. Passa o dia todo à cabeceira de minha tia, conversando e rindo, e, à noite, vai cedo para a cama e continua falando até uma delas cair no sono. Meu pai se tornou bastante redundante no mundo dela, acredito que ela estaria perfeitamente feliz se minha tia não estivesse morrendo. O rosto da minha tia tem uma coloração amarelada, e sua pele está tão esticada sobre os ossos que serve de constante lembrança da existência do crânio. Ela não consegue mais fechar a boca totalmente de tão repuxada que está sua pele. Se está acordada na hora que chego em casa, ela me chama e eu me sento um pouco a sua cabeceira. Tento prender a respiração, pois há um fedor horrível em torno do leito, e torço para que minha tia não o sinta. Quando ela está com dor, minha mãe telefona do bar da esquina para uma enfermeira que vem lhe dar uma injeção de morfina. Isso a deixa confusa, e com frequência ela nos confunde, a mim e minha mãe. Vou morrer, Alfrida, diz ela uma noite para mim. Estou bem ciente disso. Não precisam esconder isso de mim. Não, digo desolada, você só está doente. O médico diz que logo vai sarar. Foi a mesma coisa com Carl, insiste ela. O médico me disse para não contar nada a ele. Não respondo, mas deito suas mãos emaciadas debaixo do acolchoado, apago a luz e vou para meu quarto, onde posso escutar o ronco do meu pai através da cortina de cretone. Gostaria de ter falado francamente com minha tia, pois tenho certeza de que isso a deixaria feliz, mas não me atrevo por causa da minha mãe, que faz sua triste comédia, enquanto minha tia finge que nada sabe. Penso que quero saber a verdade quando um dia for morrer. Também penso que, se eu conhecer um rapaz de quem goste, não vou poder convidá-lo para subir, como minha mãe sempre pede, porque o cheiro da minha tia impregna o apartamento inteiro. Já fomos todos lá em Sydhavnen para visitar meu irmão e sua esposa. Eles têm um apartamento de dois quartos com pouquíssimos móveis, que foram comprados a prestações, coisa que fez meu pai amarrar a cara. Grete é baixinha, gorduchinha e sorridente, e o tempo todo ela ficou sentada no colo de Edvin, enquanto minha mãe a observava como se ela fosse uma vampira que em pouco tempo sugaria toda a força dele. Mal falou com ela, e a conversa também foi penosa, pois minha mãe fez questão de evitar a palavra "você". Estou tão cansada da minha família, é como se me chocasse com ela toda vez que quero me movimentar livremente. Talvez não consiga ficar livre dela até eu mesma me casar e criar uma família própria. Uma noite, quando estamos tomando nossos refrigerantes no Lodberg, um rapaz convida Nina para dançar e a leva para a pista de dança, e eu, com meu sorriso maternal de costume, fico a observar como a juventude se diverte. Então um jovem me faz reverência e saímos dançando no quadrado lotado, que é destinado a esse fim. Ele cantarola no meu ouvido ao som da música: Não descartem o jovem de Roma. É Mussolini, digo. Acontece que sei disso porque meu irmão fica indignado com a música que Liva Weel costuma cantar. Quem é ele?, pergunta meu par, e falo que não sei. Só sei que é um homem na Itália que se parece com Hitler, e que não deveriam escrever músicas dinamarquesas em sua homenagem. A amiga da senhorita está dançando com meu amigo, diz o rapaz. Ele se chama Egon. E eu sou Aksel. Qual é o nome da senhorita? Tove, respondo. Aksel dança bem e, diferentemente da maioria, não é nada atrevido durante a dança. A senhorita dança bem, elogia ele, melhor que a maioria. Conto a ele que nunca aprendi a dançar, e ele diz que não importa. Eu tenho o ritmo no corpo. É muito raro que os rapazes digam alguma coisa enquanto danço com eles, e eu gosto de Aksel, embora ainda não saiba como ele é. Passamos dançando por Nina e Egon, eu sorrio para Nina, e Egon e Aksel trocam um "olá". Quando a música para, Aksel pergunta se podem sentar-se a nossa mesa, e eu digo que são bem-vindos. Os belos olhos de Nina brilham de alegria conforme nos aproximamos da mesa. Ela quer saber se acho Egon bonito, e falo que sim. Ele é carpinteiro, conta ela, e mora com os pais numa casa em Amager, em frente à qual mora Aksel com seus pais. Também numa casa. Logo, os dois chegam e se sentam, e posso observar Aksel mais de perto. Ele tem um rosto redondo e gentil, e tudo nele remete à criança que já foi. Os cabelos loiros e encaracolados estão levemente úmidos na testa, os olhos azuis têm um ar inocente, e o queixo tem uma covinha profunda que só se apaga quando ele ri. Exala um leve odor de leite. Egon é mais baixo que ele, moreno e, pelo visto, um pouco mais velho. Nina lhe pergunta quantos quartos há na casa, e posso ver que ela está sonhando com dois filhos de homens ricos que elevam duas meninas pobres a seu mundo livre de preocupações. Talvez ela esteja até cogitando dar um pé na bunda do guarda-florestal. Tenho a impressão de que ele é pesado e sério, e que a imagem que Nina tem do futuro no campo com ele é romântica demais. Em momentos de muita animação, ela o chama de Moita, mas não deixa que os outros o chamem assim. Fica com ele todo fim de semana, e eu não tenho permissão para vê-lo. Ele também não está autorizado a me ver, porque ela acha que ele vai me considerar má companhia, assim como minha mãe acha que Nina é má companhia para mim. E o que o senhor faz?, pergunta Nina a Aksel, enquanto tomamos as cervejas que foram pedidas. Sou cobrador, diz ele, sorrindo para ela, garboso. Não sei o que é isso, mas Nina parece um pouco decepcionada. Ah, diz ela. O senhor anda por aí com contas e coisas assim? Dirijo, corrige ele com certa presunção. Dirijo um carro. O rosto dela se ilumina um pouco, e de repente ela sugere que nos tratemos pelo primeiro nome. Brindamos a isso, e eu preferiria mil vezes ter tomado refrigerante. Não gosto de cerveja. Como já passa das dez horas, confesso constrangida que preciso ir embora. Aksel pula galantemente da cadeira e abotoa seu paletó, que é muito largo nos ombros. Ele é alto e tem joelhos excepcionalmente valgos. Ele segura de leve meu braço enquanto atravessamos o salão, e no vestiário me ajuda a pôr o casaco. Caminhando pelas ruas frias, onde as luzes da cidade ofuscam a das estrelas, ele me conta que é filho adotivo e que seus pais são bem velhos mas muito simpáticos. E, para minha surpresa, pergunta se quero ir visitá-los um dia desses. Quero, sim, digo. Gostaria tanto de ter uma namorada firme, confessa ele com infantilidade e franqueza, os velhos querem tanto que eu fique noivo. No portão de casa, ele me beija como se deve, mas percebo que não sente muito ao fazê-lo, nem quando me aconchego a ele amorosamente. Ele diz: Nós quatro vamos nos divertir juntos. Vamos, sim, concordo, prometendo ir visitá-lo no domingo seguinte. Ele pergunta com curiosidade se sou virgem, e admito que sou. Ele pega minha mão e a aperta com força. Respeito isso, diz calorosamente. Desapontada e confusa, vou para a cama. Pergunto-me se convém ficar noiva de um cobrador. Desconfio que seja apenas uma palavra mais bonita para designar um entregador de bicicleta, só que em vez de uma bicicleta ele dirige um carro.

13.

Aksel e eu firmamos o noivado após duas semanas de namoro, durante o qual nos relacionamos tão castamente como se fôssemos irmãos. Nina conta a Egon que eu não quero dormir com Aksel antes de ficar noiva, e Egon fala isso a Aksel, que propõe o noivado como uma ideia espontânea sua. Agora sou uma moça noiva, e minha mãe está nas nuvens. A seu ver, Aksel parece estável, e assim como ela era capaz de olhar para a mulher de Edvin e perceber que não sabia cozinhar, ela é capaz de olhar para Aksel e perceber que não bebe. Ele é muito galante com minha mãe, e qualquer um pode ver, diz ela a meu pai, que não a contradiz, que ele é uma pessoa educada. Depois de passar algumas tardes com ele, meu pai conclui: Ele nunca aprendeu nada além de dirigir um carro. Então, diz minha mãe indignada, isso não é bom o suficiente? Você por acaso sabe dirigir? Aksel promete levar minha mãe para dar uma volta um dia desses, e eu não dou muita importância. No entanto, um dia em que estou no escritório sem suspeitar de nada, uma buzinação soa alto lá fora e a srta. Løngren olha atentamente pela janela. Quem diabos são essas pessoas?, diz ela espantada, estão acenando para cá. É alguém que a senhorita conhece? Muito rubra, eu nego, pois Aksel e minha mãe estão acenando feito loucos e se inclinando para fora da janela do carro, enquanto Aksel aperta a buzina longa e compassadamente. Deve ser para o pessoal do andar de cima, digo agoniada. Que pouca-vergonha, ralha a srta. Løngren, fechando mais as cortinas. Ao chegar em casa, esclareço furiosa que não quero saber desses acenos estúpidos, e minha mãe diz que ela e Aksel se divertiram muito o dia inteiro. Foram para a doceria, onde Aksel pagou a conta. Seus olhos brilham, como se ela é que fosse a noiva dele. Os pais de Aksel são ambos baixinhos e velhos e extremamente simpáticos. Moram num bangalô em Kastrup. O pai é encarregado de fábrica, e há um ar de abastança na casa. O quarto de Aksel fica no porão. Ele tem um rádio, um fonógrafo e mais de trezentos discos dispostos como livros em compridas prateleiras. No quarto ao lado, há uma sala de jogos, onde nós quatro jogamos bilhar quando Nina e Egon estão lá. Os pais de Aksel o chamam de Akselzinho e o tratam como se fosse um menininho. Ele é muito carinhoso com eles, assim como é comigo. Há um calor em seu jeito de ser que faz a pessoa se sentir segura e à vontade. Certo dia, Nina sugere que façamos uma festinha na casa de Aksel. Vamos tomar o vinho caseiro de seu pai, com a permissão dos próprios pais. Também vamos dançar, jogar bilhar, e depois devo dar a Aksel o grande prazer de dormir com ele. Se você beber, diz Nina, instigante, não dói nem um pouco. Egon também acha que está na hora, comenta Nina, e é como se Aksel e eu nem estivéssemos envolvidos nisso. Nós dois não conversamos sobre o assunto de forma alguma, e ele continua a me respeitar ao extremo. Nina e eu vamos juntas até lá, e Aksel faz o papel do anfitrião atencioso. Ele abre garrafas, põe discos, e ficamos todos tontos com o vinho, cujo gosto está longe de ser tão horrível quanto o da cerveja. Nos intervalos entre as danças, Egon fica beijando Nina. Ela ri e diz que Moita deveria ver, porque já revelou seu segredo a Egon, que faz muita gozação com Moita, a quem ele imagina sentado na soleira, dando baforadas no seu cachimbo de fim de tarde enquanto observa o pôr do sol. Todos nós rimos muito com esse quadro de gênero. Então Nina sai, elabora Egon, incentivado pelo sucesso, com três crianças ranhosas a tiracolo, seca suas mãos no avental e diz: Papai, é hora da ceia. Aksel não me beija, e conforme o tempo passa ele fica cada vez mais sério. Estou quase com pena dele, porque em muitos aspectos parece uma criança. Eu mesma já estou bem tonta com o vinho e realmente ansiosa para que seja agora. Não deve ser pior para mim do que para tantas outras. Em algum momento depois da meia-noite, Nina e Egon escapam para a sala de jogos e fecham a porta. O que estão fazendo aí?, grita Aksel inutilmente atrás deles. Então olha inseguro e temeroso para mim. Bem, diz ele, é melhor eu fazer a cama. Ele a faz com movimentos lentos e meticulosos. Tire suas roupas, sugere constrangido, pelo menos algumas delas. É como se eu estivesse no médico. Não vamos conversar um pouco primeiro?, pergunto. Vamos, concorda ele, e nos sentamos cada um numa cadeira. Ele enche até a boca nossos copos, os quais esvaziamos com sofreguidão. Você deveria, diz ele com delicadeza, ver se consegue uma obturação nos dentes da frente. Pois é, digo surpresa. Diferentemente daquele outro procedimento, ir ao dentista custa dinheiro. Não tenho dinheiro, acrescento. Então ele se oferece para pagar, e como acho que não posso aceitar, ele diz que um dia vai me sustentar de qualquer modo. Então eu lhe agradeço, concordando em deixá-lo pagar a obturação. É uma pena, explica ele, porque de resto você é muito bonita. De repente, vem um uivo estranho da sala de jogos, e nós dois levamos um susto. É Egon, explica Aksel, ele é muito passional. Você também é?, pergunto com cuidado, porque quero estar preparada se ele literalmente soltar um berro. Não, diz ele com sinceridade, não sou muito passional. Acho que também não sou, admito. Um vislumbre de esperança surge em seus olhos. Também poderíamos, diz ele com otimismo, esperar até outra hora? Então vão achar que não batemos bem da cabeça, observo, fazendo um gesto em direção à sala de jogos. Tem razão. Bem, podemos pelo menos apagar a luz. Aksel apaga a luz. Cerro os dentes e fico escutando suas palavras calorosas, gentis e reconfortantes. Não é tão ruim assim, e ele não emite nenhum som de animal. Depois, ele torna a acender a luz, e nós dois damos uma risada de imenso alívio, já que tudo passou e não foi nada de mais. Vou te dizer, confessa ele, que nunca fui para a cama com uma virgem. Nina e Egon aparecem no vão da porta, com as bochechas ruborizadas e os olhos brilhando. Olham da cama para nós e em seguida se entreolham, como se aquilo fosse exclusivamente obra deles, mas nada é falado a respeito. Dançamos mais, porque quando estou com Aksel posso voltar tarde para casa. Com ele, posso fazer qualquer coisa, ou seja, nem isto abalaria minha mãe, se ela ficasse sabendo. Mais tarde, Nina me pergunta se foi gostoso, e eu naturalmente falo que sim. Ela diz que fica melhor a cada vez, mas eu nem sequer pensei que o procedimento se repetiria. Na realidade, acho que foi um evento completamente insignificante na minha vida, nem de perto tão importante quanto meu breve encontro com Kurt e a evolução que tal encontro poderia ter tido. Mas ainda assim, no diário que estou mantendo desde que tenho meu próprio quarto, registrei o seguinte: enquanto Nina, na sala de jogos, se entregou a Egon com todo o seu corpo quente e passional, eu respondi à pergunta de Aksel sobre minha virgindade com um "sim" casto e inocente — etc. No diário, tudo é puro romantismo. Guardo-o na primeira gaveta da cômoda do meu quarto lá em casa. Mandei fazer uma chave extra para ela. Na gaveta, há também meus dois poemas "de verdade", três termômetros e cinco ou seis camisinhas. Roubei os últimos itens da empresa de material de enfermagem, porque a certa altura pensei em abrir uma loja de artigos de enfermagem. Só que fui demitida antes de ter um estoque grande o suficiente. Para meu grande alívio, Aksel continua me tratando exatamente como antes, e ele nunca faz menção ao interlúdio constrangedor. Acho que ele faz tudo o que Egon quer, assim como eu sou propensa a fazer qualquer coisa que Nina queira que eu faça. Quando estou sozinha com Nina, finjo que Aksel e eu sempre estamos juntos, e talvez ele faça o mesmo quando está com Egon. Durante o dia, Aksel anda de carro com minha mãe, que fica aguardando no furgão enquanto ele está com os clientes. Ele trabalha para uma empresa de móveis e me conta que há muitas prostitutas entre os clientes. Minha mãe desconfiada descobriu que ele demora um tempo maior com elas, mas ele simplesmente alega que é difícil conseguir o dinheiro delas. Minha mãe diz que não devo confiar nele, mas na verdade pouco me importa se ele vai para a cama com prostitutas. Em minha opinião, não é da conta da minha mãe nem da minha conta. O pior é que sinto certa frieza em seus pais durante minhas visitas. Não consigo entender o que fiz a eles. Às vezes, pego sua mãe me fitando com olhos penetrantes quando pensa que não percebo. É uma senhora muito baixinha e sempre se veste de preto como minha avó. Ela tem sábios olhos castanhos e cabelos totalmente brancos. Nunca a vi sem avental. Aksel prometeu, pergunta ela certa noite, pagar sua conta de dentista? Sim, digo constrangida. Ele não ganha muito, diz a mãe. Temo que você mesma terá de pagá-la. Há algo que não consigo decifrar de maneira nenhuma. Uma noite sou convidada para jantar e chego lá um pouco antes de Aksel. Seus pais estão muito sérios. Sua mãe diz que Aksel não é homem para mim. Ele nunca será capaz de sustentar uma mulher, e eu sou boa demais para ele. Permita-me, diz seu pai, dispensando-a com um gesto da mão. O fato, prossegue ele, é que várias vezes tivemos de pagar porque houve desvio de fundos na empresa. Quero dizer, porque Aksel se apropriou de dinheiro que não é dele. Em se tratando de dinheiro, ele é uma criança. Pensávamos que ajudaria se ele ficasse noivo de uma moça decente, mas não adianta. Ele é nosso único filho e nossa maior tristeza. Já abandonou onze postos de aprendiz, e a única coisa que tem na cabeça são carros e discos. Ele é um bom menino, a mãe o defende enxugando os olhos, mas insensato e irresponsável. Gosto muito dele, digo. E não preciso ser sustentada. Posso ganhar a vida escrevendo poemas. A última frase me escapa e olho horrorizada para os pais de Aksel. Eles não parecem muito espantados. Eu sabia muito bem, observa sua mãe, que você não é uma moça comum. Dá para ver. Nisso, Aksel chega de carro, parando sobre o cascalho com os freios a ranger. Ele muitas vezes volta para casa com o furgão da empresa. Assim que ele toca a campainha, sua mãe declara: Agora não pode dizer que não foi avisada. Reflito sobre isso por alguns dias e estou muito feliz pelo fato de que as pessoas podem perceber que não sou comum. Não faz tantos anos que isso me deixava infeliz. Penso muito no meu noivo e chego à conclusão de que não foi talhado para ser o companheiro de vida de uma moça que um dia quer entrar nas altas-rodas. Mas não consigo romper o noivado. Sinto pena de Aksel, que continua gentil e galante e me respeita. Minha mãe também começa a se perguntar por que Aksel sempre está com dinheiro no bolso e passa tanto tempo com as prostitutas. Ela deixa de acompanhá-lo no carro e me aconselha a encontrar outro namorado, alguém que se pareça com Erling, que queria ser professor e que eu rejeitei, como se tivesse uma fila inteira de jovens esperando a minha porta. Nina está no meio de uma crise grave, pois cogita deixar Moita e se casar com Egon. Eu lhe conto o que sei sobre Aksel, e ela me aconselha a terminar com ele assim que finalizar meu tratamento dentário. A obturação fica quase invisível, e, quando está pronta, Nina acredita que posso conquistar quem eu quiser. Finalmente, ganhei um pouco de curvas, diz ela, e os homens notam isso. Mas quando estou com Aksel, sinto-me tão bem, porque gosto mesmo dele. Em sua companhia estou feliz e segura. Paro de frequentar a casa de seus pais, e ele para de visitar os meus. A essa altura, minha mãe o trata com frieza, e meu pai só lhe faz perguntas que servem para mostrar sua ignorância. O que você acha, diz meu pai para ele, da Olimpíada? É um escândalo, não? Trata-se dos Jogos Olímpicos em Berlim, onde estão nossas nadadoras, mas Aksel não sabe nada da Olimpíada. Sabe pouco sobre Hitler e a situação mundial, e não leu *O último civil*, de Ernst Glaeser, mas eu li, por isso sei muito sobre a perseguição aos judeus e os campos de concentração, e aquilo tudo me enche de pavor. É tão agradável estar com Aksel, porque ele nada sabe a respeito de tudo o que possa assustar uma pessoa neste momento. Isso não significa que ele seja idiota, mas o único objetivo do interrogatório do meu pai é mostrar que ele o é. Ele percebe e deixa de frequentar minha casa. Passamos a ser desabrigados quando estamos juntos, só nos sobram a rua e os bailes. Um dia ele me busca na saída do escritório e andamos calados pela H. C. Ørstedsvej. Está claro que quer me dizer algo. Enfim sai. Andei pensando, enceta ele, se não deveríamos tirar o anel de noivado, pois eu nunca estive apaixonado por você. E eu tampouco, secundo-o, estive apaixonada por você. Não, diz ele, sei disso muito bem. Ele dá passos enormes por puro constrangimento, preciso trotar para acompanhá-lo. Agora, eu logo vou fazer dezoito anos, comento, sem saber o que isso tem a ver com o assunto. Pois é, diz ele, você se tornará maior de idade. Caminhamos um pouco sem dizer nada. Minha mãe também diz, acrescenta ele, que você é boa demais para mim. Você deve se casar com alguém que tem muito dinheiro e lê livros e esse tipo de coisa. Sim, concordo, sou da mesma opinião. Na entrada de casa, ele me beija gentilmente como de hábito e em seguida tira o anel do dedo. Ele o põe no bolso, onde o meu também acaba indo parar. Talvez, diz Aksel, nos vejamos novamente. Seus cílios curtos e duros raspam minha bochecha pela última vez. Em seguida, ele anda pela Westend com suas pernas de tesoura e suas costas flexíveis de rapaz. Ele se vira e acena para mim. Tchau, grita. Tchau, grito de volta, acenando. Depois subo e respiro fundo antes de inserir a chave na fechadura, porque o cheiro está ficando cada vez pior. Entro no apartamento onde estão minha mãe e minha tia. Agora não estou mais noiva, anuncio. Que bom, diz minha mãe. Ele não tinha nada de especial. Tinha, sim, protesto, e me calo. Não posso explicar a minha mãe que Aksel tinha algo de especial. Todas as pessoas, diz minha tia suavemente da cama, têm algo de especial, Alfrida. E nós duas sabemos que ela está pensando em tio Carl.

14.

Uma manhã, ao dobrar a esquina da rua residencial de Frederiksberg onde fica a gráfica, vejo que a bandeira do pequeno jardim na frente do escritório está a meio mastro. Imediatamente penso que a srta. Løngren talvez tenha morrido, algo que me enche de uma alegria perversa. Então terei permissão para cuidar da central telefônica e falar por telefone. E poderei ligar para Nina quantas vezes quiser. Um tanto animada subo as escadas, mas assim que passo pela porta vejo a srta. Løngren sentada em seu lugar de sempre, assoando o nariz com grande alarde. Seu nariz está vermelho, como se ela tivesse ficado sob um forte sol. O Mestre faleceu, diz ela com voz embargada, muito de repente. Ele estava com os irmãos na loja maçônica. Em meio a um discurso, ele caiu sobre a mesa. Um infarto, não havia nada a fazer. Eu me sento no meu lugar sem dizer nada. O Mestre era um homem muito taciturno que todos temiam, até mesmo seus filhos. Ele tinha dificuldade de se expressar por escrito, e eu sempre aprimorava a redação das cartas aos irmãos e de seus obituários, pois ele não lembrava o que havia ditado. Além de ditar cartas, ele nunca havia falado comigo. A srta. Løngren me olha com censura enquanto registro os pedidos. A senhorita poderia pelo menos oferecer suas condolências, diz ela. O que é isso?, pergunto. Ela não se digna a dar uma explicação, e continua sua leitura do jornal. A senhorita ouviu o discurso de abdicação do rei Eduardo?, pergunta. Foi emocionante. Imagine abrir mão do trono por uma mulher! E como ele é lindo. Afinal, Ingrid não conseguiu fisgá-lo. Ele se parece com Leslie Howard, arrisco-me a dizer, e agora é sua vez de perguntar quem é. Ela me mostra uma foto de Mrs. Simpson e observa: Só é estranho ele se apaixonar tão fortemente por uma mulher assim, de meia-idade. Seria mais compreensível se se tratasse de uma jovem. Ela ajeita seu penteado de solteirona, como se passasse por sua cabeça a ideia de que o mundo compreenderia melhor se tivesse sido por sua causa. Ele era bonito quando jovem, diz ela sonhadora, de repente se referindo ao Mestre. Carl Jensen se parece com ele, não é? Vou comprar um terninho preto para o funeral, eu lhe devo isso. O que a senhorita vai vestir? Bem, a senhorita pode usar seu terninho, afinal é primavera. O falecimento e a abdicação a tornaram falante. Ela diz que agora decerto haverá grandes mudanças, e tais mudanças devem levar a minha demissão. Porque na verdade fui contratada inteiramente por um capricho do Mestre. Essas perspectivas promissoras me enchem de alegria e confiança. Falta apenas meio ano para eu fazer dezoito anos, e está mais do que na hora de eu sair de casa. O clima está pesado em todos os sentidos. Tia Rosalia não vai durar muito, e as conversas alegres com minha mãe cessaram por completo. Minha tia sente muita dor e não consegue comer. Meu pai anda na ponta dos pés feito um criminoso, pois minha mãe ralha com ele tão logo o vê. Edvin e Grete ainda não vieram a nossa casa, porque minha mãe, em seu estado de aflição, não tem energia para esforços domésticos. Ela dorme pouquíssimo durante a noite, portanto adquiri um despertador e eu mesma faço o café pela manhã. Saio toda noite com Nina, que, após uma luta íntima, terminou com Egon porque prefere morar no campo com Moita. E quase toda noite, quando o baile termina, fico na entrada do prédio beijando algum rapaz, que em geral está desempregado e que eu nunca mais vejo. No fim, não consigo distingui-los. Mas já comecei a ansiar por aquela conexão profunda com outro ser humano que se chama amor. Anseio pelo amor sem conhecê-lo. Acredito que vou encontrá-lo quando já não morar em casa. E o homem que vou amar terá de ser diferente de todos os outros. Se penso no sr. Krogh, acho que nem precisa ser jovem. Também não precisa ser especialmente bonito. Mas ele tem que gostar de poemas, e tem que saber me aconselhar sobre o que devo fazer com os meus. Depois de dizer adeus ao rapaz de cada noite, escrevo poemas de amor em meu diário, que substituiu o caderno de poesia da minha infância. Alguns são bons, outros nem tanto. Aprendi a perceber a diferença. Mas já não leio tantos poemas, pois poderia facilmente acabar escrevendo algo parecido. O funeral do Mestre é uma provação terrível para mim. No cemitério da igreja, Carl Jensen faz um discurso para os funcionários e a família. O vento leva as palavras na direção contrária, de modo que não escuto nenhuma delas. Por ser a mais nova e menos importante dos funcionários, fico atrás de todo mundo, ao lado de uma alimentadora de papel que está em fase adiantada de gravidez. Começa a chover, e passo frio no meu terninho. De repente, me ocorre a ideia de que posso estar grávida, é curioso que eu não tenha pensado nisso antes. Aksel claramente também não pensou nisso. Como você pode saber se está grávida? No mesmo instante sinto que há todos os sinais disso, e se for verdade não saberei o que fazer. Nina me confidenciou que não pode ter filhos, caso contrário teria engravidado há tempo. Ela diz que os rapazes nunca tomam providências, eles não se importam. Penso na minha mãe, que sempre diz que não posso aparecer em casa com um filho, mas sobretudo penso que impedirá minha indefinida caminhada em direção a um objetivo igualmente indefinido. Quero muito ter um filhinho, mas ainda não. As coisas têm que acontecer na sequência certa. Depois do discurso, na hora que todos estão indo tomar café ou cerveja, digo à srta. Løngren que preciso voltar para casa porque minha tia está moribunda. Ela parece não acreditar em mim, mas eu não me importo. Corro para casa e me olho no espelho da entrada. Acho que estou mal. Apalpo meus seios e os acho sensíveis. Penso em bolinhos de creme e acho que estou com enjoo. Aliso minha barriga achatada e acho que cresceu. Às cinco da tarde estou na Pilestræde, em frente ao *Berlingske Tidende*, esperando por Nina. Confio-lhe meu medo, e ela diz que devo ir ao médico. No dia seguinte, deixo de ir ao trabalho e subo até o velho e maldoso dr. Bonnesen, a quem, com dificuldade, exponho o objetivo de minha consulta. A senhorita sabia muito bem disso, reclama ele em tom chateado, antes de se envolver nessas tolices. Ele me dá um coletor de urina, e na manhã seguinte eu o entrego cheio. Nos dias seguintes, a srta. Løngren pergunta por onde anda minha cabeça, já que não escuto o que as pessoas me dizem. Sua própria cabeça continua a saltar do Mestre para o duque de Windsor e de volta para o Mestre. Sinto seu olhar de escrutínio como uma dor física e torço intensamente pela prometida demissão. Passados poucos dias, descubro enfim que não estou grávida, o que me enche de um alívio imenso. Sou muito romântica, confessa a srta. Løngren enquanto folheia uma revista cheia de fotos do casal mais comentado do mundo. Por isso sou capaz de chorar com esse tipo de coisa. A senhorita não chora? Não é nem um pouco romântica? Tais perguntas sempre trazem uma repreensão dissimulada, e me apresso a lhe garantir que sou muito romântica. A palavra me faz pensar em beduínos escuros com cimitarras, em noites de luar à beira do rio, em noites azul-escuras repletas de estrelas. Penso na solidão e na total falta de família ou parentes, numa mansarda com uma vela de cera e uma pena riscando o papel, e num homem cujo rosto e nome por ora estão escondidos de mim. Bem, conclui a srta. Løngren pensativa, também acho que a senhorita é romântica, se não fosse, não poderia escrever versos tão bonitos. Ela também diz: Por que não se estabelece como poeta de datas especiais? Poderia ganhar muito dinheiro com isso. Por um instante, penso na possibilidade de ter uma placa em casa. Composição de versos para todas as ocasiões. Com meu nome embaixo. Mas minha mãe não ia querer ter um cartaz desses na janela. Uma noite, logo após o funeral do Mestre, minha mãe me acorda. Venha, diz ela, acho que está prestes a acontecer. Seu rosto está irreconhecível de tanto chorar. Minha tia arqueia o corpo e joga a cabeça para trás, de modo que os tendões duros do pescoço lembram cordas grossas sob a pele amarela. Seu estertor é assustador, e minha mãe sussurra que ela não está consciente. Mas seus olhos estão abertos, rolando nas órbitas como se quisessem sair delas. Minha mãe diz que devo chamar o médico. Visto-me rapidamente e peço emprestado o telefone do bar da esquina, onde Bing e Bang faz barulho no fundo. O médico é um homem gentil, que por um longo tempo fica olhando com tristeza para minha tia. Será que lhe dou a última?, pergunta ele como que para si mesmo, enquanto retira a seringa. Sim, implora minha mãe, é horrível vê-la sofrer assim. Tudo bem. Ele a pica na perna emaciada, e logo depois todos os seus músculos relaxam. Os olhos se fecham e ela cai num sono roncante. Obrigada, diz minha mãe ao médico, acompanhando-o até a porta de entrada sem pensar em sua camisola amassada. Então ficamos sentadas junto a este leito de morte, e nenhuma de nós pensa em acordar meu pai. Tia Rosalia é nossa e apenas uma figura secundária na vida dele. Nas altas horas da noite, minha tia para de roncar, e minha mãe põe o ouvido sobre sua boca para ver se ela está respirando. Acabou, diz, graças a Deus, ela está em paz. Volta a se sentar na cadeira, olhando para mim com um olhar desamparado. Tenho muita pena dela e sinto que deveria acariciá-la e beijá-la, algo completamente impossível. Nem consigo chorar enquanto ela está olhando, embora saiba que ela algum dia dirá que nem chorei quando minha tia morreu. Ela mencionará isso como sinal de minha falta de coração, e talvez o faça quando eu sair de casa em breve. Nunca lhe contei que quero fazer isso. Estamos sentadas pertinho uma da outra, mas há quilômetros entre nossas mãos. E justo agora, diz minha mãe, no momento em que ela ia aproveitar a vida. Pois é, digo, mas pelo menos não está sofrendo mais. Apesar da hora tardia, minha mãe faz café e nos acomodamos no meu quarto para bebê-lo. Amanhã, diz minha mãe, tenho que ir lá avisar tia Agnete. Só veio visitar a irmã três vezes durante todo esse tempo que ela ficou acamada aqui. Cada vez que minha mãe começa a se indignar com o comportamento de outras pessoas, está temporariamente salva do mais profundo desespero. Ela fala sobre como tia Agnete sempre tira o corpo fora no momento crítico, fazia isso até na infância. Sempre delatava as outras duas e sempre tinha que ser um pouco melhor do que elas. Deixo minha mãe falar, eu mesma não preciso dizer muita coisa. Estou triste por causa da morte de tia Rosalia, mas não tanto como estaria quando era criança. À noite durmo de janela aberta apesar da barulheira da Bing e Bang, e não vejo a hora de o fedor pútrido e sufocante deixar o apartamento. A morte não é um suave adormecer, como uma vez acreditei. É brutal, repulsiva e malcheirosa. Envolvo-me em meus próprios braços, apreciando minha juventude e saúde. De resto, minha juventude nada mais é que uma deficiência e um obstáculo, do qual quero me livrar o mais rápido possível.

15.

Mudamos de casa unicamente por sua causa, diz minha mãe com amargura. Para que você pudesse ter um quarto onde criar seus poemas. Mas você não se importa. E agora seu pai está desempregado de novo. Não podemos ficar sem aquilo que você paga na casa. Meu pai se põe sentado e esfrega os olhos. Podemos, sim, diz ele bruscamente. As coisas são bem ruins se você tiver que depender dos filhos para viver. Sacrificamos tudo por eles, e tão logo possam nos dar um pouco de alegria, eles desaparecem. Foi a mesma coisa com Edvin. Com Edvin era diferente, rebate minha mãe, ele é menino. Ela diz isso só para contrariar, e eu respiro um pouco aliviada, porque já se tornou uma disputa entre eles. Estamos almoçando na sala de jantar. Comer uma refeição quente ao meio-dia tornou-se hábito devido aos horários de trabalho variáveis do meu pai, embora não faça diferença agora. Pois eu também estou desempregada. Fui demitida duas semanas antes do meu aniversário. Entretanto, consegui uma nova colocação, onde começo depois de amanhã, e também arranjei um quarto alugado. Amanhã me mudo para lá, e acabo de contar isso a meus pais. Enquanto tiro os pratos, eles discutem o assunto. Ela não tem coração, diz minha mãe chorando, é igual a meu pai. Na noite que Rosalia faleceu, ela ficou imóvel como uma estátua, sem derramar uma única lágrima. Foi realmente assustador, Ditlev. Você está enganada, retruca meu pai, no fundo ela tem um bom coração. Só que você criou esses filhos de um jeito totalmente errado. E você, grita minha mãe, você por acaso não os criou? Para serem socialistas e limparem a caca do nariz na barba de Stauning? Depois da morte de Rosalia e com a Tove também saindo de casa, não me sobra mais nada pelo que viver. Com ou sem emprego, você está sempre roncando. É de morrer de tédio. E você, diz meu pai, enfurecido, você não tem outra coisa na cabeça a não ser sua família e a realeza. Desde que possa correr para o salão de beleza a toda hora, você não se importa se seu marido está passando fome. A essa altura, minha mãe felizmente está chorando de raiva e não de tristeza com minha mudança. Que marido, grita ela, é um diabo de marido esse que eu tenho. Você nem quer mais tocar em mim, mas eu não tenho cem anos, e existem outros homens no mundo. Bum! Ela bate a porta do quarto de dormir, onde se joga sobre a cama e continua soluçando para o prédio todo ouvir. Tiro a toalha da mesa e dobro. Depois que nos mudamos para um bairro melhor, não usamos mais o *Social-Demokraten* como toalha de mesa, e sou poupada de ver os desenhos sombrios da Alemanha nazista feitos por Anton Hansen. Meu pai esfrega fortemente seu rosto com a mão, como se quisesse rearranjar todas as feições, e diz cansado: Sua mãe está numa idade difícil. Seus nervos não estão bons. Você deve se lembrar disso. Sim, digo, me sentindo mal, só que gostaria de viver minha própria vida, pai. Quero apenas ficar à vontade. Mas para isso você tem seu quarto, diz ele. Lá pode ficar à vontade e escrever todos os poemas que quiser. Detesto quando fazem menção a meus poemas, não sei por quê. Não é só isso, acrescento, passando pela cortina divisória. Quero ter um lugar para onde possa convidar meus amigos. Bem, diz ele, isso sua mãe não permite. Mas de qualquer forma precisa se cuidar. Sim, prometo, finalmente entrando em meu recinto. Ali junto meus poucos pertences, mas preciso esperar até minha mãe voltar à sala para esvaziar a gaveta da cômoda do quarto de dormir. Aluguei um quarto em Østerbro, pois não considero a mudança completa se continuar em Vesterbro. Não gosto da proprietária, mas peguei o quarto mesmo assim, porque o aluguel é apenas quarenta coroas por mês. Estou pagando as prestações do meu casaco de inverno e da conta do dentista, ainda assim devo ter dinheiro suficiente para me sustentar, porque na Central de Câmbio vou receber cem coroas por mês. A senhoria é grande e pesada. Ela tem uma cabeleira rebelde, descolorida e modos dramáticos, dando a impressão de que algo catastrófico está prestes a acontecer. Há um grande retrato de Hitler pendurado na sala. Olhe, disse ela quando aluguei o quarto, ele não é bonito? Um dia ele governará o mundo. Ela é filiada ao Partido Nacional-Socialista dos Trabalhadores Dinamarqueses e perguntou se eu também não gostaria de me filiar, pois querem que a juventude dinamarquesa adira ao movimento. Eu disse que não, não entendo nada de política. Também não é da minha conta de que jeito ela é. O mais importante é que o quarto é barato. Eu me mudo para lá no dia seguinte. Vou de bonde com minha mala e meu despertador, que não cabe nela. O despertador dispara entre duas paradas e dou um sorriso bobo enquanto o silencio. É um despertador bastante idiossincrático, que só quer ser manuseado por mim. É rabugento e asmático como um velhinho, e se fica muito lento e chiando, eu o atiro ao chão. Aí ele volta a fazer um tique-taque suave e gentil. A proprietária me recebe vestida com o mesmo quimono largo no qual a vi a primeira vez, e parece igualmente dramática. A senhorita não está noiva, né?, pergunta ela, levando as mãos ao coração. Não, respondo. Graças a Deus — ela respira aliviada, como se tivesse se salvado de uma situação perigosa. Homens! Eu fui casada uma vez, minha querida. Sempre que ele bebia, me espancava, e ainda por cima tive que sustentá-lo. Esse tipo de coisa não é permitido na Alemanha, Hitler jamais aceitaria. Se as pessoas não quiserem trabalhar, vão para o campo de concentração. Esse despertador toca muito alto? Tenho dificuldade de dormir e aqui se pode escutar tudo. O alarme dele soa para uma paróquia inteira ouvir, mas juro que é quase inaudível. Enfim ela me deixa, e posso examinar de perto minha nova casa. O quarto é bem pequeno. Há um sofá com capa florida, uma poltrona no mesmo estilo, uma mesa e uma cômoda com gavetas cujos puxadores estão tortos e soltos. Uma delas tem chave, de modo que posso mesmo guardar algumas coisas só para mim. Num dos cantos, há uma cortina com uma vara atrás. É para fazer as vezes de guarda-roupa. Há também um lavatório lascado. Além do mais, o quarto está gelado, assim como o de Nina, e não há fogão. Tendo acomodado minha roupa atrás da cortina, saio para comprar cem folhas de papel sulfite. Depois, com minha última nota de dez coroas, alugo uma máquina de escrever, que, na volta, posiciono sobre a mesa bamba. Puxo a poltrona até a mesa, mas assim que me sento o assento quebra. Tudo o que eu queria ter em troca das minhas quarenta coroas era uma mesa e uma cadeira, mas talvez seja necessário subir a outra faixa de preço para conseguir tanto. Saio e bato à porta da sala de estar, onde a proprietária está ouvindo rádio. Sra. Suhr, digo, a poltrona quebrou. Será que posso pegar uma cadeira comum emprestada? Ela me olha como se eu tivesse anunciado uma verdadeira desgraça. Quebrou?, diz ela. Era uma excelente poltrona. Remonta a meu casamento. Ela entra correndo no meu quarto para inspecionar o dano. A senhorita deve me dar cinco coroas como compensação, exige ela, estendendo a mão. Explico que não tenho dinheiro algum até o dia 1º. Então terá de acrescentar o valor ao aluguel, diz com raiva. Ela sai de novo e eu a sigo, implorando uma cadeira comum. Estou sendo esfolada, geme ela, massageando seu coração outra vez, alugar quartos não vale a pena. Provavelmente, a senhorita ainda vai acabar arrastando homens para minha casa. Ela lança um olhar suplicante a Hitler, como se ele pessoalmente pudesse enxotar qualquer homem que aparecesse. Então entra na outra sala, onde há uma fileira de cadeiras duras alinhadas ao longo de uma das paredes. Olhe aqui, diz mal-humorada, escolhendo a mais caquética de todas, pegue essa então. Agradeço com educação e levo a cadeira para meu quarto. Ela se encaixa bem na mesa. Logo começo a passar a limpo meus poemas, e é como se com isso melhorassem. Encho-me de paz durante esse trabalho, e o sonho de que isto um dia se transformará num livro brota com cores mais fortes e nítidas que antes. De repente, a senhoria aparece no vão da porta. Aquela coisa, diz ela, apontando para a máquina de escrever, faz um barulho infernal. Parece uma metralhadora. Estou quase terminando, digo. Em geral, só escrevo à noite. Bem. Ela balança sua cabeça de cabelos dourados. Mas não depois das onze. Aqui se ouve tudo mesmo. Olhe, a senhorita não quer ouvir o discurso de Hitler hoje à noite? Escuto todos os seus discursos, são maravilhosos. Viris, firmes, ressoantes! Ela abre um dos braços com entusiasmo, deixando seu peito volumoso à vista. Não, digo assustada — acho que não estarei em casa hoje à noite. No entanto, fico em casa, porque Nina recebeu uma visita de seu guarda-florestal, e eu não tenho para onde ir. Fico ali passando frio, apesar de estar agasalhada, e não consigo me concentrar na escrita, porque o discurso berrado de Hitler atravessa a parede como se ele estivesse logo a meu lado. É ameaçador e furioso, e me assusta muito. Ele fala sobre a Áustria, e eu abotoo o casaco no pescoço e dobro os dedos dentro dos sapatos.

Gritos de *heil* o interrompem o tempo todo, e no quarto não há canto nenhum onde eu possa me esconder. Depois do discurso, a sra. Suhr entra no meu quarto com os olhos brilhando e um rubor febril nas faces. A senhorita o escutou?, grita ela enlevada, entendeu o que ele disse? Não é preciso entendê-lo. Penetra a pele feito um banho de vapor. Bebi cada palavra. A senhorita quer um café? Digo que não, embora não tenha comido nem bebido o dia inteiro. Digo que não porque não quero me sentar debaixo do retrato de Hitler. Parece-me que ele então vai me notar e encontrar meios de me esmagar. O que faço é "arte decadente", e me lembro do que o sr. Krogh disse sobre a intelligentsia alemã. No dia seguinte, começo a trabalhar na sala de datilografia da Central de Câmbio, e Hitler invade a Áustria.

16.

A senhorita sabe dançar a carioca? Levanto os olhos do meu estenograma e digo que não. Encaro o secretário para quem estou estenografando, e ele é bonitão, mas não leva seu trabalho a sério. Está preguiçosamente recostado na cadeira e volta e meia toma um gole da cerveja que mantém a seu lado. Boceja alto sem cobrir a boca. Bem, diz ele cansado, onde estávamos? Estamos sentados numa grande sala do sótão, onde há muitas mesas com muitos secretários. Quando precisam de uma datilógrafa, ligam para a sala de datilografia, de onde a supervisora manda uma de nós subir. Gosto desse trabalho, mas os secretários me levam ao desespero. Preferem conversar, e enquanto isso, o caso fica numa pasta azul com letras vermelhas que dizem "Urgente!". Há solicitações de todo tipo, e cada pedido está acompanhado de uma carta comovente afirmando que o indeferimento praticamente provocará um suicídio. Todos os solicitantes citam razões urgentes e fortemente pessoais pelas quais devem ser autorizados a importar suas mercadorias. Sei dançar a carioca muito bem, mas é meu horário de trabalho e agora recebo um bom salário, maior do que nunca. Pare de enrugar a testa, diz meu secretário sorridente, as rugas vão acabar ficando permanentes. Desço correndo todas as escadas e entro na sala de datilografia para passar a carta a limpo. É uma rejeição, e tento tornar o tom da carta mais gentil e menos formal, como fazia quando corrigia as cartas aos irmãos, mas aqui não funciona. Preciso reescrever tudo e sou admoestada a me manter fiel ao estenograma. Somos umas vinte jovens na sala de datilografia, que lembra uma sala de aula. Há uma moça em cada mesa, e as mesas ficam em três longas fileiras. Mais à frente está a supervisora, virada para nós feito uma professora, e quando o barulho fica muito intenso ela nos manda calar a boca com severidade. Todas as outras jovens são muito elegantes, exibindo vestidos justos, saltos altos e muita maquiagem no rosto. Um dia, uma delas inventa de maquiar meus lábios, minhas bochechas e meus olhos, e todas acham que fico muito melhor assim. Dizem que devo usar esse tipo de coisa todo dia, e eu começo a pedir emprestada a maquiagem de Nina quando saímos à noite. Depois de passar todos os meus poemas a limpo, não aguento ficar sentada no quarto batendo os dentes de frio. Portanto, continuo minha vida noturna com Nina, e, embora sejam bem monótonos, os dias e as noites desse período voam como um rufar de tambores logo antes de algo acontecer no palco. Os anos horríveis na I. P. Jensen já se foram, tenho dezoito anos, tornei-me independente de minha família. Certa noite no Heidelberg, danço com um jovem alto e loiro que não se parece com nenhum dos rapazes de sempre e tampouco fala como eles. Ele pergunta se pode me oferecer um sanduíche. Digo que estou com minha amiga. Ele diz que não há problema, podemos comer um sanduíche, os três. Assim que ele se apresenta, Nina olha para ele com aprovação e uma leve surpresa. Seu nome é Albert, e ele está mais bem-vestido que a maioria. Talvez seja mesmo universitário. Pegamos sanduíches e cerveja, e eu me atrapalho com a faca e o garfo, conferindo como os outros usam os talheres. Em casa, cortamos a comida com a faca e depois comemos com o garfo. Albert pergunta onde moro e o que faço. Ele pergunta quanto ganho e se é o suficiente para eu me sustentar. Não é grande coisa, mas os outros rapazes nunca falam sobre nada a não ser sobre si mesmos. Fico com uma vontade enorme de contar a Albert sobre mim e minha vida. Talvez, digo, logo possa ganhar mais, pois escrevo poemas. Não gosto de dizê-lo, especialmente não aqui, onde há tanto barulho, risos e música. Mas sinto que não posso esperar mais, e não sei se algum dia tornarei a ver Albert. Olha só, diz ele surpreso, não havia imaginado isso. São bons? Ele sorri para mim de lado, como se estivesse zombando comigo secretamente. Isso me ofende e posso sentir que estou corando. Sim, digo. Alguns deles. Você lembra, diz ele mastigando, um de cor? Lembro, sim, mas não quero declamá-lo aqui. Então escreva, diz ele com calma, e empurra um guardanapo na minha direção. Tira um lápis do bolso, estendendo-o para mim. Que versos vou escrever? Quais são os melhores de todos? Sinto que o que vou escrever é extremamente importante, e depois de mastigar um pouco o lápis, opto pelo seguinte:

Tua terna voz nunca escutei.
Teus lábios pálidos nunca sorriram para mim.
Mas os chutes de teus pezinhos pequeninos
jamais esquecerei.

Por um longo tempo, ele olha pensativo para os versos e pergunta sobre o que é o poema. Um bebê, digo, natimorto. Ele pergunta se eu já tive um bebê natimorto, e respondo que não. Incrível, exclama ele então, e me observa com grande curiosidade. Nina sai dançando com um rapaz e lança uma piscadela incentivadora para mim. Ela quer dizer que devo aproveitar a situação, o que pretendo fazer, do meu jeito. Albert segue meu olhar. Sua amiga, comenta ele, é muito linda. É, confirmo, pensando que ele gostaria de ter escolhido Nina em vez de mim. Mas agora não me importo com esse lado da questão. O senhor sabe, pergunto sem desistir, aonde se pode mandar um poema desses para ser publicado? Ah, se sei, diz ele, como se eu tivesse perguntado uma coisa bem trivial. A senhorita conhece uma revista chamada *Trigo Selvagem*? Não conheço, e ele me conta que é um espaço onde jovens desconhecidos podem ter seus poemas ou desenhos publicados. É editada por um homem chamado Viggo F. Møller, e ele anota o nome e o endereço em outro guardanapo. Fui vê-lo outro dia, comenta ele com tanta naturalidade que seu orgulho fica evidente. É muito simpático e tem grande compreensão pela arte jovem. Pergunto timidamente se ele também escreve, e ele responde, com a mesma naturalidade, que em suas horas vagas cometeu uns versos, entre os quais um ou outro já foi publicado na *Trigo Selvagem*. A revelação me deixa sem palavras. Estou sentada ao lado de um poeta. É mais do que poderia sonhar. Continuo calada quando Nina volta. Ela franze suas belas sobrancelhas e não parece achar que eu e Albert tenhamos chegado ao que interessa. No Heidelberg, meu coração perdi para a magia de um par de olhos... Todos se levantam e cantam enquanto balançam suas canecas cheias de cerveja. Albert também se levanta e de repente sua atitude indica certa impaciência. Acompanho a direção de seu olhar, e do outro lado da pista de dança vejo uma jovem esbelta que está sentada sozinha e tem um ar muito sério. No fim da música, Albert paga a conta, faz uma reverência meio desajeitada para nós duas e convida a jovem séria para dançar. A culpa foi só sua, diz Nina irritada, ele era bonitão. Mas na verdade pouco me importa. Consegui pegar uma pontinha do mundo pelo qual anseio e não pretendo soltá-la. Ponho o guardanapo na bolsa e dirijo um sorriso misterioso a minha amiga. Vou para casa datilografar, anuncio. Tomara que a bruxa não acorde. Você foi de mal a pior, opina Nina. Ela não é nem um pouco melhor que sua mãe. Vou manobrando pelo salão até o vestiário, onde agarro meu casaco. Embora o frio esteja bravo, vou a pé o caminho todo para casa, sentindo-me muito feliz. Um nome e um endereço — quantos anos pode levar para chegar lá. E talvez nem seja o suficiente. Talvez esse homem não queira meus poemas. Talvez ele morra antes de eles chegarem até ele. Talvez já tenha falecido. Eu deveria ter perguntado a Albert que idade tem Viggo F. Møller. Reviro o nome e penso no que o F significa. Frants? Frederik? Finn? E se minha carta nunca chegar por alguma falha do serviço postal? E se Albert me deu um nome totalmente errado e me passou para trás? Algumas pessoas se divertem à beça com esse tipo de coisa. Ainda assim — no fundo acredito que dará certo. Às duas horas da madrugada, entro no meu quarto pé ante pé. Dobro a colcha do sofá várias vezes, pondo-a embaixo da máquina de escrever para abafar o som, depois escolho três poemas que envio acompanhados de uma carta breve e formal, para que o homem não pense que seja algo muito importante para mim. Prezado sr. editor Viggo F. Møller, escrevo. Venho por meio desta enviar-lhe três poemas na esperança de que os publique em sua revista *Trigo Selvagem*. Muito respeitosa e atenciosamente, T. D. Corro com a carta para a caixa postal mais próxima, verificando quando será feita a coleta. Quero calcular que dia o editor poderá recebê-la e quando ele poderá responder. Em seguida, volto para casa para dormir, não antes de dar corda no despertador. Deixo toda a minha roupa sobre o acolchoado, mas mesmo assim fico tiritando de frio por muito tempo antes de pegar no sono.

17.

Toda noite corro do escritório para casa e pergunto à sra. Suhr se chegou alguma carta para mim. Não chegou, e a sra. Suhr está muito curiosa. Ela quer saber se alguém da minha família está doente. Pergunta se estou esperando algum dinheiro que virá pelo correio, me lembrando das cinco coroas que lhe devo pela poltrona quebrada. De vez em quando ela também pergunta se estou com fome, mas nunca estou, embora eu raramente jante. Às vezes como na cantina do *Berlingske Tidende* com Nina. É barato, mas é só para os funcionários. Minha senhoria também diz que fico cada vez mais magra, e se fosse sua filha ela me engordaria. Quando sinto o cheiro do jantar que ela está preparando, fico com fome mesmo, mas aí já é tarde demais. Normalmente, tomo um café na estação de Østerport antes de voltar para casa, e como um folhado doce para acompanhar. Isso, porém, é um luxo que na verdade não posso me permitir, pois estou com o orçamento apertadíssimo. Todas as moças da sala de datilografia estão na mesma situação, embora a maioria more com os pais. No fim do mês, todas pedem dinheiro emprestado às outras, e também pediriam a mim se eu tivesse algum para emprestar. Não ficam chateadas se alguém recusar. A pobreza delas não é opressiva nem triste, porque todas têm algo pelo qual ansiar, todas sonham com uma existência melhor. Eu também. A pobreza é temporária e suportável. Não é um problema real. Nina tem sua mãe a quem pode pedir empréstimo, e tem Moita. A mãe de Nina é uma senhora gorda e amigável que não leva nada muito a sério. Ela vive de fazer faxina para as pessoas e mora com um homem que é pai do meio-irmão de Nina, um garoto de doze ou treze anos. Percebe-se claramente que Nina não cresceu naquela casa mas está ali apenas de visita. Também está apenas de visita em Copenhagen, e para mim é incompreensível que ela de fato possa pensar em viver no campo. Enquanto espero pela carta, não saio à noite, apenas fico sentada no quarto, passando frio e prestando atenção nos sons do corredor. Sei que cartas expressas podem ser entregues fora do horário normal. Não há sombra de razão para eu receber uma carta expressa, mas mesmo assim fico atenta à campainha. Uma noite, há uma reunião política na casa da sra. Suhr, e um bando de homens de botas invade a sala de estar, onde logo se faz uma barulheira terrível. Na sala de estar, batem os calcanhares gritando *heil!* para o retrato de Hitler. Algumas mulheres também estão presentes. Suas vozes são estridentes como a da sra. Suhr, e, como sempre, torço para que ninguém repare em mim. Cantam a música de Horst Wessel e batem com os pés no chão fazendo tremer as paredes. A sra. Suhr invade meus aposentos, com as bochechas vermelhas e os cabelos espetados para todos os lados. Ela continua usando seu quimono e parece ter saído às pressas de uma casa em chamas. Ai, geme ela, a senhorita não quer tomar o brinde do Führer conosco? Venha cumprimentar todos os rapazes maravilhosos. Junte-se a nós na luta pela grande causa. Não, digo assustada, tenho algo que preciso terminar, trabalho extra do escritório. Passo a pressionar as teclas da máquina de escrever para que pensem que estou trabalhando, enquanto penso com tristeza e aflição na escuridão que está caindo sobre o mundo todo. Mas não me esqueço de manter um ouvido atento à entrada. Uma carta expressa, um telegrama, nunca se sabe. Alguns dias mais tarde, a sra. Suhr está plantada na entrada com uma carta na mão na hora que abro a porta. Então, diz ela com os olhos sedentos de sensacionalismo, aqui está a carta que a senhorita estava esperando. Apanho-a de sua mão e faço menção de entrar no meu quarto, mas ela bloqueia o caminho. Abra a carta, exige esbaforida, estou tão ansiosa quanto a senhorita. Não, digo com o coração palpitante, é estritamente pessoal, confidencial. É uma mensagem secreta, minha senhora. Meu Deus! Ela leva a mão ao peito sussurrando: Algo político? Sim, respondo desesperada, algo político. Deixe-me passar. Ela olha para mim como se eu fosse uma Mata Hari de nossos tempos e finalmente se retira, muito impressionada. Até que enfim estou sozinha com minha carta. É muito grossa, e minhas pernas ficam bambas com medo de que o editor esteja mandando tudo de volta. Sento-me perto da janela e olho para o pequeno pátio. O crepúsculo envolve as lixeiras, e as luzes estão sendo acesas no prédio do outro lado da rua. Com grande esforço, abro o envelope, retiro a carta dali e leio: Cara Tove Ditlevsen. Dois de seus poemas não são bons, para dizer o mínimo, mas o terceiro, "Para meu bebê morto", posso usar. Atenciosamente, Viggo F. Møller. Rasgo no mesmo instante os dois poemas que, para dizer o mínimo, não são bons, e aí leio a carta mais uma vez. Ele quer me publicar na revista. Ele é a pessoa por quem esperei a vida inteira. Tenho uma edição da *Trigo Selvagem* que comprei com dinheiro emprestado de Nina. Inclui um poema de uma mulher, Hulda Lütken, e eu o li várias vezes, porque não posso esquecer que meu pai certa vez disse que uma menina não podia ser poeta. Embora eu não acreditasse nele, suas palavras causaram uma profunda impressão em mim. Preciso compartilhar minha alegria com alguém. Não tenho vontade de falar sobre isso em casa, e Nina não vai entender o que significa para mim. A única pessoa que talvez entenda é Edvin. Ele foi o primeiro a dizer que meus poemas eram bons, depois de inicialmente ter zombado deles. Mas não importa, éramos apenas crianças naquela época. Pego o bonde até Sydhavnen. Grete abre a porta e sorri surpresa ao me ver. Entre, diz ela hospitaleira, correndo para se sentar no colo de Edvin, o que pelo visto é sua principal ocupação como recém-casada. Ele me parece completamente indefeso na poltrona funda. Oi, diz ele feliz, como vai? É obrigado a mover a cabeça de Grete para conseguir me enxergar. Como estão a sogrinha e o sogrinho?, pergunta Grete entre dois beijos. Minha mãe não suporta essa forma carinhosa de tratamento, mas Grete é bem insensível à frieza que sua sogra irradia. Eu também não gosto tanto dela, pois sempre imaginei que Edvin teria uma esposa linda, orgulhosa e inteligente, e não uma doninha de casa sorridente ao estilo rubenesco. No entanto, isso não tem grande importância, porque meus sentimentos não são nem de longe tão fortes e fervorosos quanto os da minha mãe. Conto a Edvin o que aconteceu e lhe mostro a carta. Enquanto lê, ele pede a Grete que faça café. Minha nossa, diz impressionado, você deve ser paga por esse tipo de coisa. O editor não escreve nada sobre isso. Cuidado para ele não te enganar. Não cheguei a pensar nisso, nem me passou pela cabeça. Afinal, ele ganha dinheiro vendendo aquela revista, explica Edvin, então não deveria ter colaboradores não remunerados. Você tem razão, digo. Edvin também não entende o milagre que acabou de acontecer. Ninguém entende. Escute aqui, diz ele. Você deve ligar para ele e perguntar quanto vai ganhar. É verdade, concordo, pois gostaria muito de ouvir a voz dele, e esse seria um excelente motivo. Grete põe a mesa chilreando sobre nada e Edvin lhe conta sobre a carta. Oba, faço parte da família de uma poeta. Vou escrever isso para meus pais. Quer umas fatias de pão de fôrma? Quero, sim, obrigada, respondo, e pergunto como está a tosse de Edvin. O médico diz que ele continuará a tossir enquanto estiver pulverizando verniz de celulose, ou seja, continuará a tossir até encontrar outra ocupação. O médico também diz que parece pior do que é. Ele não pode morrer disso, nem mesmo ficar muito doente. Seus pulmões apenas estão pretos e irritados. Enquanto tomamos café, observo meu irmão. Ele não parece feliz, talvez o casamento não seja o que esperava. Talvez tivesse imaginado uma esposa com quem poderia conversar sobre outras coisas além de amor e comida. Talvez tivesse imaginado que poderiam fazer outras coisas no fim do dia além de se sentar no colo um do outro e dizer o quanto se amam. Eu, pelo menos, acho que deve ser um tédio tremendo. Não está na hora de você comprar um vestido novo?, pergunta Grete. Nunca te vi usando outra coisa a não ser essa túnica. Você deveria fazer permanente no cabelo, afirma, igual a mim. O cabelo de Grete forma um monte de cachinhos no topo da cabeça, e nas orelhas ela usa dois grandes brincos de argola que tilintam quando mexe a cabeça. Não é estranho ter um irmão tão bonito?, comenta ela, imagino que deve ser bem estranho para você. Edvin se cansa da conversa dela e rapidamente volta a se sentar na poltrona. Depois de recolher as xícaras, Grete torna a se acomodar no colo dele, enrolando seus cachos pretos nos dedos. Acho que meu irmão se casou com ela para não ter que ficar no quarto alugado da proprietária exigente, afinal que outra saída tinha ele? Eu também não pretendo morar na casa da sra. Suhr pelo resto da vida. Ser jovem é, em si, algo temporário, frágil e inconstante. Precisa ser superado, outro sentido não tem. Edvin pergunta se contei a notícia lá em casa, e digo que quero esperar até o poema sair na revista. Então vou mostrá-lo a eles, antes não. Edvin lê o poema e fica muito impressionado. Mas você continua cheia de mentiras, diz ele com admiração na voz, você nunca deu à luz um bebê morto. Ele me conta que Thorvald ficou noivo de uma moça muito feia, e isso me irrita um pouquinho. Ele poderia ter sido meu, mas eu não quis. Ainda assim, eu gostei que ele não estivesse envolvido com mais ninguém. Antes de sair, peço emprestados dez centavos do meu irmão para fazer uma ligação. Tenho que sair sozinha, porque Grete está no meio de um longo cochicho no ouvido de Edvin. Num telefone público na Enghavevej, procuro o número de Viggo F. Møller e o peço com o coração na boca de emoção. Bom dia, digo, aqui quem está falando é Tove Ditlevsen. Ele repete meu nome com ponto de interrogação, mas depois se lembra. O poema da senhorita sairá em pouco menos de um mês, diz ele, é maravilhoso. Eu não deveria receber algum pagamento por ele?, pergunto muito acanhada. Mas ele não fica bravo. Só me explica que ninguém recebe honorários porque a revista sai com prejuízo, o qual ele paga do próprio bolso. Apresso-me a assegurar-lhe que não importa, foi apenas algo que meu irmão disse. Então ele me pergunta quantos anos tenho. Dezoito, digo. Meu Deus, só isso, diz ele com uma risadinha. Aí ele pergunta se quero conhecê-lo, e respondo que sim. Ele me encontrará depois de amanhã, às seis da tarde, no Café Glyptotek, assim podemos jantar juntos. Agradeço deslumbrada, e em seguida ele dá adeus. Vou me encontrar com ele. Vou conversar com ele. Sem dúvida, ele fará algo por mim. O sr. Krogh disse que as pessoas sempre querem algo umas das outras, e não há nenhum mal nisso. Está muito claro o que quero do editor, mas o que será que ele quer de mim? No fim das contas, vou para casa na noite seguinte e conto tudo. Minha mãe está sozinha no apartamento. Fica muito feliz em me ver, e me sinto culpada por ir até lá tão poucas vezes. Minha mãe se tornou muito solitária depois da morte de tia Rosalia.

A fineza do prédio chega a ser tanta, que os moradores não têm o hábito de passar na casa uns dos outros, de modo que minha mãe não tem nenhuma amiga com quem possa conversar e rir. Ela só tem a gente, e nós fugimos dela tão logo ela e a lei permitiram. Tomamos café juntas, e posso ver que sua imaginação está a mil. Sabe de uma coisa, diz ela, aquele editor — ele com certeza quer se casar com você. Dou risada e digo que ela nunca pensa em outra coisa a não ser me ver casada. Dou risada, mas, ao chegar em casa e ir para a cama, pergunto-me se ele é casado ou não. Se ele for solteiro, não tenho nada contra me casar com ele. De olhos fechados.

18.

    Ele está trajando um terno verde com gravata verde. Tem cabelos bastos, grisalhos e encaracolados, além de um bigode grisalho cujas pontas ele enrola entre os dedos com frequência. Usa um colarinho engomado à moda antiga, sobre o qual o papo cai um pouco. Seus olhos são muito azuis, como os olhos de um bebê, e sua tez é vermelha e branca e transparente como a de uma criança. Ele faz movimentos circulares e amplos com os braços, e suas mãos são pequenas e finas, com covinhas nos nós dos dedos. Seu jeito de ser é caloroso e gentil, em sua companhia depressa esqueço minha timidez. Não se parece fisicamente com o sr. Krogh, ainda assim me lembra dele um pouco. Ele estuda o cardápio por um longo tempo antes de escolher um prato, e, sem saber o que é, peço a mesma coisa. Ele diz que gosta muito de comida, o que com certeza dá para ver. Discordo educadamente. Confesso que nunca presto atenção no que como, e, rindo, ele diz que também dá para ver. Sou magra demais, afirma. Tomamos vinho tinto com a comida, e eu faço uma careta porque é azedo. Ele diz que é por eu ser muito jovem. Quando ficar mais velha, vou aprender a apreciar um bom vinho. Ele me pede que lhe conte um pouco sobre mim, sobre como cheguei a ele. Estou ansiosa e alegre, com vontade de dizer um monte de coisas a um só tempo. Também faço menção a Albert, e ele dá de ombros, como se Albert não fosse ninguém especial. Com gente jovem nunca se sabe, analisa ele, cofiando a barba, você acredita em alguns, e depois não valem nada. Em outros, você não acredita, e no fim acabam prestando. Pergunto se acha que eu presto, e ele responde que não dá para saber. Diz que os que não prestam são aqueles rapazes que aparecem com um poema se gabando: Escrevi isso em dez minutos. Se disserem isso, ele sabe que não prestam. E então?, pergunto. Então os aconselho a se tornarem condutores de bonde ou qualquer outra coisa sensata, diz ele, limpando a boca com o guardanapo. Estou feliz por não ter escrito nada sobre quantos minutos levei para escrever o poema sobre o bebê morto. Nem sei. Para mim, o editor é um homem poderoso, e o acho bonito. Talvez outras pessoas não o achem bonito, e Nina o acharia velho e gordo demais, mas eu não me importo. Ele me passa o cardápio para que eu possa pedir uma sobremesa, e eu peço sorvete, porque o resto me parece muito complicado. O editor quer frutas com chantilly. Sou guloso, diz ele, porque não fumo. O garçom o trata com muito respeito e o chama de "senhor editor" o tempo todo. A mim ele chama de senhorita. Posso servir mais vinho à senhorita? Bebo valentemente o vinho azedo, o que me deixa quente e relaxada. Lá fora, está anoitecendo, e o vento está soprando de leve nas árvores da avenida. Suas folhas já brotaram, e em breve o Tivoli abrirá. Viggo F. Møller me diz que ama a primavera e o verão na cidade. As árvores e as flores desabrocham, e como as lindas flores, as moças também desabrocham nas calçadas. O sr. Krogh disse algo parecido, e ele não era casado. Deve ser algo que os homens casados não apreciam. Enfim, tenho coragem de lhe perguntar se é casado, e, com uma risadinha, ele diz que não. Ninguém, prossegue ele, desculpando-se com um gesto da mão, me quis. Já fiquei noiva, digo, mas ele terminou o noivado. E agora?, pergunta ele, a senhorita não está noiva agora? Não, respondo, estou aguardando a pessoa certa aparecer. Tento olhá-lo profundamente nos olhos, mas ele não quer entender o significado disso. É só que me acostumei à urgência de tudo, a ponto de quase esperar que ele me peça em casamento agora mesmo. Nunca se sabe onde uma pessoa estará amanhã. Ele pode receber uma carta de outra jovem que escreve poemas, Hulda Lütken, por exemplo, convidá-la para sair e me esquecer por completo. Ele deve ser o tipo de homem que conquista quem quiser. Com o ciúme brotando, pergunto como é Hulda Lütken, e ao pensar nela ele ri alto. Ela não vai gostar da senhorita, afirma. Ela tem extrema inveja de outras mulheres poetas, especialmente se forem mais novas do que ela. É por demais esquentada. De vez em quando, ela me liga e diz: Møller, sou genial? É, sim, Hulda, respondo. Então ela fica satisfeita por um tempo. Aí ele me pergunta se quero ir a uma festa da *Trigo Selvagem* no mês que vem. É uma festa em que elegem o Trigo-Mor e o Condimento-Mor, que são o poeta e o ilustrador que mais colaboraram na revista durante o ano. Pergunto qual é o traje, e ele me informa que é longo. Ao ouvir que não tenho nenhum, sugere que eu peça emprestado a uma amiga. Isso me faz pensar em Nina, que adquiriu um longo frente única para o baile no Stjernekroen. Digo que gostaria muito de ir a essa festa. Tomamos café em xícaras finíssimas, e o editor olha para seu relógio de pulso como se estivesse na hora de ir embora. Eu gostaria de continuar sentada ali por muito mais tempo ainda. Lá fora, meu cotidiano me aguarda, com as urgências do escritório, as noites nos bailes, os rapazes que me levam para casa e meu quarto gelado com a senhoria nazista. Meu único consolo nesta existência é um punhado de poemas, cuja quantidade ainda não é suficiente para um livro. Também não sei como se faz para lançar um livro de poesia. Depois de pagar a conta, o sr. Møller de repente põe a mão sobre a minha em cima da toalha de mesa colorida. A senhorita tem mãos lindas, diz ele, longas e delgadas. Afaga minha mão algumas vezes, como se soubesse muito bem que eu estava triste em me despedir e quisesse me assegurar de que não desaparecerá de minha vida sem mais nem menos. Percebo que estou prestes a chorar e não sei por quê. Tenho vontade de abraçá-lo, é como se estivesse muito cansada depois de uma longa, longa caminhada e finalmente tivesse chegado em casa. É um sentimento insano, e eu pisco um pouco os olhos para disfarçar que estão úmidos. Lá fora, paramos juntos por um instante, olhando para o trânsito. Ele é mais baixo que eu, e isso me surpreende, pois não dava para ver quando estava sentado. Bem, diz ele, parece que vamos pegar caminhos diferentes. Venha me visitar um dia destes. A senhorita sabe o endereço. Ele faz uma reverência, traçando um arco elegante com o chapéu verde de aba larga, antes de colocá-lo na cabeça e sair andando depressa pela avenida. Fico olhando para ele até perdê-lo de vista. Parece que sempre tenho de dizer adeus aos homens e ficar olhando para suas costas, ouvindo seus passos emudecerem na escuridão. E raramente eles se viram para me fazer um aceno.

19.

Fui transferida para a Agência Nacional de Suprimento de Cereais, do outro lado da rua, onde gosto muito mais de ficar. Somos apenas duas mulheres no escritório. Cuido da central telefônica e escrevo as cartas ditadas pelo diretor Hjelm. É um homem alto e magro cujo rosto comprido e carrancudo nunca se atenua com nada que lembre um sorriso. Sempre que há uma pausa no ditado, ele me encara como se suspeitasse que eu tenha outra coisa na cabeça além de cereais. Minha colega se chama Kate. Ela é risonha e infantil, e nós duas nos divertimos muito quando estamos a sós. Estou aguardando a publicação do meu poema na revista, pois aí visitarei Viggo F. Møller, não antes. Logo sairei de férias de verão, e isso sempre foi um problema para mim. Nina quer que nos inscrevamos no Grêmio Dinamarquês de Caminhantes para fazer caminhadas pelo campo e pernoitar nos albergues da juventude. Mas eu não gosto de pessoas em rebanhos, e não tenho nenhuma vontade de fazer isso. No entanto, se meu poema for publicado logo, talvez eu possa passar as férias na casa do editor. Enquanto espero, continuo a olhar para as criancinhas e para os casais de namorados que o calor afugenta das casas. Também os cães eu observo, os cães e seus donos. Alguns cachorros têm uma guia curta que é puxada com impaciência toda vez que param. Outros têm uma guia longa, e o dono aguarda paciente enquanto um cheiro interessante detém o bicho de estimação. Esse é o tipo de senhor que quero. Esse é o tipo de vida que me agradaria. Há também os cães sem dono que correm confusos entre as pernas das pessoas, aparentemente sem desfrutar de sua liberdade. Eu pareço uma cadela assim sem dono, desgrenhada, confusa e sozinha. Saio menos à noite do que antes, e Nina diz que estou ficando bem chata. Passo mais tempo no meu quarto agora que o frio não me expulsa mais. Releio meus poemas vezes sem fim e ocasionalmente escrevo um novo. Aqueles dois que, para dizer o mínimo, não eram bons já tirei da minha produção há tempo. Acho que são horríveis, mas se o editor tivesse dito que eram bons, teria acreditado nele. De vez em quando passo em casa. Meu pai está desempregado de novo, e o clima esfriou entre ele e minha mãe. Em geral, ele fica deitado no meu sofá, dormindo ou cochilando, enquanto minha mãe faz tricô com uma expressão de censura no rosto. Ela acha que devo visitar o editor logo, pois está cada vez mais convencida de que ele se casará comigo. Pessoas gordas, observa, são alegres e têm boa índole. As magras é que são rabugentas. Ela pergunta quantos anos ele tem, e eu digo que está na casa dos cinquenta. Isso ela também acha ótimo, pois então ele já pagou seu tributo à mocidade e será um marido fiel. Ela imagina que em breve poderei pedir demissão de meu emprego e ser sustentada. Eu não digo nada, porque tudo isso terá de esperar. Nós vamos pagar o casamento, promete ela, e me pergunto o que meu editor dirá sobre sua sogra. Imagino que deve ser mais velho do que ela, mas isso não incomoda minha mãe. Costumo ir embora logo, porque agora minha mãe exige algo de mim. Meu pai diz que não há pressa e que eu mesma devo decidir com quem me casar. Você, diz minha mãe, nunca se importou, mas agora pode ver o que aconteceu com Edvin. É o resultado de sua indiferença. Com isso, a briga desviou-se de mim, e posso deixá-los com tranquilidade. Um dia, ao voltar da casa dos meus pais, encontro um aviso de despejo da sra. Suhr. Para minha surpresa, ela escreve: Por ser de meu conhecimento que a senhorita participou de atividades conspiratórias, não desejo mais viver sob o mesmo teto. Lembro-me da carta política que recebi e minha relutância em participar de suas reuniões nazistas. Logo encontro outro quarto em Amager, não muito longe da residência do editor, e vou até lá com minha mala e meu despertador na mão. É na casa de uma família com filhos adultos. Uma das filhas se casou, e é o quarto dela que vou ocupar. Maior e mais agradável que o anterior, custa apenas dez coroas a mais. Inclui até um fogão. Ligo imediatamente para Viggo F. Møller querendo lhe informar meu novo endereço, e ele diz que foi bom eu ter ligado, porque a revista já saiu e ele estava prestes a mandá-la para mim. Diz isso como se fosse uma coisa bem corriqueira, como se eu tivesse publicado muitos poemas e este fosse apenas um deles. Ele fala num tom gentil e simples, como se revistas e livros com meus poemas estivessem circulando pelo mundo, de modo que não importaria se a bagatela de um único poema se perdesse. Afinal, está acostumado a conviver com gente como Hulda Lütken, pessoas que ele trata pelo primeiro nome. Toda vez que penso nela, sinto uma pontada de ciúme no coração. Será que Viggo F. Møller vai contar coisas curiosas sobre mim a ela? Será que vai dizer: Aliás, Tove me ligou outro dia e disse isso e aquilo. Ha-ha-ha. E retorcer seu bigode e sorrir. No dia seguinte, dois exemplares da *Trigo Selvagem* chegam via correio, e meu poema está nos dois. Eu o leio muitas vezes, sentindo um frio na barriga. Parece muito diferente impresso do que datilografado ou escrito à mão. Não posso mais emendá-lo, não é mais só meu. Está em centenas ou milhares de exemplares da revista, e pessoas desconhecidas vão lê-lo e talvez achar bom. Será distribuído no país inteiro, e as pessoas que vejo na rua talvez o tenham lido. Quem sabe andem com um exemplar da revista no bolso ou na bolsa. Se eu pegar o bonde, talvez um homem na minha frente o esteja lendo. É absolutamente inacreditável, e não há ninguém com quem eu possa compartilhar essa experiência inexplicável. Corro para casa e mostro o poema para meu pai e minha mãe. Acho excelente, diz minha mãe, mas você deveria ter um nome artístico. O que tem não é bom. Deveria usar meu nome de solteira. Tove Mundus soa muito melhor. Não tem nada de errado com o nome, diz meu pai, mas o poema é moderno demais. Não rima do jeito certo. Você poderia aprender muito com Johannes Jørgensen. Não me preocupo com a crítica do meu pai, pois ele sempre quer nos poupar da decepção. Em sua experiência, para evitar decepções não se deve esperar nada da vida. No entanto, ele me pede que o deixe ficar com a revista e a segura com o mesmo cuidado que segura seus livros. Voltando para meu quarto alugado, passo numa livraria e peço o último número da *Trigo Selvagem*. Eles não têm, mas podem encomendá-lo. Não vendemos edições avulsas, esclarece o homem, é mais por assinatura. Que pena, digo, pois ouvi falar que esse número inclui um excelente poema. Ele anota meu nome para eu poder buscar a revista em dois dias. É uma revista menor, explica ele tagarelando, parece que a tiragem se resume a uns quinhentos exemplares. Estranho que seja viável. Saio da loja ofendida, mas não sou a mesma de antes. Agora, meu nome foi publicado. Não sou mais anônima. E em breve visitarei meu editor, embora ele não tenha reiterado seu convite por telefone. Naturalmente, tem muito mais a fazer do que conversar com jovens poetas. Uma semana após a publicação da revista, sou convocada para o escritório do diretor Hjelm. Se possível, seu rosto comprido está ainda mais rabugento que de costume, e sobre a mesa a sua frente está a *Trigo Selvagem*, aberta na página do meu poema. A ideia de que ele me elogiará passa rapidamente pela minha cabeça. Comprei essa revista, diz ele, porque pensei que tivesse algo a ver com cereais. E então descubro — ele bate em meu poema com uma régua — que a senhorita evidentemente tem outros interesses além da Agência Nacional de Suprimento de Cereais. Sinto muito, mas infelizmente não podemos mais usá-la aqui. Ele me olha com seus olhos de peixe, e não sei o que dizer. Estou chateada, porque gostava de trabalhar neste lugar, mas também há algo de engraçado nisso que fará Kate e Nina rirem quando eu lhes contar. Bem, digo, não há o que fazer. Saio do escritório discretamente e vou direto relatar minha demissão a Kate. Ela dá risada ao saber que o sr. Hjelm achou que a *Trigo Selvagem* era uma revista de agricultura, e eu também dou risada, mas ainda sou uma moça que acaba de perder o emprego e agora terei de batalhar para encontrar outro. Kate diz que devo me dirigir ao sindicato e deixar que eles encontrem outra posição para mim, uma ideia que acho muito boa. Na mesma noite telefono para Viggo F. Møller, e ele diz que terá muito prazer em me ver na noite seguinte. Então não faz tão mal que fui demitida da agência de cereais. Talvez o editor possa encontrar uma saída que seja melhor que a de Kate. Pois agora tenho tantas despesas que não posso me dar o luxo de ficar desempregada.

20.

Será que a senhorita poderia, diz Viggo F. Møller, pensar em publicar um livro de poesia? Ele diz isso como se não fosse nada de mais. Ele diz isso como se publicar livros de poesia fosse algo bastante corriqueiro para mim, como se não fosse o que eu desejasse mais intensamente desde que me conheço por gente. E eu digo numa voz fininha e normal que gostaria, sim. Só que nunca pensei nisso. Mas já que ele está levantando a ideia, acho que seria muito legal. Espero que não perceba como meu coração bate de alegria e ansiedade. Bate como se eu estivesse apaixonada, e olho com atenção para o homem que acaba de causar tanta felicidade em minha alma. Está sentado do outro lado da mesa, que está coberta por uma toalha verde-garrafa. Tomamos chá em xícaras verdes. As cortinas são verdes, os cachepôs e os vasos são verdes, e o editor está trajando um terno verde como da última vez. As estantes de livros chegam quase ao teto, e a parede está completamente escondida por pinturas e desenhos. Tudo isso me faz lembrar a sala do sr. Krogh, mas Viggo F. Møller não me lembra tanto o sr. Krogh. Ele é muito menos misterioso e me deixa à vontade para lhe perguntar sobre qualquer coisa. O sol está se pondo, e na sala há um suave lusco-fusco que convida a confidências. Ajudo meu novo amigo a levar as xícaras para a cozinha, e ele pergunta se quero uma taça de vinho. Aceito, e ele serve o vinho em taças verdes, levanta a sua e diz "saúde". Então pergunto a ele como se faz para lançar um livro de poesia, e ele responde que é para mandar o manuscrito a uma editora. Depois eles cuidarão do resto, se aprovarem os poemas. É muito simples. Vou mostrar a ele todos os poemas que tenho, para que ele veja se há o suficiente e se são bons o suficiente. Não gosto do vinho, mas gosto do efeito. Estou muito encantada com os movimentos amplos e circulares dos braços do editor, com seus cabelos grisalhos, prateados, e com sua voz, que, balsâmica e calmante, envolve minha alma. Já gosto dele, mas não sei quais são seus sentimentos por mim. Ele não me toca e não tenta me beijar. Talvez pense que sou muito jovem para ele. Pergunto-lhe por que não é casado, e ele responde com seriedade que ninguém o quer. É triste, diz ele, mas a esta altura supõe que já é tarde demais. Ele tem um sorriso nos olhos ao dizê-lo, e eu franzo a testa porque ele não está me levando a sério. Conto-lhe sobre minha vida, sobre meus pais, sobre Edvin e sobre como acabei de perder o emprego por causa do poema na *Trigo Selvagem*. Ele se diverte muito com a história e diz que seus amigos também vão se divertir quando lhes contar. Seus amigos são famosos, e alguns deles já lhe perguntaram quem é a pobre menina que escreveu tão lindamente sobre seu bebê morto. Afinal, não é só o pessoal de casa que acredita que tudo o que se escreve é verdade. Ei, diz ele, se dando um tapa na testa, quase esqueci. A senhorita viu a resenha de Valdemar Koppel sobre a revista no *Politiken* outro dia? Elogia muito seu poema. Ele pega o recorte e me mostra. O texto diz: Um único poema, "Para meu bebê morto", de Tove Ditlevsen, é justificativa suficiente para a existência da pequena revista. Oh, digo deslumbrada, como isso me deixa feliz. Será que posso ficar com o recorte? Ele me dá o papel e enche outra vez as taças verdes de vinho. Então ele diz: Ver seu nome na imprensa pela primeira vez causa uma forte impressão numa pessoa jovem. Estou tão feliz por ter conhecido o senhor, confesso. Parece que não pode acontecer nada de ruim quando estou em sua companhia. Quando estou aqui, nem acredito que haverá uma guerra mundial. De repente, Viggo F. Møller fica sério. Por sinal, a situação está bem complicada. Posso fazer uma coisa ou outra pela senhorita, mas prevenir a guerra mundial não posso, minha querida. É o vinho que me faz dizer essas coisas. Sempre que começam a pensar no estado do mundo, todos os adultos se afastam de mim. Em comparação, eu e meus poemas são meros grãos de pó que o menor sopro de vento pode levar embora. Sei que não, digo, mas o senhor não vai morrer de repente, e este prédio não será demolido. Eu lhe conto sobre o editor Brochmann e o sr. Krogh. O primeiro ele conheceu, mas o segundo não. Bem, diz ele com seriedade, nesse sentido pode confiar em mim. Vamos nos tratar pelo primeiro nome? Fazemos um brinde a isso, e ele acende a luz dos abajures verdes. Você vai me chamar de Viggo F., diz ele então. Todos me chamam de Viggo F. ou Møller, ninguém me chama de Viggo, exceto minha família. Seus pais, conta, já faleceram, mas ele tem um irmão e uma irmã que ele raramente vê. A família, observa, nunca compreende os artistas, eles só podem contar com outros artistas. Pergunta se quero me sentar com ele no sofá, e eu me acomodo a seu lado. Sento-me pertinho dele, de modo que nossas pernas se tocam, mas pelo visto isso não causa nenhum efeito nele. Talvez eu não seja bonita o suficiente, talvez eu não tenha idade suficiente. Ele me conta que tem cinquenta e três anos, e eu digo educadamente que não aparenta ter essa idade. Fora o fato de ser gordo, não aparenta mesmo. Sua pele é rosada e branca e totalmente sem rugas. Acho que meu pai parece ser muito mais velho. A propósito, não me importo com a idade das pessoas. O pai de Viggo F. era banqueiro, e seu irmão também é. Ele mesmo é funcionário de uma companhia de seguros contra incêndio, algo de que não gosta, mas é preciso ter um ganha-pão. Ele inclusive já escreveu livros, e eu sinto vergonha por não ter lido nenhum deles. Nem me deparei com seu nome na biblioteca. Minha ignorância me incomoda, e digo a meu amigo que era para eu ter frequentado o ensino médio, mas não foi possível. Não tínhamos dinheiro para tanto. Lentamente, seu braço cinge minha cintura, e uma corrente de calor passa por meu corpo. Será que é amor? Estou tão cansada de minha longa busca por essa pessoa que quero chorar de alívio agora que cheguei a meu destino. Estou tão cansada que não consigo retribuir suas carícias ternas e cuidadosas, mas só fico sentada passivamente, deixando-o alisar meu cabelo e acariciar meu rosto. Você parece uma criança, diz ele com voz suave, uma criança que não consegue lidar muito bem com o mundo adulto. Certa vez conheci uma pessoa, digo, que disse que todo mundo quer usar os outros para alguma coisa. Eu quero te usar para publicar meus poemas. Sim, concorda ele, continuando a me acariciar, mas eu não tenho tanta influência como você pensa. Se as editoras não quiserem seus poemas, não há nada que eu possa fazer. Mas agora vamos dar uma olhada neles. De qualquer forma, posso dar conselhos e apoio. Vou ao banheiro e lá vejo que Viggo F. tem um chuveiro, o que me impressiona demais. Pergunto se posso tomar banho e, rindo, ele diz que sim. Em geral, vou aos banhos públicos na Lyrskovgade de vez em quando, mas custa dinheiro, portanto nunca é muito frequente. A essa altura estou embevecida debaixo do chuveiro, virando-me para lá e para cá e pensando que, se realmente nos casarmos, vou tomar banho todo dia. Quando saio do banho, Viggo F. diz: Você tem pernas bonitas. Levante o vestido um pouco para que eu possa vê-las direito. Não, digo corando, pois tenho um furo numa das meias. Não, só são bonitas do joelho para baixo. Já é meia-noite e preciso voltar para meu pobre quarto. Viggo F. me oferece pagar um táxi para casa, mas eu digo que percorro facilmente aquele pedacinho a pé. E acrescento: Também não sei o que dar de gorjeta ao motorista. Lembre-se de que se fala "chauffeur", diz ele, não "motorista". Isso é muito coloquial. O comentário me magoa e fico com raiva de toda a minha criação, de minha ignorância, minha linguagem, minha total falta de sofisticação e cultura, as palavras que mal conheço. Na hora da despedida, ele me beija na boca, e eu ando pela noite suave de verão recordando todas as suas palavras e gestos. Não estou mais sozinha.

21.

Conheci um monte de famosos. Eu os vi, conversei com eles, fiquei sentada ao lado deles, dancei com eles. A partir do momento em que entrei no salão, eu estava me movimentando num plano totalmente diferente do meu dia a dia. Andava sob uma luz intensa, refletindo como um espelho o brilho dos famosos. Eu espelhava sua imagem, e eles gostavam do que viam. Sorriam lisonjeados e me ofereciam muitos elogios. Até meu vestido eles elogiavam, embora seja de Nina e seja muito grande para mim. No entanto, escondia meus sapatos, que são velhos e gastos e precisam ser substituídos. O tempo todo os famosos se juntavam em grupos ao redor da figura verde de Viggo F., que aparecia e desaparecia como flor-d'água num laguinho ventoso. Ondulava diante de meus olhos, e eu o procurava o tempo todo, pois era minha proteção e meu porto seguro entre todos os famosos. Viggo F. me apresentava a eles com orgulho, como se ele mesmo tivesse me inventado. Minha colaboradora mais nova, disse ele aos fotógrafos da imprensa, retorcendo sorridente seu bigode. Fui fotografada com ele e alguns famosos, e a foto saiu no *Aftenbladet* do dia seguinte. Não ficara muito boa, mas Viggo F. disse que era importante ter uma relação amigável com a imprensa. Fui amigável mesmo. Sorri a noite inteira para todos os famosos que queriam me cumprimentar, e no fim minhas bochechas começaram a doer de tanto sorrir. Também fiquei com dor nos pés de tanto dançar, e quando enfim cheguei lá fora, era tudo tão irreal como um sonho. Não conseguia lembrar quem tinha sido eleito Trigo-Mor e Condimento-Mor. Mas um jovem com quem dancei disse que todos acabavam sendo eleitos em algum momento. Eu também me tornaria Trigo-Mor, era só uma questão de colaborar muitas vezes na revista, não importando a qualidade das colaborações. O jovem também perguntou se eu não queria ir ao cinema numa daquelas noites, mas o rejeitei com frieza. Tenho planos bem diferentes para meu futuro. Através do sindicato, arranjei um emprego como substituta e estou ganhando dez coroas por dia. Nunca tive tanto dinheiro nas mãos. Já paguei a conta do dentista e comprei um terninho cinza-claro com casaco comprido, uma vez que o marrom saiu de moda. Quase não vejo mais Nina, pois a esta altura não tenho nenhum interesse em conhecer um rapaz que talvez queira se casar comigo. Depois que Viggo F. leu meus poemas e fez uma seleção, eu os enviei para a editora Gyldendal, e agora estou aguardando a resposta. Se eles não os quiserem, diz Viggo F., é só mandá-los a outra. Há editoras de sobra. No entanto, tenho certeza de que vão querê-los, já que Viggo F. diz que são bons. Ele conhece a diretora, é uma mulher. Ela se chama Ingeborg Andersen e se veste como homem. Mas não é ela quem decide, esclarece Viggo F. São os consultores. Eles se chamam Paul la Cour e Aase Hansen, e eu não conheço nenhum deles. Não conheço nenhum dos famosos, porque quase nunca leio os jornais e só li autores há muito falecidos. Eu nunca soube que era tão burra e ignorante. Viggo F. diz que vai se encarregar de me incutir um pouco de cultura, e me empresta A Revolução Francesa de Carlyle. Eu o acho muito interessante, mas preferiria começar com a atualidade. Certa noite, quando estou visitando Viggo F., toca a campainha e uma voz grave de mulher soa do hall de entrada. Viggo F. entra com uma mulher baixa, gorducha, cintilante e morena, que aperta minha mão como se pretendesse arrancá-la, dizendo: Hulda Lütken. Hum, então esta é a senhorita? Está ficando tão célebre que é insuportável. Em seguida, depois de sentar-se, ela se dirige o tempo todo a Viggo F., que enfim me convida a sair, pois tem um assunto a tratar com Hulda. Mais tarde ele me explica o que já deu a entender antes, que Hulda não tolera outras poetas. Enquanto espero, passo às vezes lá em casa para visitar meus pais. Meu pai diz que naturalmente será legal se eu conseguir publicar um livro de poesia, mas não é possível viver de ser poeta. Ela também não precisa, rebate minha mãe combativa, esse Viggo F. Møller deve poder sustentá-la. Eu lhes conto sobre o chuveiro e, na sua imaginação, minha mãe também está debaixo do chuveiro. Falo sobre o vinho nas taças verdes e, na sua imaginação, minha mãe também está bebendo dele. Recortaram a foto do *Aftenbladet* e a inseriram na moldura da mulher do marinheiro. É muito boa, diz minha mãe, dá para ver que você arrumou os dentes. Com orgulho, ela anuncia: O médico diz que tenho pressão alta, além disso tenho calcificação das artérias e fígado ruim. Ela está com médico novo, pois o antigo não prestava. Não importava o que minha mãe dissesse que havia de errado com ela, ele alegava sofrer da mesma coisa. O novo médico dá razão a todas as suposições dela, e ela o idolatra. Agora que tia Rosalia morreu e Edvin e eu saímos de casa, ela se preocupa com seu estado de saúde, embora nunca tenha pensado nisso antes. De acordo com o médico, ela está na menopausa, portanto as pessoas a sua volta precisam mostrar consideração por ela. Isso ela explicou a meu pai, que hoje em dia não tem mais coragem de se deitar no sofá, algo que sempre provocou a desaprovação dela. Ele fica sentado lendo e às vezes adormece com o livro na mão. Nunca passo muito tempo em casa, porque me canso de ouvir os sintomas alarmantes dos órgãos internos de minha mãe. Mas sinto pena dela, pois não teve muita coisa neste mundo, e o pouco que teve, ela perdeu. Um dia, ao chegar do trabalho, vejo um grande envelope amarelo sobre a mesa do meu quarto. Fico com as pernas bambas de decepção, já que sei o que contém. Então o abro. Eles me mandaram o livro de volta com algumas poucas linhas de desculpas, no sentido de que só publicam cinco livros de poesia por ano, os quais já foram escolhidos. Pego a carta e levo a Viggo F. Bem, diz ele, era de esperar. Vamos tentar a editora Reitzel. Não se deixe derrubar por isso. Confie em si, caso contrário não conseguirá fazer os outros confiarem. Enviamos os poemas à Reitzel, e um mês depois são devolvidos. Acho que está começando a ficar interessante, afinal sei que os poemas são bons. Viggo F. observa que quase todos os escritores famosos passaram por essa via-crúcis, sim, há quase algo de errado se tudo for fácil demais. No fim, os poemas já rodaram a lista toda, e está difícil manter o ânimo. Então Viggo F. diz que é uma questão de dinheiro. As editoras não ganham quase nada com poemas, por isso preferem não publicar. No entanto, a *Trigo Selvagem* possui um fundo de quinhentas coroas, destinado a casos como o meu. Ele quer dar o dinheiro a uma editora para que publique meus poemas. Decide conversar com seu amigo Rasmus Naver sobre a questão. O sr. Naver concorda em publicar os poemas na sua editora, e eu estou feliz. Ele faz uma visita a Viggo F. para discutir os detalhes. É um senhor gentil e grisalho com sotaque fionês, e eu sorrio o tempo todo para ele com doçura, a fim de que nada em minha pessoa possa fazê-lo desistir da ideia. Ele diz que Arne Ungermann provavelmente vai desenhar a capa de graça e que gosta bastante do título: *Alma de menina*. Enfim deu certo, e não sei como demonstrar minha gratidão a Viggo F. Beijo-o e faço cafuné nos seus cabelos encaracolados, mas ele anda muito distante. É como se, embora sem dúvida queira algo comigo, tem coisas mais importantes em que pensar no momento. Uma noite ele me conta sobre os campos de concentração na Alemanha, concluindo que logo a Europa toda se transformará num grande campo de concentração. Ele também me mostra uma revista na qual escreveu um artigo contra o nazismo, e revela que será perigoso para ele se os alemães algum dia vierem para a Dinamarca. Penso no meu livro de poesia, que será lançado em outubro, e fico com uma estranha sensação de que nunca sairá se a guerra mundial eclodir. Se eles entrarem na Polônia, diz Viggo F., os ingleses não vão aceitar. Eu digo que já aceitaram tanta coisa. Conto-lhe sobre meu período na casa da sra. Suhr. Conto-lhe que toda vez que eu ouvia o discurso de Hitler através da parede no sábado, ele invadia um país inocente no domingo. Viggo F. diz que não entende por que não me mudei antes, e penso que ele não sabe o que significa ser pobre. Mas não digo. Uma noite, Arne Ungermann aparece e me mostra o desenho da capa, que é muito bonito e representa uma jovem nua de cabeça curvada. A figura é recatada e desprovida de qualquer sensualidade. Com caras muito sérias, ele e Viggo F. conversam sobre a situação mundial. Agora estou quase sempre na casa de Viggo F. Møller, e minha mãe acha que seria preferível eu me mudar para lá de uma vez. Quando, pergunta ela impaciente, pretende se casar com ele?

22.

Edvin se separou da mulher. Está morando lá em casa, no meu quarto antigo atrás da cortina de cretone, e minha mãe está feliz, embora ele vá se mudar tão logo conseguir um quarto para alugar. Minha mãe diz que entende perfeitamente por que ele deixou Grete, pois ela só tinha roupa e bobagens na cabeça, e isso homem nenhum aguenta. Mas meu irmão não aceita que falem mal de Grete. Ele diz que o erro foi dele. Ele não a amava, o que não era culpa dela. Essa é a razão por que a deixou ficar com o apartamento. Ela também vai ficar com os móveis, e Edvin continuará a pagar as prestações. Gosto de passar em casa agora que meu irmão está lá. Conversamos sobre meu livro de poesia, e Edvin não consegue entender por que não se pode ganhar dinheiro com algo assim. É um trabalho, diz ele, é deplorável que não seja recompensado. Também falamos da tosse de Edvin e de todas as novas doenças da minha mãe. Conversamos sobre meu trabalho num escritório de advocacia no edifício da Shell, onde posso observar numerosas desavenças entre as pessoas. E falamos muito sobre Viggo F. Møller e o mundo que ele abriu para mim. Sou obrigada a dar uma descrição detalhada de seu apartamento a minha família, especificando a disposição dos móveis, o número de cômodos e o tipo de livros que ocupam as estantes. Digo a meu pai que o próprio Viggo F. escreve livros, e ele comenta que já deve ter lido um deles, mas que não era nada de especial. Meu pai também diz: Ele não é velho demais para você? Minha mãe protesta, afirmando que a idade não importa e que nunca a incomodou o fato de meu pai ter dez anos a mais que ela. A seu ver, o mais importante é que ele seja capaz de me sustentar, de modo que eu possa parar de trabalhar. Todos falam como se ele já tivesse me pedido em casamento, e quando digo que não sei se ele me quer, eles ignoram a questão como se fosse insignificante. É claro, afirma minha mãe, que ele te quer. Que outra razão teria para fazer tanto por você? Reflito sobre o assunto e chego à mesma conclusão. O que me distingue das outras é que escrevo poesia, mas ao mesmo tempo há muita trivialidade em mim. Como todas as outras jovens, quero me casar e ter filhos e uma casa própria. Há algo de doloroso e vulnerável em ser uma jovem que trabalha para ganhar a vida. Não é possível vislumbrar nenhuma luz naquele caminho. Quero tanto ser dona do meu tempo em vez de sempre vendê-lo. Minha mãe pergunta quanto Viggo F. ganha naquela companhia de seguros contra incêndio, achando estranho que eu não faça ideia. Ele é só um proletário de colarinho branco, debocha meu pai cheio de contrariedade, invocando uma enxurrada de palavras indignadas da minha mãe e de Edvin. Se eu fosse proletário de colarinho branco, diz Edvin com raiva, nunca teria tido essa tosse maldita. Pelo menos ele não arrisca ficar desempregado a qualquer momento, secunda-lhe minha mãe, e passar o tempo à toa com um livro enquanto as pessoas decentes vão ao trabalho. Sinta meu pescoço, diz ela de repente para mim, é como se tivesse um nódulo bem aqui. Preciso mostrá-lo ao médico. Vamos contratar uma cozinheira para o casamento, ele obviamente está habituado a comer do bom e do melhor. Sopa, assado e sobremesa, me lembro bem de como era nas casas onde eu trabalhava. Por que não o convida para vir aqui em casa um dia destes? Não sei por que não faço isso. Minha família é minha. Eu a conheço e estou acostumada com ela. Não gosto da ideia de expô-la a uma pessoa de classe social mais alta. Viggo F. até perguntou se pode conhecer meus pais. Diz que gostaria muito de ver as pessoas que produziram uma criatura tão curiosa como eu. Mas acho que pode esperar até nos casarmos. Meu pai e Edvin também falam sobre a iminente guerra mundial. Então minha mãe fica entediada, e eu perco meu bom humor. De repente, é um fato. A Inglaterra declara guerra à Alemanha, e encontro-me entre milhares de outras pessoas caladas, seguindo o noticiário luminoso no edifício do *Politiken*. Estou ao lado de meu irmão e meu pai, e não sei onde está Viggo F. nesta hora fatal. Caminhando para casa, tenho uma sensação dolorosa de vazio no estômago, como se eu estivesse com muita fome. Será que meu livro de poesia sairá agora? Será que a vida cotidiana continuará? Será que Viggo F. se casará comigo agora que o mundo inteiro está em chamas? Será que a sombra maligna de Hitler cairá sobre a Dinamarca? Em vez de acompanhá-los até em casa, tomo um bonde para a residência de meu amigo. Há uma série de famosos lá, e ele não parece me notar. Tomam vinho nas taças verdes e conversam com muita seriedade sobre a situação. Ungermann me pergunta o que acho de seu desenho, e eu lhe agradeço. Afinal de contas, o livro deve sair então. Volto para casa sem ter conversado direito com Viggo F. e durante a noite tenho sonhos perturbadores com a guerra mundial e *Alma de menina*, como se realmente houvesse uma ligação entre eles. Mas já no dia seguinte fica evidente que a vida continua, como se nada tivesse acontecido. No escritório, os casos de divórcio se amontoam, além de disputas de terreno e outros conflitos acirrados entre as pessoas. Gente exaltada fica no balcão perguntando pelo advogado, que quase nunca está lá, e sou obrigada a ouvir cada um apresentar seu caso particular e extremamente importante, e ninguém parece mais pensar no fato de que ontem eclodiu a guerra mundial. Minha senhoria me conta que o quilo da carne de porco subiu cinquenta centavos, enquanto Nina aparece para me confidenciar que conheceu um rapaz maravilhoso e está pensando em deixar Moita outra vez. Nada mudou mesmo, e quando vou para a casa de Viggo F., ele já recuperou seu bom humor, irradiando calma e aconchego em grandes ondas calorosas. Daqui a três semanas, diz ele, seu livro vai sair. Logo você fará a revisão, e aí não deve ficar chateada. Durante a revisão, você nunca acha que está bom o suficiente. Todos passam por isso. Viggo F. não tem o mínimo interesse por pessoas comuns. Ele só gosta de artistas e só se relaciona com artistas. Tudo que é comum em mim tento esconder dele. Escondo dele que estou feliz com o vestido novo que comprei. Escondo que uso batom e ruge e que gosto de me olhar no espelho e virar o pescoço até quase deslocá-lo para ver como fico de perfil. Escondo tudo aquilo que poderia deixá-lo em dúvida sobre se casar comigo. Ele tem razão quanto à revisão. Quando chega a prova, não gosto mais de meus poemas e encontro várias palavras e expressões que poderiam ser melhores. Mas não corrijo demais, pois Viggo F. diz que a impressão ficará muito cara. Nos dias anteriores à publicação do livro, fico no meu quarto todo o tempo que não passo no escritório. Quero estar presente quando chegar meu livro. Uma noite, ao entrar em casa, vejo um grande embrulho sobre minha mesa, o qual abro arrancando o papel com mãos trêmulas. Meu livro! Pego-o na mão e sinto uma felicidade solene que não se parece com nada que já senti. Tove Ditlevsen. *Alma de menina*. Não pode mais ser retirado. É irrevogável. O livro sempre existirá, independentemente da forma como meu destino se configurar. Abro um dos exemplares e leio algumas linhas. São estranhamente distantes e alheias agora que as vejo impressas. Abro mais um exemplar, pois não posso acreditar que diz a mesma coisa em todos eles. Mas diz, sim. Talvez meu livro chegue às bibliotecas. Talvez uma criança que muito secretamente goste de poesia um dia o encontre lá, leia os poemas e sinta algo ao lê-los, algo que os outros não entendem. E essa criança estranha não me conhece. Ela não vai pensar no fato de que sou uma jovem viva que trabalha, come e dorme como qualquer pessoa. Pois eu nunca pensei nisso quando era criança e lia livros. Raras vezes eu lembrava os nomes dos autores. Meu livro estará nas bibliotecas e talvez fique exposto nas vitrines das livrarias. Quinhentos exemplares foram impressos, dos quais recebi dez. Quatrocentas e noventa pessoas vão comprá-lo e lê-lo. Talvez suas famílias também o leiam, e talvez o emprestem a outros, assim como o sr. Krogh me emprestava os dele. Vou esperar até amanhã para mostrar o livro a Viggo F. Esta noite quero estar sozinha com ele, porque não há ninguém que realmente entenda o milagre que ele representa para mim.

DEPENDÊNCIA

PARTE I

1.

Tudo na sala é verde, as paredes, os tapetes, as cortinas, e, nela, sempre estou como que inserida num quadro. Acordo todo dia por volta das cinco horas e começo a escrever sentada na beirada da cama, enquanto encolho os dedos dos pés de frio, pois estamos em meados de maio e já desligaram o aquecimento central. Durmo sozinha na sala, porque Viggo F. foi solteiro durante tantos anos que não consegue de repente se acostumar a dormir com outra pessoa. Entendo isso perfeitamente, e me convém, porque assim tenho essas horas matutinas só para mim. Estou escrevendo meu primeiro romance, e Viggo F. não sabe de nada. Desconfio que, se soubesse, faria correções e me daria bons conselhos, assim como faz com os outros jovens que colaboram na *Trigo Selvagem*, o que estancaria o fluxo de frases que passam por minha cabeça o dia inteiro. Escrevo à mão em folhas amarelas de papel rascunho, uma vez que o acordaria se usasse sua barulhenta máquina de escrever, tão antiga que pertence ao acervo do Museu Nacional. Ele dorme no quarto que dá para o pátio, e só devo acordá-lo às oito. Nessa hora, trajando sua camisa de dormir branca com bordas vermelhas, ele se levanta e vai de cara amarrada ao banheiro. Enquanto isso, preparo o café para nós dois e passo manteiga em quatro fatias de pão branco. Como ele adora tudo o que é gordura, capricho na manteiga em duas delas. Esforço-me ao máximo para agradá-lo, afinal continuo grata por ele ter se casado comigo. No entanto, há algo de errado, mas de propósito evito refletir sobre isso. Por razões inescrutáveis, Viggo F. nunca me tomou nos braços, o que me causa um leve incômodo, mais ou menos como se tivesse uma pedra no sapato. Incomoda-me um pouco e me faz pensar que possuo algum defeito, que de alguma forma não tenho correspondido a suas expectativas. Enquanto tomamos café, sentados um de frente para o outro, ele lê o jornal, e não me é permitido falar com ele. Então minha coragem afunda feito areia em ampulheta, não sei por quê. Fixo os olhos em seu papo, que transborda sobre o colarinho e sempre vibra de leve. Olho para suas mãozinhas delgadas que se movem às sacudidelas, nervosas, e para seus bastos cabelos grisalhos que mais parecem uma peruca, já que o rosto corado sem rugas combinaria melhor com um calvo. Quando, enfim, trocamos algumas palavras, são coisinhas sem importância, o que ele quer para o jantar, ou como podemos consertar o rasgo na cortina blecaute. Fico feliz se ele encontra algo animador no jornal, como, por exemplo, no dia em que anunciaram a liberação da compra de bebida alcoólica, depois de uma semana de proibição decretada pelo poder de ocupação. Fico feliz sempre que ele sorri para mim com seu único dente, afaga minha mão, dá adeus e sai. Não quer dentes postiços, pois diz que em sua família os homens morrem aos cinquenta e seis anos de idade, e já que só lhe restam três anos, para que ter essa despesa? Não há como negar sua mesquinhez, o fato é que a sustentação tão louvada por minha mãe deixa a desejar. Ele nunca me deu uma peça de roupa sequer, e sempre que saímos à noite para visitar algum famoso, ele toma o bonde, enquanto eu sou obrigada a acompanhá-lo de bicicleta a uma velocidade estonteante para poder acenar para ele quando lhe convém. Cabe a mim a contabilidade doméstica, e quando ele confere as contas, acha tudo caro demais. Se eu não consigo fechar a conta, escrevo "diversos", mas aí ele reclama, por isso tomo o maior cuidado para não deixar passar nenhuma despesa. Ele também se queixa da necessidade de ter uma empregada na parte da manhã, já que de qualquer maneira estou em casa sem fazer nada. Mas não posso nem quero fazer a limpeza, portanto nesse ponto ele teve de ceder. Fico feliz ao vê-lo atravessar o gramado verde em direção ao bonde, que para logo em frente à delegacia. Faço-lhe um aceno e, no instante em que me afasto da janela, esqueço-me dele por completo até que reapareça. Tomo banho e me olho no espelho, pensando que tenho apenas vinte anos, mas parece que fomos casados a vida toda. Tenho apenas vinte anos, mas sinto que, para as outras pessoas, a vida fora dessas salas verdes passa correndo como que ao som de tímpanos e tambores, enquanto os dias caem sobre mim tão imperceptivelmente quanto grãos de poeira, um igual ao outro.

Depois de me vestir, falo com a sra. Jensen sobre o jantar e faço uma lista de compras. A sra. Jensen é taciturna e introvertida e se sente um pouco ofendida por não ficar mais sozinha na casa, como estava acostumada. Que absurdo, murmura ela, um senhor da idade dele se casar com uma moça. Ela não diz isso tão alto que preciso responder, e tampouco me preocupo em prestar atenção no que ela fala. O tempo todo penso em meu romance, cujo título já escolhi, sem de fato saber ao certo do que vai tratar. Simplesmente escrevo, e talvez fique bom, talvez não. O mais importante é que me sinto feliz enquanto escrevo, assim como sempre me senti. Sinto-me feliz e esqueço tudo a meu redor até ter que pegar minha bolsa marrom a tiracolo e ir às compras. Então o obscuro desânimo da manhã me invade de novo, pois não vejo outra coisa na rua além de casais apaixonados andando de mãos dadas e olhando profundamente nos olhos um do outro. Para mim, é uma cena quase insuportável. Constato que ainda não estive apaixonada, com a exceção de um breve momento há dois anos, quando voltava para casa do Olympia com Kurt, que, no dia seguinte, partiria para a Espanha a fim de lutar na guerra civil. Talvez já esteja morto, talvez tenha voltado para casa e encontrado outra garota. Talvez não me fosse necessário casar com Viggo F. para avançar no mundo. Talvez eu o tenha feito apenas porque minha mãe queria tanto me ver casada. Enfio um dedo na carne para sentir se está tenra. É algo que minha mãe me ensinou. E anoto em meu papelzinho quanto custa, pois ao chegar em casa não consigo mais lembrar. Terminadas as compras, e depois de a sra. Jensen ter ido embora, esqueço tudo mais uma vez e vou batendo nas teclas da máquina de escrever agora que já não incomodo ninguém.

Minha mãe me visita com frequência, e juntas somos capazes de ficar bem ridículas. Poucos dias depois de eu me casar, ela abriu o armário para examinar a roupa de Viggo F. Ela o chama de Vigguinho, porque, tal como as pessoas em geral, não consegue tratá-lo por Viggo. Nem eu o chamo assim, afinal aquele nome tem algo de bobinho se não se referir a uma criança. Ela esquadrinhou todas as roupas verdes dele perto da luz e encontrou um conjunto que estava tão carcomido que, em sua opinião, ele não deveria mais usar. Com esse tecido, a sra. Brun pode fazer um vestido para mim, decidiu ela. Quando minha mãe põe algo assim na cabeça, nunca adianta se opor, por isso a deixei levar o terno embora sem oferecer resistência, na esperança de que Viggo F. não perguntasse por ele. Algum tempo depois, fomos visitar meus pais. Não o fazemos com muita frequência, pois há algo na maneira dele de se dirigir a meus pais que não suporto.

Fala alto e devagar como se conversasse com crianças retardadas, esforçando-se para procurar assuntos que supõe que os interessem. Durante a visita, ele de repente me cutucou com o cotovelo, em confidência. É curioso, disse ele, retorcendo seu bigode entre o polegar e o indicador, mas você já reparou que o tecido do vestido de sua mãe parece ser idêntico àquele terno que está pendurado no guarda-roupa lá em casa? Logo, eu e minha mãe corremos para a cozinha, caindo na risada.

    Passo por uma fase na qual sinto afeto por minha mãe, uma vez que já não guardo sentimentos profundos e dolorosos por ela. Ela é dois anos mais nova que seu genro, e a conversa dos dois gira exclusivamente em torno de como eu era quando criança. Não me reconheço de forma alguma na descrição que minha mãe faz de suas impressões de mim, é como se se tratasse de uma criança completamente diferente. Sempre que minha mãe chega, escondo o romance na gaveta com chave que tenho no gaveteiro da mesa de trabalho de Viggo F., passo um café e tomo com ela, enquanto conversamos amigavelmente. Falamos sobre como é bom que meu pai por fim tenha conseguido um emprego fixo na usina de Ørsted, falamos sobre a tosse de Edvin e sobre todos os sintomas alarmantes dos órgãos internos de minha mãe, que a atormentam desde a morte de tia Rosalia. Para mim, minha mãe continua bonita e jovem. Ela é pequena e esbelta, e seu rosto, tal qual o de Viggo F., quase não tem rugas. Seus cabelos com permanente são bastos como os de uma boneca, e ela sempre fica sentada na ponta da cadeira, com as costas muito eretas e as mãos segurando a alça de sua bolsa. Senta-se assim como tia Rosalia quando pretendia ficar "apenas um minutinho" porém acabava indo embora depois de várias horas. Minha mãe sai antes de Viggo F. voltar da companhia de seguros contra incêndio, porque em geral ele chega de mau humor e não gosta de ter visitas. Odeia o trabalho de escritório que faz e as pessoas que o cercam diariamente. A meu ver, ele não suporta ninguém que não seja artista.

Depois de comermos e revisarmos as contas da casa, ele costuma perguntar a que ponto cheguei em *A Revolução Francesa*, leitura que deve formar a base de minha cultura, portanto gosto de ter avançado algumas páginas. Levo os pratos para a cozinha, ao passo que ele se deita, tirando uma soneca no sofá, e, por um instante, olho para o globo azul na frente da delegacia, cujo brilho vítreo ilumina a praça deserta. Em seguida, fecho a cortina e me instalo para ler Carlyle, até Viggo F. acordar e querer café. Enquanto bebemos, e se não formos visitar algum famoso, um estranho silêncio se instala entre nós. É como se tivéssemos dito tudo o que tínhamos a dizer um ao outro antes de nos casarmos e esgotado, num piscar de olhos, todas as palavras que deveriam ter durado os vinte e cinco anos seguintes, pois não acredito naquela história de ele morrer daqui a três anos. A única coisa que me preenche é meu romance, e se não posso falar dele não sei sobre o que falar. Há um mês, logo após a ocupação, Viggo F. estava muito assustado, pensando que os alemães o prenderiam por ele ter escrito um artigo no *Social-Demokraten* sobre os campos de concentração. Naquele momento, conversamos muito sobre essa possibilidade, e à noite apareceram seus amigos, igualmente assustados, também com uma coisa ou outra na consciência no mesmo sentido. Agora parecem ter se esquecido do perigo, todos continuam a viver mais ou menos como se nada tivesse acontecido. Todo dia temo que ele me pergunte se já li o manuscrito de seu novo romance, que ele quer mandar para a editora Gyldendal. Está em cima de sua mesa de trabalho, e tentei lê-lo, mas é tão enfadonho, prolixo e cheio de frases retorcidas, erradas, que nunca conseguirei chegar ao fim. O fato de que não gosto dos livros dele contribui para tornar tenso o clima entre nós. Nunca lhe disse isso, mas tampouco os elogiei. Eu apenas disse que não entendo de literatura.

Apesar de as noites em casa serem chatas e monótonas, prefiro-as às noitadas com os famosos. Em sua companhia, torno-me tímida e desajeitada, como se minha boca estivesse cheia de serragem, tão impossível me é dar uma resposta de bate-pronto a suas observações espirituosas. Falam dos quadros deles, de suas exposições, ou de seus livros, e recitam poemas que acabaram de escrever. Como na infância, escrever é, para mim, algo secreto e proibido, extremamente vergonhoso, algo que se faz às escondidas num cantinho quando ninguém está olhando. Eles me perguntam o que ando escrevendo no momento, e eu respondo: Nada. Viggo F. vem em meu socorro. Por enquanto, ela está lendo, diz ele. É preciso ler bastante para poder escrever prosa, o que terá de ser o próximo passo. Fala sobre mim quase como se eu não estivesse presente, e me sinto aliviada quando enfim nos despedimos. Com os famosos, Viggo F. é uma pessoa completamente diferente, jovial, seguro de si, cheio de graça, assim como era comigo no início.

Certa noite, na casa do ilustrador Arne Ungermann, aventam a possibilidade de reunir todos os jovens e desconhecidos colaboradores da *Trigo Selvagem*, os quais devem estar espalhados pela cidade, cada um muito sozinho em seu canto. Com certeza gostariam de se conhecer. No caso, Tove poderia ser presidente da associação, sugere ele, sorrindo gentilmente para mim. A ideia me deixa feliz, pois de resto só vejo pessoas jovens quando uma delas se arrisca a nos visitar para mostrar suas obras e mal se atreve a olhar para mim porque sou casada com o grande homem. A felicidade de repente me dá coragem de dizer algo. Pode se chamar o Clube dos Jovens Artistas, sugiro, e a ideia é recebida com aplausos gerais.

No dia seguinte, encontro todos os endereços na caderneta de Viggo F. e escrevo uma carta muito formal na qual proponho, em resumo, uma reunião na nossa casa em determinada data. Ao colocar todas as cartas na caixa de correio perto da delegacia, imagino como ficarão felizes, pois acho que são tão pobres e solitários como pouco antes eu era, e que vivem em quartos gelados, alugados, por aí. Constato que Viggo F. afinal de contas sabe muita coisa sobre mim. Sabe que estou cansada de conviver apenas com pessoas mais velhas. Sabe que a vida em suas salas verdes muitas vezes oprime meu peito e que não posso passar minha juventude inteira lendo sobre a Revolução Francesa.

2.

Logo o Clube dos Jovens Artistas se torna realidade, e a vida ganha cor e plenitude outra vez. Somos uma dúzia de jovens que se reúnem toda quinta-feira à noite numa sala do porão do Edifício das Mulheres, a qual podemos usar em troca de cada um comprar um café. Custa uma coroa, sem acompanhamento, e quem não tem dinheiro pede emprestado de quem tem. A reunião se inicia com a palestra de uma "águia", uma pessoa famosa entrada em anos, que assim faz um favor pessoal a Viggo F. Nunca escuto uma palavra da palestra, porque estou preocupada em ter de me levantar e agradecer assim que terminar. Sempre digo a mesma coisa: Gostaria de agradecer a excelente palestra. Foi muito gentil de sua parte ter vindo aqui. Em geral, e para nosso alívio, a águia recusa a oferta de ficar para tomar um café conosco. Depois, batemos um papo agradável e descontraído sobre isso e aquilo, mas é raro mencionarmos o que nos une. No máximo, um deles diz casualmente para mim: Você sabe o que Møller acha dos dois poemas que lhe mandei outro dia? Todos o chamam de Møller e se referem a ele com o maior respeito. Graças a ele, não são anônimos, graças a ele podem às vezes ter a sorte de ver seu nome numa resenha na *Trigo Selvagem*, que sempre atrai a atenção da imprensa. Somos apenas três garotas no clube, Sonja Hauberg, Ester Nagel e eu. As duas são bonitas e sérias, dotadas de cabelos escuros, olhos negros e famílias abastadas. Sonja estuda literatura, e Ester trabalha numa farmácia. Temos todos por volta de vinte anos, com a exceção de Piet Hein, o único que não parece ter grande respeito por Viggo F. Piet Hein reclama porque preciso estar em casa antes das onze e nunca posso ir com ele ao Ungarsk Vinhus. Eu, porém, sempre cumpro o combinado, uma vez que Viggo F. fica acordado à minha espera para saber como foi a confraternização. Ele me aguarda com café ou com uma taça de vinho, e nessas horas o vejo com os olhos de meus companheiros e não raro quase chego a lhe mostrar minha metade de romance, mas acabo não conseguindo criar coragem. Piet Hein tem uma cara redonda e uma língua afiada que me amedronta um pouco. No fim da noite, quando ele me leva para casa pela cidade escura e enluarada, costuma parar à beira do canal ou na frente da Bolsa, com seu telhado de cobre azinhavrado e luminescente, antes de abrir minhas mãos como um livro e me beijar longa e apaixonadamente. Pergunta-me por que me casei com aquele excêntrico, eu, que sou tão linda que poderia conquistar praticamente quem quisesse. Dou uma resposta evasiva, pois não gosto que ninguém exponha Viggo F. ao ridículo. Constato que Piet Hein não faz ideia do que significa ser pobre e vender quase todo o seu tempo só para sobreviver. Simpatizo muito mais com Halfdan Rasmussen, que é baixinho, magro, malvestido e vive de assistência social. Temos a mesma origem social e falamos a mesma língua. No entanto, Halfdan está apaixonado por Ester, Morten Nielsen por Sonja, e Piet Hein por mim. Isso se definiu em poucas quintas-feiras. Não consigo decidir se estou apaixonada por Piet Hein.

Seus beijos me fazem sentir várias emoções, mas ele me deixa confusa por querer um monte de coisas ao mesmo tempo comigo, casar, ter filhos e me apresentar a uma fascinante jovem que ele conhece, pois acha que preciso de uma amiga. Quando me abraça, me chama de minha gatinha.

Certa noite, ele leva a tal jovem ao clube. Ela se chama Nadja e claramente está apaixonada por ele. É mais alta do que eu, magra, um pouco curvada e tem feições irregulares, desleixadas, como se vivesse tanto em função dos outros que nunca lhe sobrasse tempo para si mesma. Gosto demais dela. É paisagista, e seu pai é russo. Ele é divorciado, e ela vive com ele. Ela me convida para ir a sua casa, e um dia vou lá depois de mencioná-la a Viggo F. O apartamento é espaçoso e elegante, e Nadja me entretém falando sobre Piet Hein enquanto tomamos chá. Diz que ele prefere ter duas mulheres ao mesmo tempo. Quando ela o conheceu, ele era casado e fez questão de a tornar amiga de sua esposa antes de deixá-la. Agora nunca mais se veem. É uma ideia fixa, observa Nadja calmamente. Ela me interroga sobre minha vida, sugerindo que me divorcie de Viggo F. Por sinal, é uma possibilidade que acaba de me passar pela cabeça. Eu lhe conto sobre nossa falta de relações conjugais, e ela diz que é uma pena e uma vergonha como dessa forma ele está me condenando à condição de infertilidade. Peça o conselho de Piet, propõe ela, enquanto estiver a fim de você, ele fará tudo por ti.

É o que faço certa noite, no momento em que paramos à beira do canal, onde a água bate no cais com um som suave e preguiçoso. Pergunto a Piet o que devo fazer para me divorciar, e ele diz que cuidará da parte prática, desde que eu comunique isso a Viggo F. Garante que pagará as despesas para eu morar numa pensão e que me sustentará melhor do que Viggo F. Talvez eu possa me sustentar sozinha, digo, estou escrevendo um romance. Falo sem cerimônia, como se tivesse escrito vinte romances e esse fosse o vigésimo primeiro. Piet quer saber se pode ler o manuscrito, e eu lhe respondo que ninguém o verá antes de estar pronto. Então ele me pergunta se pode me convidar para jantar em sua casa qualquer noite. Ele mora na Store Kongensgade, num pequeno apartamento onde se instalou depois do divórcio. Aceito o convite e faço Viggo F. pensar que vou visitar meus pais. É a primeira vez que minto para ele e sinto vergonha porque acredita em mim. Está sentado à sua mesa de trabalho, diagramando a Trigo Selvagem. Recorta ilustrações, contos e poemas da folha de prova e cola tudo nas páginas de uma edição antiga. Ele o faz com mão delicada, e sua figura, com a cabeça grande curvada sob a luminária verde, irradia algo que parece felicidade, porque ele ama essa revista, assim como os outros amam suas famílias. Beijo sua boca macia e úmida, e de repente brotam lágrimas em meus olhos. Tivemos algo em comum, não muito mas algo, e agora começo a destruí-lo. Tenho uma sensação de luto porque minha vida está prestes a se tornar mais complicada que nunca. No entanto, penso também como é estranho que eu nunca tenha contrariado a vontade de ninguém, não de verdade. Talvez fique um pouco tarde, aviso, pois minha mãe não está muito bem. Não espere por mim.

E aí, diz Piet animado, foi bom?
Sim, confirmo, sentindo-me feliz. Desde o caso com Aksel, suspeitava que havia algo de errado comigo naquele departamento, mas não há mesmo. Comemos e bebemos, e estou levemente embriagada. Estamos deitados numa larga cama de dossel que Piet ganhou de sua mãe, uma oftalmologista. A sala está cheia de luminárias divertidas, móveis modernos e peles de urso-polar no chão. Num vaso ao lado da cama, há uma rosa que já está começando a perder as pétalas. Foi Piet quem me deu. Ele

também me deu um vestido de veludo azul, que por enquanto terá de ficar pendurado em seu apartamento. Não posso simplesmente levá-lo para casa. Pego a rosa e cheiro. Agora ela não acredita mais na brotação, rio. Isso posso usar, exclama Piet, saltando da cama em trajes de Adão. Senta-se à mesa, pega caneta e papel, e rabisca alguma coisa. Assim que termina, ele me mostra. É um *gruk* para o jornal *Politiken*, no qual publica, diariamente, essas quadras com um remate cortante ou espirituoso. Diz o seguinte:

> *Uma flor levei à cabeceira de minha amada,*
> *uma rosa que passou a noite corando acordada.*
> *Despiu uma pétala, depois duas e outras tais,*
> *de modo que na brotação já não acredita mais.*

Eu o elogio, e ele diz que eu deveria receber metade dos honorários. Para Piet, não há nada de vergonhoso ou secreto no ato de escrever. É tão simples para ele quanto respirar.

Será um rude golpe para Møller, comenta ele com satisfação. Quando vocês se casaram, todos os amigos dele fizeram uma aposta sobre quanto tempo ia durar, se menos ou mais de um ano. Mais de um ano, ninguém acreditou. E então Robert Mikkelsen tratou de elaborar um pacto antenupcial, porque todos achavam que você fugiria com metade dos bens.

Como você é maldoso, digo admirada, como é intriguista.

Não, rebate Piet, só não gosto dele. Ele é um parasita das artes sem ser artista. Nem sabe escrever.

Não é culpa dele, digo sem graça. Não gosto que você fale dele desse jeito. Me deixa de mau humor. Pergunto que horas são, e minha breve sensação de felicidade se esvai aos poucos. Um silêncio úmido, prateado, enche a sala, como se algo fatídico estivesse prestes a acontecer. Não ouço o que Piet diz. Penso em Viggo F. curvado sob a luminária de mesa fazendo a diagramação de sua revista. Penso na aposta dos amigos dele e na impossibilidade de conseguir lhe comunicar que quero o divórcio. Às vezes, diz Piet com suavidade, você fica totalmente absorta, impossível de alcançar. Você é uma garota muito fascinante e acho que te amo. Posso te escrever? A correspondência chega depois que ele sai? Sim, digo, pode me escrever. No dia seguinte, recebo uma carta de amor sua: Minha gatinha, escreve ele, você é a única mulher com quem posso imaginar me casar. Fico assustada e ligo para Viggo F. O que você quer?, pergunta ele, um tanto irritado. Não sei, respondo, só me sinto muito sozinha. Bem, diz ele gentilmente afinal, volto para casa no fim da tarde.

Então pego meu romance e desato a escrever, esquecendo tudo. Está quase pronto. O título será: *Fizeram mal a uma criança*. De alguma forma, é sobre mim, embora nunca tenha vivido as coisas pelas quais passam as personagens.

3.

E isto, diz Viggo F., retorcendo o bigode, um sinal de que está de bom humor, você escondeu de mim todo esse tempo?

Ele está com meu manuscrito na mão, olhando para mim com seus olhos intensamente azuis, tão límpidos que parecem ter acabado de sair da lavanderia. Tudo nele respira limpeza e asseio, e ele cheira a sabão e loção pós-barba. Seu hálito é fresco como o de uma criança, porque não fuma.

Sim, digo, queria te surpreender. Será que realmente é bom?

Surpreendentemente bom, reforça ele, não há uma vírgula para corrigir. Será um grande sucesso.

Sinto-me enrubescer de alegria. Neste momento, não me importo com Piet Hein e meus planos de divórcio. De novo, Viggo F. é a pessoa que sonhei encontrar minha vida inteira. Ele tira a rolha de uma garrafa de vinho e enche as taças verdes. Saúde, brinda ele sorridente, e parabéns. Decidimos mais uma vez tentar a Gyldendal primeiro, embora não quisessem meus poemas. Acabaram de aceitar o romance de Viggo F. que eu não consegui terminar. Ele disse apenas que eu era muito jovem para apreciar seus escritos, e não havia o que fazer em relação a isso. Só por esta noite, somos tão felizes juntos como éramos antes de nos casarmos, e a ideia das palavras que logo terei de lhe dizer é tão distante e irreal quanto a ideia do que vai acontecer daqui a dez anos. É a última noite em que nossa real intimidade ressurge. Estamos a sós atrás da cortina blecaute na sala verde, compartilhamos algo que o mundo ainda não viu, e conversamos sobre meu primeiro romance até passar do nosso horário de dormir e começarmos a bocejar entre os goles de vinho. Viggo F. nunca fica bêbado e não suporta que os outros se embebedem. Muitas vezes já expulsou Johannes Weltzer porque este, embriagado, entusiasmado e suado, anda em círculos falando sobre o romance que está escrevendo. Ele o mata com seu falatório, diz Viggo F., de acordo com quem o dito-cujo escreveu uma única frase boa na vida, a qual reza: Caras me são a inquietude e as longas viagens. De resto, está sempre subentendido que se deve beber com moderação, assim como se deve partir na hora apropriada. Com frequência, recebemos visitas. Nessas ocasiões compro, numa charcutaria da Amagerbrogade, os petiscos já preparados, porque minha capacidade de cozinhar qualquer coisa além do mais básico é tão baixa quanto a de minha mãe.

Certo dia converso com minha mãe sobre meus planos de divórcio. Falo-lhe de Piet Hein, dos presentes que me dá, e de como vai cuidar do meu futuro. Minha mãe franze a testa e reflete bastante. Lá na nossa rua, ninguém se divorcia. Os casais discutem e brigam e vivem como cães e gatos, mas o divórcio está fora de cogitação. Por alguma razão desconhecida, deve ser algo que só se faz nas altas-rodas.

Mas será que ele vai se casar com você, então?, pergunta ela enfim, esfregando o nariz com o indicador, como sempre quando algo lhe causa dor de cabeça. Eu digo que ele não falou sobre isso, mas deve falar. Digo que não aguento mais continuar casada com Viggo F. e que todo dia, por volta da hora de sua chegada em casa, meu coração se aflige. Digo que o casamento foi um equívoco de ambos os lados. Pois é, observa ela, de certa forma te entendo. Também, quando andam pela rua, é muito ridículo o fato de ele ser bem mais baixo que você. Minha mãe é incapaz de se colocar no lugar de outra pessoa, algo que a impede de se aproximar demais de mim, e isso me convém.

Já estou indo para a casa de Piet Hein toda quinta-feira depois da reunião. Digo a Viggo F. que as discussões após a palestra se prolongam por muito tempo e que não ficaria bem se eu, como presidente, fosse a primeira a sair. Falo que não deve me esperar, mas só ir dormir. Enquanto dorme, nada é capaz de acordá-lo, e ele não sabe a que horas chego em casa. Mas por que, pergunta Piet impaciente, você não abre o jogo com ele? Continuo prometendo que vou lhe contar tudo no dia seguinte, mas no fim tenho uma sensação desesperada de que nunca conseguirei fazê-lo. Tenho medo de sua reação. Temo brigas e confrontos, e sempre penso com horror na época em que meu pai e meu irmão brigavam toda noite, a ponto de nunca haver paz em nossa salinha. Se não tiver coragem de conversar com ele, comenta Piet uma noite, pode simplesmente se mudar sem mais nem menos. Seja como for, você não tem o direito de levar nada além de sua roupa. No entanto, não posso fazer isso, seria deselegante demais, cruel demais, ingrato demais. Piet ainda diz que preciso dar um pouco mais de atenção a Nadja, que está arrasada porque ele a deixou. Eu a visito com frequência mesmo. Ela fica sentada numa cadeira de aço e estica suas pernas compridas, enquanto esfrega irritada o rosto, como se quisesse rearranjar todas as suas feições. Diz que Piet é uma pessoa perigosa, destinada a deixar muitas mulheres infelizes. Agora que ele a largou, ela quer mudar sua vida. Quer fazer faculdade e cursar psicologia, pois sempre se interessou mais pelos outros do que por si mesma. Será a salvação dela. Com pesar, ela diz: A ti também ele vai trair. Um dia, ele chegará e dirá: Encontrei outra, tenho certeza de que você será capaz de levar isso na esportiva. "Na esportiva", essa é sua expressão predileta. Ela também diz que devo me divorciar de qualquer forma, e que Piet pode ser uma boa desculpa para eu pular fora. Não me preocupo muito com o que ela fala, afinal de contas é uma mulher traída e, portanto, cheia de amargura.

Às vezes fico um pouco cansada de Piet Hein quando, abraçado comigo, ele elabora planos para meu futuro. Canso-me de ele querer remexer, mudar e tocar minha vida, como se eu mesma fosse totalmente incapaz de gerenciá-la. E gostaria que ele me deixasse em paz. Gostaria que a vida continuasse assim para sempre. Gostaria de transitar entre ele e Viggo F. sem perder nenhum dos dois e sem grandes reviravoltas. Sempre detestei mudanças e encontro refúgio na permanência das coisas. Mas a situação não pode continuar. A esta altura, consigo olhar para os casais de namorados na rua, mas desvio o olhar ao ver mães com crianças pequenas. Evito olhar dentro dos carrinhos de bebê e pensar nas garotas da nossa rua, que se orgulhavam de esperar até os dezoito anos para ter filhos. Enterro todos os meus pensamentos naquela direção, pois Piet toma cuidado para não me engravidar. De acordo com ele, as poetas não devem ter filhos, há mulheres em abundância para isso. Para escrever livros, porém, há poucas.

De repente, minha sensação de infelicidade lá pelas cinco horas da tarde se agrava. Enquanto estou na cozinha pondo as batatas para cozinhar, meu coração começa a palpitar intensamente, e a parede de azulejos brancos atrás do fogão tremeluz diante de meus olhos, como se os azulejos estivessem prestes a cair. Assim que Viggo F. entra pela porta com sua carranca sombria, começo a falar freneticamente, como que para mitigar algo horroroso, não sei o quê. Continuo falando durante nossa refeição, ainda que suas respostas não passem de monossílabos. Estou com pavor de que ele diga ou faça algo inacreditável, irreversível, algo que ele nunca tenha dito ou feito. Se eu conseguir chamar sua atenção, a batida do coração se atenua um pouco, e posso respirar com calma até haver outra pausa na conversa. Falo sobre qualquer coisa, sobre a sra. Jensen, que, quando lhe mostrei um desenho que Ernst Hansen fez de mim, disse: Foi desenhado à mão? Falo sobre minha mãe, sobre sua pressão arterial, que agora está muito alta, embora antes sempre tenha sido muito baixa. Falo sobre meu livro, que foi devolvido pela Gyldendal, com um parecer curioso, insinuando que eu teria lido Freud em excesso. Nem sei quem é Freud. Já mandei o livro para outra editora, cujo nome é Athenæum, e todo dia aguardo ansiosamente a resposta. Certa noite, ele nota minha inquietação e diz que me tornei uma verdadeira tagarela. Conto-lhe que não estou muito bem. Acho que tenho um problema no coração. Tolice, ri ele, na sua idade não, deve ser coisa dos nervos. Ele me olha com preocupação e pergunta se há algo que está me atormentando. Eu lhe garanto que não, não podia estar melhor. Quero ligar para Geert Jørgensen, conclui ele então, e marcar uma consulta para você. Ele é especialista em psiquiatria. Eu mesmo já o consultei muitos anos atrás. Um homem muito sensato.

 De modo que me encontro diante do psiquiatra, um homem grande e ossudo, com olhos enormes que parecem prestes a saltar das órbitas. Eu lhe conto tudo. Falo-lhe de Piet Hein e confesso que pelo visto nunca conseguirei comunicar a Viggo F. que quero o divórcio. Geert Jørgensen me dá um sorriso incentivador, enquanto brinca com um abridor de cartas sobre a mesa.

Ao fim e ao cabo, diz ele, é interessante estar entre dois homens, não?

Sim, admito espantada, porque de fato é.

A senhora deve se desligar de Møller, afirma ele sem rodeios, afinal é um casamento absurdo. Como a senhora talvez saiba, sou médico-chefe do sanatório de Hareskov. Vou sugerir ao editor que a senhora se interne lá por um período. Então eu cuidarei do resto. Assim que a senhora estiver fora do alcance da vista dele, essa neurose cardíaca passará.

Ele telefona imediatamente para Viggo F., que não tem nada contra a ideia. Já no dia seguinte, arrumo minha mala e vou para Hareskov, onde me dão um quarto particular com vista para a floresta. Converso mais uma vez com o médico-chefe, que diz que Piet Hein não pode me visitar até tudo estar resolvido. Ele mesmo vai lhe telefonar e pedir que fique longe. No sanatório, há apenas senhoras da idade da minha mãe, muito elegantes e bem-vestidas, algo que me faz sentir o peso de minhas roupas surradas e pensar em todos os terninhos que Piet me deu mas que ainda não posso usar. Os dias passam tranquilos, e meu coração sossega por completo. Alugo uma máquina de escrever em Bagsværd e escrevo um poema, "O eterno triângulo": Há neste mundo dois homens, que sempre me cruzam o caminho, um é aquele que amo, o outro me ama sozinho. Mas na verdade não sei se amo Piet Hein, e ele tampouco diz que me ama. Envia-me chocolates e cartas, e um dia me manda uma orquídea numa comprida caixa de papelão. Ponho-a num vaso estreito que deixo na mesa de cabeceira e não penso mais no assunto. No dia em que conversará com o médico-chefe, Viggo F. passa primeiro no meu quarto. Mal me dá bom-dia, logo avista a orquídea. Fica pálido e se apoia na borda de uma cadeira. Assustada, vejo que seu lábio inferior está tremendo fortemente. Isso daí, diz ele com a voz trêmula, apontando para a orquídea, de quem você ganhou? Há mais alguém?

Ah, não, respondo sem demora, foi enviado anonimamente, algum admirador secreto.

Enquanto digo isso, penso em minha mãe, cujas respostas de bate-pronto admirei, não sem resultado, minha infância inteira.

4.

O outono chegou, e eu ando a esmo na floresta, usando um conjunto preto com gola de ocelote. Caminho sozinha, porque meu mundo é completamente diferente do das outras mulheres, com quem apenas travo conversas perfunctórias na hora das refeições. Piet Hein me visita todo dia. Ele traz chocolates ou flores, e damos voltas sem fim pela floresta, enquanto me conta que está procurando uma boa pensão onde eu possa morar e me parabeniza pelo brilhantismo da maneira como me livrei de Viggo F. Constato que você não se livra de uma pessoa só porque não mais a vê, mas esse tipo de coisa é impossível explicar a Piet, que é prático, pé no chão e nada sentimental. Beija-me com ar alegre de possuidor sob as árvores policromas, cujas folhas caem lenta e silenciosamente sobre nós, e nota que não pareço tão feliz como deveria ser. Já lhe mostrei a carta que recebi de Viggo F., mas ele só riu e disse que não se poderia esperar outra coisa de um homem decepcionado e ressentido. Viggo F. escreveu: Cara Tove, chegou uma mensagem da editora dizendo que seu livro foi aceito. Estou te enviando o cheque anexado. E embaixo, sua assinatura. Virei e revirei a folha de papel, mas não dizia mais nada. Estou chateada com aquela carta, embora me sinta feliz por eles aceitarem meu livro. Estou triste porque penso em nossa última noite agradável, naquilo que compartilhamos, aquilo que agora está desfeito. O médico-chefe me informa que Viggo F. não quer o divórcio, pois é da opinião de que me arrependerei do relacionamento com Piet Hein. Dele, Viggo F. jamais gostou por conta de seu jeito irônico, e os dois se encontraram apenas poucas vezes. Também recebi uma carta de Ester, dizendo que estão sentindo minha falta no clube. Ela pergunta se tenho algo contra ela atuar como presidente durante minha ausência. Não conseguiu fazer Viggo F. revelar onde eu estava, mas apertando o pomposo Piet, logrou obter meu endereço. Se eu estivesse em casa com Viggo F., teria dado um jantar num restaurante caro para comemorar a ocasião. Não tenho vontade de oferecer um jantar a Piet, porque está subentendido que é ele quem deve oferecer. E penso com aflição no meu futuro, afinal de contas havia certa segurança nos aposentos verdes. Havia uma segurança na ideia de ser uma mulher casada que fazia compras e preparava o jantar todos os dias, mas agora tudo isso está desfeito. Piet nunca fala em casar e não se importa se Viggo F. quer ou não o divórcio.

Enfim, Piet encontra uma pensão adequada, e eu me instalo ali com a sensação de novamente ser uma jovem cuja existência é frágil, temporária e incerta. Tenho um quarto confortável e bem iluminado, com mobília bonita, e sou atendida por uma camareira de touca na cabeça. Com meu adiantamento, comprei uma máquina de escrever, na qual estou passando meus poemas a limpo, pois comecei a escrever poemas de novo. Piet diz que devo tentar vendê-los a uma das revistas que publicam coisas desse gênero, mas tenho medo de que não os queiram. Quando eu e Piet passamos as noites na cama estreita batendo papo, penso como é curioso que nunca me conte nada sobre si mesmo. Seus olhos brilham foscos feito uvas-passas, e seu sorriso deixa à vista todos os seus dentes limpos e brancos. Continuo sem saber se estou apaixonada por ele. Sinto-me oprimida pelo fato de que ele me sustenta, e anseio por ter uma casa, um marido e filhos, assim como todas as jovens da minha idade. A pensão fica no Åboulevard, e os membros do clube me visitam sempre que passam por ali. Aí tomamos café, o qual posso pedir apertando um botão. Conversamos sobre a palestra de Otto Gelsted no clube. Tratava do engajamento político dos artistas, mas a discussão caiu por terra, porque nenhum de nós é politizado. Morten Nielsen está sentado na beirada de meu divã com seu rosto grande e anguloso apoiado nas mãos como num berço. Talvez, reflete ele, devêssemos nos juntar à resistência. Acho isso estúpido, porque a supremacia das forças ocupadoras é grande demais, mas não o contrario. Quem sabe o desprezo do meu pai por Deus, pelo rei e pela pátria tenha me contagiado, pois sou incapaz de odiar os soldados alemães que marcham pelas ruas. Estou muito ocupada com minha própria vida, com meu futuro inseguro, para pensar em termos nacionais neste momento. Sinto falta de Viggo F. e esqueço que conviver com ele me deixou doente. Tenho saudades de mostrar meus poemas a ele e estou com inveja de meus colegas que podem visitá-lo para lhe mostrar seus escritos. No entanto, o médico-chefe me mandou deixá-lo totalmente em paz. Um dia, Ester chega e me conta que prometeu cuidar da casa para ele. Foi mandada embora da farmácia onde trabalhava porque sempre chegava atrasada, então é uma boa oportunidade. Está com meio romance escrito, que agora espera ter tempo de terminar. Diz que, depois que eu fui embora, ele não aguenta ficar sozinho.

  Certa tarde, após um mês morando na pensão, recebo uma visita de Piet, que parece muito animado e um tanto ansioso.

Não me beija como de costume, mas senta-se, tamborilando de leve no chão com uma bengala de cabo de prata que adquiriu recentemente. Tem algo que preciso te contar, enceta ele, olhando de esguelha para mim com seus olhos de uva-passa. Pendura a bengala no espaldar da cadeira e esfrega as mãos, como se estivesse com frio ou para mostrar satisfação maliciosa. Ele diz: Tenho certeza de que você será capaz de levar isso na esportiva, não é mesmo? Prometo que o levarei na esportiva, mas sua postura me assusta. De repente, ele parece um completo estranho que nunca me tomou nos braços. Outro dia, prossegue ele depressa, conheci uma jovem, muito bela, muito rica. Ficamos apaixonados instantaneamente, e agora ela acaba de me convidar para uma mansão na Jutlândia, coisa da família dela. Viajo amanhã, você não fica chateada por causa disso, né? Sinto vertigens, porque como ficará o aluguel agora, como ficará meu futuro agora? Nada de lágrimas, ordena ele, fazendo um gesto imperioso com a mão. Pelo amor de Deus, leve isso na esportiva. Afinal, ninguém é dono de ninguém. Não consigo responder, mas de repente me parece que as paredes estão se inclinando para dentro, de modo que tenho vontade de contê-las. Meu coração palpita fortemente, tal qual batia quando adoeci por estar com Viggo F. Antes de eu emitir um som ou fazer um gesto, ele já saiu porta afora, tão depressa como se tivesse passado pela parede. Aí vem o choro. Deito-me no divã e verto lágrimas no travesseiro, pensando em Nadja, eu deveria ter dado ouvidos a seus alertas. Tenho dificuldade de parar de chorar, quem sabe eu não estivesse um pouco apaixonada por ele, afinal?

De repente, alguém bate à porta, e Nadja entra de gabardina amassada sobre as calças compridas. Senta-se calmamente no divã e afaga minha cabeça. Piet pediu que eu desse uma passada, diz ela, vê se para de chorar, ele não vale uma lágrima. Enxugo os olhos e me levanto. Você tinha razão, digo, foi a mesma coisa que aconteceu com você. E a esportiva?, pergunta ela rindo, você também devia levar isso na esportiva? Acabo dando risada, e o mundo se torna um pouco melhor outra vez. Isso mesmo, confirmo, na esportiva, como ele é ridículo. É, admite Nadja, mesmo assim ele tem algo que faz as mulheres caírem, só que depois você nem consegue entender o que é. Depois, ele não passa de um motivo de riso. Por um momento, ela fica com uma expressão pensativa em seu semblante dócil de feições carregadas. Aliás, ele escreve umas cartas boas, diz ela então, guardei todas. Escreveu para você também? Ih, sim, digo, e vou até a gaveta da cômoda, de onde tiro um maço inteiro de cartas, que amarrei com laço vermelho. Deixe-me ver, pede Nadja, se você não se importa. Entrego-as a ela, que lê algumas linhas da primeira e logo joga a cabeça para trás, rindo tanto que mal consegue parar. Ai, meu Deus, desabafa ela e declama: Minha gatinha, você é a única mulher com quem posso imaginar me casar. É absolutamente insano, exclama ela, abrindo a boca de espanto, é exatamente o que ele escreveu para mim. Prossegue com a leitura e alega que é ipsis litteris a mesma carta que tem guardada em casa. Ajeita-se sobre as pernas dobradas, os cabelos desgrenhados lhe caem sobre a testa. Sabe o quê, observa ela, ele deve mandar copiá-las em algum lugar. Só Deus sabe quantas gatinhas ele tem por aí. Quando abandonar aquela mulher da mansão, vai mandar você consolá-la. Fico séria de novo e explico a Nadja que não posso continuar a morar na pensão, é caro demais, e não tenho um centavo. Aí ela sugere, tal qual Piet, que eu tente vender meus poemas, pois também acha que seria muito triste se eu fosse voltar a trabalhar em algum escritório. Vá lá no vespertino esquerdista, diz ela, Piet vendeu um monte de poemas lá, todos aqueles que eles não queriam no *Politiken*. Agora você precisa viver de sua pena, aquela história de ser sustentada não presta, deve ser algo que você aprendeu em casa.

Já no dia seguinte dirijo-me à redação com três poemas. Sou encaminhada ao editor, que é um senhor de idade com uma grande barba branca. Enquanto lê os poemas, me dá uns tapinhas no traseiro, abstraída e mecanicamente. São bons, diz ele então, a senhora pode sair pelo caixa e sacar trinta coroas. Depois, vendo poemas à revista do *Politiken* e à *Hjemmet*, além de escrever um artigo para o *Ekstrabladet* sobre o Clube dos Jovens Artistas. Torna-se viável continuar a morar na pensão. Por meio de Ester, fico sabendo que Viggo F. está morrendo de saudades de mim, a ponto de ela ter que lhe fazer sala toda noite por horas a fio antes de ele ir para a cama. Peço a ela que lhe pergunte se quer me ver, mas ele não quer. Nem a deixa citar meu nome. Sinto mais falta dele que de Piet Hein, e exceto pelas visitas ocasionais de meus colegas do clube, não vejo ninguém.

Certa noite chega Nadja, que, como de costume, está vestida como se tivesse escapado por um fio de uma casa em chamas. Você precisa de um círculo social, declara ela, acho que está muito sozinha no mundo. Conheço alguns jovens lá no Sydhavnen que adorariam te conhecer. São todos universitários que frequentaram o Colégio Interno de Høng. Vão fazer uma festa à fantasia no sábado, você quer ir? O mais charmoso deles é o filho do diretor. Chama-se Ebbe e é a cara de Leslie Howard. Tem vinte e cinco anos e estuda economia quando não está bebendo. Em certa época eu estava loucamente apaixonada por ele, mas ele nem ficou sabendo. Tem um fraco pelo tipo poético, loiras de cabelos compridos, como você. Olha só, digo, você é uma verdadeira casamenteira. Prometo ir no sábado, porque é verdade que preciso confraternizar com jovens que não sejam artistas. Feliz, arrumo meu divã e me deito com um vago desejo no coração de me deitar nos braços de alguém. Penso no tal de Ebbe antes de dormir. Como será que ele é? Será que realmente pode ficar caidinho por alguém como eu? Os bondes andam rangendo pela noite, como se estivessem atravessando a própria saleta. Neles, há pessoas que estão saindo para se divertir, pessoas bem comuns, que querem inserir eventos deslumbrantes entre o cair da noite e o raiar do dia, quando precisam levantar cedo e ir trabalhar. Fora o fato de escrever, eu também sou bastante comum e sonho com um jovem comum que tem um fraco por loiras de cabelos compridos.

5.

A caminho do Sydhavnen, Nadja me conta um pouco sobre o Círculo das Lanternas, nome que surgiu por alguma razão desconhecida. É formado por ex-alunos do Colégio Interno de Høng, que vieram a Copenhagen para frequentar a universidade e se dedicar aos estudos, só que não fazem grande coisa além de cair na farra, se embebedar ou curar ressacas. Pedalamos contra o vento. Chove e faz frio. Estou fantasiada de menininha, com vestido curto, laço no cabelo, meias de joelho e sapatos rasos. Pus uma blusa de lã sobre o vestido, por cima dela tenho uma gabardina igual à de Nadja e, no pescoço, um lenço vermelho com a ponta virada para trás. É a última moda desta época. Nadja representa uma jovem apache, e suas longas calças pretas de seda esvoaçam, produzindo fortes estalos contra o protetor da corrente. Conta-me que é um grupo de cabeça bem aberta. São todos paupérrimos e recebem pouca ajuda financeira de casa. A festa terá lugar no apartamento de Ole e Lise, que são casados e têm um bebê. Ole faz arquitetura, e Lise trabalha em escritório, enquanto sua mãe, que é viúva e mora ao lado, cuida do pequeno.

Vivem à base de cogumelos do lixão, acrescenta ela, que fica ali perto. Também me informa que é uma festa aonde todos levam alguma coisa, mas as mulheres não precisam levar nada. Nenhum homem, explica ela, é aceito no grupo, mas sempre há falta de mulheres. Na hora que chegamos, todos estão sentados à mesa numa sala grande e iluminada, mobiliada com peças finas, antigas. Comem sanduíches, a maioria deles com *ramona*, uma espécie de mistura de cenoura com cor venenosa. Para acompanhar, bebem *pullimut*, a única bebida que qualquer um consegue comprar. O clima já está animado, e todos falam ao mesmo tempo. Cumprimento Lise, uma jovem bonita e delgada com rosto de madona. Ela me dá as boas-vindas, e logo entoam uma canção improvisada com alusões incompreensíveis a cada um dos convivas. Ole se levanta e faz um discurso. Sua cara é achatada, escura, infindável, com dois sulcos profundos que vão do nariz à boca, fazendo-o parecer muito mais velho do que é. Está sempre puxando as calças para cima, como se estivessem grandes demais para ele, e não usa fantasia como os outros. Diz que estão orgulhosos de ter uma poeta em sua casa e lamenta que Ebbe esteja acamado na casa da mãe com febre de trinta e nove graus. Pegou uma gripe de última hora. Depois, afastam a mesa, e Nadja e Lise recolhem os pratos. Põem a vitrola para tocar, e começamos a dançar. Danço com Ole, que se curva sobre mim, puxa as calças, ri acanhado e se oferece para ir buscar Ebbe. Ebbe mora do outro lado do pátio e, diz Ole, está ansioso para me conhecer. Um pouquinho de febre, observa ele, não tem importância. Em seguida, ele sai com outro rapaz na escuridão da noite para buscar Ebbe. O clima já está descontraído, estão todos um pouco bêbados. Perguntando se quero ver o pequeno, Lise me leva ao quarto do bebê. É um menino de seis meses, e sinto uma pontada de inveja ao vê-la dar de mamar. Ela não é mais velha que eu, e me parece que desperdicei o tempo porque ainda não tive filhos. Na nuca, logo abaixo da linha do cabelo, o bebê tem uma leve reentrância sombreada que se move ritmadamente enquanto ele mama. De repente, a porta se abre. É Ole que está ali puxando seus cabelos pretos e encaracolados. Ebbe chegou, anuncia ele, você não quer cumprimentá-lo, Tove? Acompanho-o até a sala, onde o barulho já está lancinante. Do lustre, pende a capa de um disco, e serpentinas de todas as cores meandram entre os móveis além de adornar os ombros e cabelos dos dançantes. No meio de tudo, está um jovem trajando um roupão azul sobre seu pijama listrado e um gigantesco cachecol enrolado várias vezes no pescoço. Esse aqui é Ebbe, declara Ole orgulhoso, e lhe aperto a mão, que está úmida de febre. Tem um semblante dócil e suave com feições delicadas, e tudo indica que é a figura central da panelinha. Seja bem-vinda ao Círculo das Lanternas, diz ele, espero que... Olha em volta com uma expressão de desamparo, perdendo o fio da meada. Ole lhe dá um tapinha no ombro. Não vai dançar com Tove?, pergunta. Ebbe me observa por um momento com seus olhos oblíquos. Logo faz um gesto largo com a mão e recita sussurrando em alemão: As estrelas, não as desejamos. Bravo, exclama Ole empolgado, ninguém mais pensaria em soltar essa tirada. Seja como for, Ebbe dança comigo. Sua bochecha quente procura a minha, e nossos passos se tornam incertos. De repente os outros fazem uma roda em volta dele, lhe estendem um copo, mexem em seu roupão, perguntam como se sente. Outro rapaz sai dançando comigo, e por um momento perco Ebbe de vista. A vitrola toca no último volume, Ole, no entanto, está sentado num cantinho com os ouvidos grudados a um alto-falante improvisado para ouvir a transmissão da BBC. A esta altura, todos estão bêbados, e muitos passam mal. Nadja os pega e leva ao banheiro, segurando-lhes a testa enquanto vomitam. Ela ama isso, comenta Lise, dando risada. Está fantasiada de Colombina, e sob todos os babados dá para ver seus seios grandes e firmes. Pergunto-me se é verdade que amamentar deixa o busto bonito, e depois danço com Ebbe outra vez, que afinal de contas deseja as estrelas, pois sugere que entremos no quarto ao lado para descansar. Deitamos numa cama, e ele me toma nos braços, como se nesse grupo isso fosse algo normal de fazer sem preliminar alguma. Pela primeira vez na vida, sinto-me feliz e apaixonada. Acaricio seus volumosos cabelos castanhos, que se enrolam na nuca, e olho nos seus olhos estranhamente oblíquos, cujo azul tem pontinhos castanhos. Ele diz que é porque sua mãe tem olhos castanhos, algo que acaba sempre se manifestando de uma forma ou de outra. Pergunta se pode me visitar na pensão, e eu digo que sim. Ele estende a mão para o chão em busca da garrafa que trouxe para o quarto, e ambos bebemos dela. Depois caímos no sono. De manhã cedo acordo sem entender onde estou. Ebbe ainda está dormindo, e seus cílios curtos e arrebitados raspam de leve o travesseiro. De repente, vejo outro casal numa cama de criança estendida ao longo da outra parede. Estão dormindo abraçados, e não consigo lembrar deles na noite anterior. No chão, há uma pilha de fantasias diversas. Levanto-me de mansinho e vou até a sala, que mais parece um campo de batalha. Nadja já está arrumando tudo. Ela limpa o vômito nos cantos e, bem-disposta, decreta: A desgraça daquele *pullimut*, ninguém consegue tolerar. E Ebbe é um fofo, não? Bem diferente daquele idiota de Piet. No quarto de bebê, Lise dá de mamar. Tome cuidado com esse Ebbe, diz ela, olhando sorridente para mim, ele é um conquistador.

Visto minha gabardina, amarro o lenço vermelho no pescoço e entro no quarto para me despedir de Ebbe. Ai, meu Deus, minha cabeça, geme ele. Assim que me livrar dessa gripe, vou te visitar. Você está um pouquinho apaixonada por mim? Estou, digo, e ele pede desculpas por não poder me acompanhar até a entrada. Vejo que está ardendo de febre, e digo que não tem problema. Então volto sozinha para casa de bicicleta. O dia ainda não clareou totalmente. Os pássaros cantam como se estivéssemos na primavera e me sinto feliz em pensar que um universitário está apaixonado por mim. Tenho uma vaga sensação de que é uma espécie de posição vitalícia.

Depois de se recuperar, Ebbe começa a me visitar toda noite, e eu falto às reuniões do clube, porque não quero perder suas visitas. Ele nunca passa a noite, pois teme um pouco sua mãe, a viúva do diretor do colégio interno. Além disso, tem um irmão mais velho que também mora com a mãe e não consegue criar coragem para sair de casa, apesar de estar com vinte e oito anos. Na hora de ir embora, Ebbe enrola seu comprido cachecol tantas vezes no pescoço que ele chega até o nariz, pois é um inverno frio de rachar. Sempre que dá o beijo de despedida, fico com lã na boca.

Começo a frequentar a casa de Lise e Ole, e também visito a mãe de Ebbe. Ela é uma velhinha de baixa estatura que fala sobre tudo como se estivesse relatando uma desgraça. Desde que meu marido faleceu, diz ela, só me restam meus dois meninos. Ela me fita sabiamente com seus olhos negros e vivos, por certo receosa de que lhe tire um dos filhos. O irmão de Ebbe se chama Karsten. Está cursando engenharia e vive pensando em como dizer a sua mãe que quer sair de casa. Falta-lhe coragem. A mãe de Ebbe é filha de pastor da linha grundtviguiana e me pergunta se acredito em Deus. Quando digo que não, ela me olha pesarosa e diz: Ebbe também não acredita, tomara que voltem suas almas ao Senhor. Toda vez que ela faz esse tipo de discurso, Ebbe fica sem graça.

Ebbe nunca toma providências quando dormimos juntos. Já lhe contei que quero ter um filho e que serei capaz de sustentá-lo. Todo mês coloco uma cruz vermelha no meu calendário de bloco, mas o tempo passa e nada acontece. Aí meu romance sai, e no dia seguinte minha senhoria entra correndo nos meus aposentos com o *Politiken*. A senhora está no jornal de hoje, diz ela esbaforida, algo sobre um livro, olhe aqui. Abro o jornal e não acredito no que vejo. No espaço mais nobre da publicação, ao lado da seção "Dia a dia", Frederik Schyberg tem uma resenha que ocupa duas colunas. O título diz: "Inocência refinada". É uma resenha entusiasmada, e fico tonta de alegria. Logo depois, chega um telegrama de Morten para mim que reza: Louvado seja Schyberg e o verdadeiro gênio. Mais tarde ele aparece em pessoa e, enquanto tomamos café, fala que os boatos correm no clube. Dizem que não me importei em usar Viggo F. por um tempo, mas o descartei tão logo consegui me virar sozinha. Digo a Morten que há alguma verdade nisso, mas ainda assim me dói, porque não é toda a verdade. No dia seguinte, há um *gruk* sobre mim no *Politiken*:

Meu chapéu de poeta, não costumo tirar
para uma fulana, sicrana ou Tove qualquer,
mas agora é hora de festejar.

Por uma estreia incontestável ser
um sucesso tão grande, receio confessar
que mal a uma criança deve fazer.

Pelo visto, ele ainda pensa um pouco em sua gatinha. De resto, ele se casou com a mulher da mansão e não frequenta mais o clube.

De repente, esqueço tudo isso, pois minha menstruação está atrasada alguns dias. Converso com Lise, que me aconselha a levar uma amostra de urina ao médico para fazer o exame. O médico promete me ligar assim que sair o resultado, e nos dias que se seguem, quase não me afasto do telefone. Finalmente, ele me liga, dizendo em voz bem normal: O teste deu positivo.

Terei um filho. Mal posso acreditar. Um pedacinho de muco dentro de mim vai se expandir e crescer a cada dia até eu me tornar gorda e disforme tal qual Rapunzel na minha infância. Ebbe não fica nem de longe tão feliz quanto eu com a notícia. Vamos ter que nos casar, pondera ele, e preciso contar isso à minha mãe. Pergunto se tem algo contra se casar comigo, e ele diz que não. É só que somos muito jovens e não temos onde morar. A ideia de tantas mudanças radicais o deixa com uma expressão de desamparo nos olhos, e eu beijo sua boca delicada e dócil. Sinto que já tenho força para três. Aí me lembro de que ainda não sou divorciada, e escrevo uma carta gentil a Viggo F. pedindo-lhe o divórcio, já que vou ter um filho. Ele responde ofendido: Tenho uma única coisa a dizer: Que diabos! Procure um advogado para resolver isso o quanto antes. Quando mostro a carta a Ebbe, ele diz: Como é ridículo, o que você viu nele, afinal?

No período que se segue, Ebbe com frequência me visita bêbado. Ele desenrola o cachecol com movimentos rígidos, enrolando a língua toda vez que quer dizer alguma coisa. Eu não presto, lastima-se, você merece um homem melhor. Ainda não consegui contar a novidade à minha mãe. Mas no fim ele toma coragem e lhe conta. Sua mãe chora como se fosse uma desgraça, declarando que agora não tem mais nada pelo que viver. Lise me explica que Ebbe não suporta lágrimas ou censuras. Diz que ele é uma pessoa boa mas fraca, e que serei eu quem terá de vestir as calças no relacionamento. Embora não me melindre muito, não gosto de ouvir isso. Além do mais, tenho enjoos e vomito toda manhã. Quando Nadja me visita, ela não mede as palavras. Ebbe é dado à bebida, afirma ela, e não mexe uma palha. É um fofo, mas temo que você tenha de sustentá-lo.

6.

Antes de o divórcio estar resolvido, nós nos mudamos para um quarto na casa da mãe de Ebbe, pois queremos estar juntos o tempo todo. As manhãs, Ebbe passa no Instituto Nacional de Preços, onde muitos universitários matam o tempo, ganhando um dinheirinho. Lá, ele senta com outro estudante de economia, que se chama Victor. Ebbe tem tantos amigos quanto há estrelas no céu, e nunca vou dar conta de conhecer todos. Ao entrarem de manhã, ele e Victor cantam o hino do dia da folha de um hinário, que depois usam para enrolar cigarros. É um grande problema conseguir fumo, e às vezes fazem os cigarros com sucedâneo de chá. Enquanto isso, eu escrevo meu próximo romance. Acabo de entregar o manuscrito de um livro de poesia que se chamará *Pequeno mundo*. Foi Ebbe quem inventou o título. Ele se envolve muito em meu trabalho. Pretendia cursar letras, mas seu pai, que faleceu há dois anos, disse que era uma fantasia sem sustento, e agora estuda economia, algo que não lhe interessa nem um pouco. No entanto, ele ama literatura, e se não estamos conversando, passa o tempo lendo romances. Ele me mostra livros que eu não conhecia. Toda tarde, na hora que chega do trabalho, quer ver o que escrevi, e se fizer alguma crítica, ela sempre tem fundamento, portanto acato suas sugestões. Nessa fase, não vejo minha família com muita frequência. Meu irmão se juntou com uma mulher divorciada que tem um filho de três anos. Ebbe e eu já os visitamos, mas ele e Ebbe tinham pouco assunto. Ebbe é um menino de classe alta da província, enquanto Edvin é um pintor profissional de Copenhagen, que todo dia, por falta de opção, inspira verniz de celulose em seus pulmões surrados. O mundo dos meus pais também é muito distante do de Ebbe. Ele conversa com meu pai a respeito de livros e, assim como Viggo F., com minha mãe a respeito de mim. No entanto, não há nenhuma condescendência em sua atitude para com eles. Depois de jantarmos com a mãe dele e Karsten, vamos para nosso quarto, onde deitamos na cama e conversamos sobre o futuro, sobre o filho que vamos ter, sobre a vida, sobre nosso passado antes de nos conhecermos. Ebbe tem uma predileção por temas de caráter um tanto abstrato. Por exemplo, tem uma teoria sobre o porquê da cor negra dos africanos e outra sobre o motivo do nariz aquilino dos judeus. Um dia ele se apoia sobre o cotovelo e me olha no rosto, enquanto seus olhos muito próximos adquirem um ar de intensidade moral. Talvez, diz ele com seriedade, eu devesse me juntar à resistência. Afinal, a coisa está feia depois da queda da França. Eu digo que pode deixar isso para quem não tem mulher nem filho para cuidar, e então ele parece desistir da ideia. Sinto-me bem nessa fase. Vou me casar, vou ter um filho, tenho um jovem noivo que eu amo, e logo teremos nossa própria casa. Digo a Ebbe que nunca vou me separar dele e que não suporto quando a vida se complica como tem feito ultimamente. Ele segura meu queixo e me beija. Talvez, diz ele, você mesma seja complicada, e aí sua vida também se complica.

Finalmente o divórcio se concretiza, e alugamos um apartamento na Tartinisvej, perto de Lise e Ole, e da mãe de Ebbe. Tal como a unha de um dedo, o bairro de Sydhavnen fica no fim da longa Enghavevej. Também é conhecido como Cidade de Música, porque todas as ruas levam o nome de um compositor. Os edifícios não são muito altos, e na frente da maioria deles há um pequeno jardim com gramado e árvores. Entre a última rua e o campo aberto, está o lixão, de onde o fedor, sob certas condições atmosféricas, é levado para dentro dos apartamentos, de modo que nunca se pode deixar uma janela aberta. Em frente ao prédio de Lise e Ole na Wagnersvej, há uma série de casinhas de horta urbana, usadas por muita gente como moradia fixa. Uma das moradoras da horta urbana faz a faxina do apartamento de Lise, e aos sábados Lise leva os cinco filhos da mulher para o banheiro, onde os esfrega e lava, de maneira que o apartamento se enche de seus gritos prolongados. Esse tipo de coisa, Lise faz com a maior naturalidade, ela me lembra muito Nadja nesse aspecto. Nadja juntou os trapos com um marinheiro que é comunista, e agora sempre aventa pontos de vista comunistas, enquanto na época de Piet era bastante direitista. Sei dessas coisas por Ebbe, pois parei de sair à noite em função da gravidez, que me faz ter sono já pelas oito horas.

 O apartamento tem um quarto e meio, e nossa cama de casal ocupa praticamente todo o espaço do meio quarto. A cama foi um presente da mãe de Ebbe. Na sala, há a escrivaninha do pai de Ebbe, uma mesa de jantar que compramos em segunda mão, quatro cadeiras retas que ganhamos de Lise, e um sofá encostado a uma das paredes. Sobre o sofá, estendemos uma manta marrom, e, num momento inspirado, Ebbe pendura outra manta marrom na parede atrás do sofá. De Lise, ele ganha um pedaço de feltro vermelho, do qual recorta um coração que cola na manta da parede, antes de dar um passo para trás e admirar sua obra. Na nossa casa, diz ele orgulhoso, nunca terá bebedeira. Em consideração a sua mãe, não vamos nos mudar para o apartamento antes de nos casarmos. Senão, ela vai achar nossa pecaminosidade escancarada demais.

Casamo-nos num dos primeiros dias de agosto, e, de mãos dadas, pedalamos até a Câmara Municipal. Já que chegamos antes da hora, vamos ao Frascati tomar um café. Enquanto bebemos, observo o rosto de Ebbe, notando que há um ar meigo e inocente nele, um quê de desamparo, e fico com vontade de protegê-lo. De repente digo: Nossa, como seu lábio superior é comprido. Não falo por mal, mas ele me olha com ar combativo: Não é mais comprido que o seu, revida. O meu não é muito comprido, digo ofendida, mas o seu praticamente preenche a cara inteira. Ele fica com o rosto rubro de fúria. Você não deveria zombar da minha aparência, as moças do colegial eram loucas por mim. Lise só ficou com Ole porque eu não a quis. Como você é convencido, retruco irritadiça, pensando perplexa: estamos brigando, nunca fizemos isso antes. Em silêncio, ele paga o garçom. As mangas escuras de seu paletó são longas demais. Emprestou do irmão seu traje de noivo. No Círculo das Lanternas, não andam malvestidos só porque são pobres, mas também porque consideram ridículo o bem-vestir. Ebbe passa o dedo indicador pela gola rígida, que também é grande demais, e toma a dianteira a passos largos. Chegamos à frente da Câmara Municipal sem dizer uma palavra, e então ele para e, balançando a cabeça, joga o cabelo para trás. Se, anuncia em voz ameaçadora, você não desdisser aquilo sobre o lábio superior, não vou querer me casar com você de forma alguma. Desato a rir. Ora, é muita infantilidade. Sério, vamos brigar sobre quem tem o lábio superior mais comprido? Se for assim, pode muito bem ser o meu. Estico-o sobre o lábio inferior, tentando apertar os olhos para vê--lo. Tem um quilômetro de comprimento, digo então, vamos lá. Afinal, vamos nos casar.

E nos casamos. Fazemos a mudança para o apartamento e contratamos uma mulher para cuidar da faxina, já que eu estou começando a ganhar bastante dinheiro. Ela se chama sra. Hansen, e, quando chega para se candidatar à colocação, Ebbe pergunta com insistência: A senhora sabe ralar cenoura? Ela se diz capaz de assumir tal responsabilidade. Afinal, cenouras fazem muito bem à saúde, explica ele, agora que não há muita coisa para comprar. Depois, ela se diverte muito toda vez que pensa nisso, porque nunca vê uma cenoura em casa. Os dias passam como o rufar de tambores antes de um número solo. Leio livros sobre gravidez, maternidade e cuidados com o bebê, e para mim é incompreensível que Ebbe não tenha o mesmo interesse que eu por tudo isso. Diz que lhe parece tão irreal que vai ser pai. Ver meu nome no jornal também é irreal para ele. Não consegue se acostumar com a ideia de que é casado com uma famosa e nem sabe se gosta disso. No fim do dia, ele passa o tempo resolvendo equações, enquanto enrola o cabelo nos dedos. Adora conseguir igualá-las e afirma que na verdade deveria ser matemático. Eu lhe conto que Geert Jørgensen me disse que um homem normal jamais sentirá atração por mim. Quem é normal?, questiona ele, apalpando os bolsos para encontrar sua carteira, sua tabaqueira ou suas chaves. É extremamente distraído e tem o péssimo hábito de esquecer coisas. Sempre anda com a cabeça ligeiramente inclinada para trás, como se quisesse fixar seu olhar, e com o nariz empinado, de modo que toda hora tropeça no que estiver jogado na rua. Costuma frequentar as farras na casa de Lise e Ole e chega bêbado em casa, me acordando no meio da noite. Então fico irritada e o rejeito, pois nesse período preciso de uma boa noite de sono. No dia seguinte, ele sempre se desculpa. Às vezes, vou à casa de minha mãe ou ela vem me visitar. Converso com ela sobre partos, e ela me conta que eu e Edvin nascemos numa nuvem de bolhas de sabão, de tanto que ela tentou nos expelir comendo sabão alcalino. Jamais gostei de crianças, confessa.

Os dias passam, as semanas passam, os meses passam. Vou dar à luz na clínica particular do dr. Aagaard, na Hauserplads, e faço o acompanhamento pré-natal com ele. É um simpático senhor de idade, que me tranquiliza em relação a minhas muitas preocupações com o parto. Sou orientada a ir para a clínica quando houver intervalos de cinco minutos entre as contrações. Mas a data do parto passa sem nada acontecer. Comprei um casaco de pele de foca e vou mudando os botões cada vez mais para as beiradas até que fiquem pendurados bem na borda do casaco. Ebbe tem que amarrar os sapatos para mim, pois não consigo alcançá-los. Acho que nunca vi uma grávida tão gorda quanto eu. Fico com medo de ter um bebê gigante com cabeça-d'água. Li sobre esse tipo de coisa em algum lugar. Com frequência, pego emprestado Kim, o menininho de Lise, e passeio com ele. Bem-humorado e risonho, ele me faz pensar no poema de Nis Petersen: Coleciono os sorrisos das crianças pequenas. Em meio a tudo, sou entrevistada por Karl Bjarnhof para o *Social-Demokraten*. Ao ver a manchete, me assusto. Diz em letras garrafais: Quero dinheiro, poder e fama. Será que eu realmente disse isso? O que vou fazer com poder? A entrevista transmite uma imagem desagradável de mim. Sou retratada como uma pessoa vaidosa, ambiciosa e superficial, que só tem a si mesma na cabeça. Fora isso, os jornalistas sempre me trataram bem, e me pergunto o que posso ter feito a Karl Bjarnhof. Aí me lembro de que ele é um dos amigos de Viggo F., talvez se sinta ofendido porque eu o deixei.

É um inverno rigoroso, com gelo nas ruas. Aguardo impaciente a chegada das contrações e, para induzi-las, corro ofegante e de braço dado com Ebbe em volta do prédio depois de escurecer. O único resultado é que os botões saltam do casaco de pele. Finalmente, uma manhã fico com dor no estômago e pergunto à sra. Hansen se podem ser as contrações. Ela acha que sim, e no decorrer do dia pioram. Ebbe segura minha mão quando vêm. De noite, vamos à clínica, e ele se despede de mim com um olhar demorado e desamparado.

Mas ela é feia, digo espantada, olhando para o pequeno embrulho de gente que puseram em meus braços. Seu rosto tem o formato de uma pera com duas marcas profundas do fórceps nas têmporas. Não tem um fio de cabelo na cabeça. O médico-chefe ri: A senhora só pensa assim porque nunca viu um recém-nascido, diz ele. Nunca são bonitos, mas a mãe costuma achar que são, mesmo assim. Agora vou chamar o seu marido. Ebbe entra com um buquê de rosas na mão. Segura-as desajeitado, e de repente me dou conta de que nunca me deu um presente. Senta-se a meu lado e olha dentro do berço, onde deitaram a bebê. Ela é um tanto bochechuda, observa ele, e eu me ofendo profundamente. É só isso que você tem a dizer?, pergunto. O trabalho de parto demorou vinte e quatro horas, e jurei que nunca teria outro filho. Gritei e uivei de dor, e tudo o que você tem a dizer é que ela é bochechuda. Ebbe faz uma cara de arrependido, piorando ainda mais a situação ao dizer que ela talvez fique mais bonita à medida que cresce. Depois pergunta quando eu volto para casa, porque sente tanto minha falta. Debruço-me sobre o berço, segurando os dedos minúsculos. Agora somos pai, mãe e filha, digo, uma família bem comum, normal. Por que, pergunta Ebbe intrigado, você quer tanto ser comum e normal? Afinal, todo mundo sabe que você não é nada disso. Não posso lhe dar uma resposta, mas tenho esse desejo desde que me conheço por gente.

7.

Aconteceu uma coisa horrível. Desde que tive Helle, perdi qualquer vontade de ir para a cama com Ebbe, e quando o faço, não sinto absolutamente nada. Converso com o dr. Aagaard sobre a situação, e ele diz que não há nada de estranho nisso. Amamentar, cuidar da bebê e trabalhar como uma condenada me deixa sobrecarregada, e não sobra nenhuma energia para Ebbe. No entanto, Ebbe está triste, pois pensa que é sua culpa. Discute o assunto com Ole, que o aconselha a comprar *O matrimônio perfeito*, de Van de Velde. Ele compra o livro e o lê com as faces ardendo, pois esse livro é a bíblia pornográfica do momento. Lê sobre todas as posições e cada noite tenta uma nova. De manhã, estamos ambos estropiados de brincar de acrobatas, mas outro resultado não tem. Discuto o problema com Lise, que me confidencia que no caso dela foi exatamente o contrário. Só sentiu prazer depois de ter Kim. Pensativa, ela me fita com seus olhos gentis de madona: Que tal um amante?, pergunta. Às vezes, o casal se reaproxima se um deles tiver outra pessoa. Ela mesma tem um amante que é bacharel. Trabalha na sede da polícia, e todo dia os dois dão voltas entre as colunas do prédio icônico por horas a fio, enquanto ela leva Ole a pensar que faz horas extras. Ole sabe e ao mesmo tempo não sabe. Ole tem um filho com outra mulher, e, antes de o bebê nascer, Lise pensou seriamente em adotá-lo. Depois descobriram que o bebê era surdo-mudo, portanto ela está feliz por não ter dado esse passo. Digo que não quero um amante, pois não consigo trabalhar se minha vida se tornar confusa e complicada de novo. E percebo cada vez mais que a única coisa que realmente sei fazer e que me apaixona é formar frases, criar sequências de palavras ou escrever versos simples de quatro linhas. Para fazer isso, preciso observar as pessoas de um modo bem especial, mais ou menos como se as arquivasse para uso posterior. Para fazer isso, também preciso ler de uma maneira bem específica, absorvendo com todos os meus poros aquilo que, de alguma forma nebulosa, me será útil, se não agora, em algum momento futuro. Para fazer isso, não posso ter muitas relações, nem sair demais ou beber álcool, porque aí não posso trabalhar no dia seguinte. E já que estou sempre formando frases na minha mente, tendo a ser absorta e distraída quando Ebbe quer conversar comigo, o que o desanima e, somado a meus cuidados com Helle, lhe dá uma sensação de ser excluído do meu mundo, do qual antes fazia parte. Ao chegar em casa de tarde, ele continua a querer ler o que escrevi, mas agora suas críticas se tornam inúteis e injustas, como se quisesse me atingir no meu ponto mais vulnerável. Um dia, acabamos brigando porque um tal de sr. Mulvad aparece em A *rua da infância*. Esse Mulvad tem mania de resolver equações, e Ebbe fica furioso. Mas sou eu, reclama ele, todos os meus amigos vão me reconhecer e rir de mim. Exige que eu corte o sr. Mulvad do livro, e sem dúvida é um tipo meio estranho, porque ainda não sei retratar homens direito, contudo não quero eliminá-lo. É impossível entender, esbraveja Ebbe, que você não possa criar suas personagens como Dickens, por exemplo. Você só copia a realidade. Isso não tem nada a ver com arte. Peço-lhe que no futuro fique longe dos meus escritos, já que não entende mesmo. Diz que já se cansou de ser casado com uma escritora, que além do mais é frígida. Respiro com dificuldade e de repente desato a chorar. Não brigo com ninguém desde as brigas de infância com meu irmão e não suporto ficar de mal com Ebbe. Helle acorda e começa a chorar, e eu a pego no colo. Será que ele não pode resolver equações?, lamento-me, afinal de contas não sei direito o que um cara assim faz nas horas livres. Ebbe abraça nós duas ao mesmo tempo e diz: Desculpa, Tove, não chore mais. Ele pode muito bem resolver equações, e as outras coisas que falei, não queria ter falado. Só me dá nos nervos, sabe.

Uma tarde, logo depois dessa briga, ele não volta para casa no horário de costume, e eu me dou conta de quanto dependo dele. Inquieta, fico andando de um lado para outro, completamente incapaz de fazer qualquer coisa. Ebbe sai à noite com frequência, mas sempre passa em casa primeiro. Ao anoitecer, amamento Helle, visto-a e vou até a casa de Lise, que acaba de chegar do trabalho. Ela diz que Ole também não está em casa, então os dois provavelmente saíram juntos. Devem ter encontrado alguns outros caras e caído na gandaia. Ela já viu esse filme. Você é burguesa demais, afirma com um sorriso. Afinal de contas, talvez seria melhor para você ter um marido que não bebesse e sempre chegasse direto em casa com o salário da semana. Então eu lhe conto sobre nossa briga e digo que nosso casamento não está mais indo tão bem. Temo, confesso a ela, que ele encontre outra mulher, uma que não escreva, uma que não seja frígida. É capaz de fazer isso por uma noite, diz ela, mas nunca sonharia em te deixar nem a Helle. Tem muito orgulho de você, percebo isso sempre que fala de ti. Você só precisa entender que muitas vezes ele se sente inferior. Você é famosa, você ganha dinheiro, você trabalha com algo que te interessa. Ebbe não passa de um pobre universitário que basicamente é sustentado pela mulher. Escolheu o curso errado e precisa encher a cara com frequência para suportar a vida. Mas as coisas devem melhorar assim que vocês se entenderem na cama. E esse dia vai chegar, você só está cansada por causa da amamentação. Ela pega Kim no colo e brinca com ele. Quando Ole um dia se formar, declara, gostaria de me tornar psicóloga infantil. É insuportável fazer trabalho de escritório. Lise tem carinho não apenas pelo próprio filho, mas também pelos filhos dos outros. Tem carinho pelas pessoas em geral, e os amigos lhe confidenciam coisas que nunca contariam aos mais próximos. Quando você acha que ele voltará para casa?, pergunto. Não sei, responde Lise, certa vez Ole sumiu por oito dias, mas aí comecei a ficar preocupada mesmo. Depois de pôr Kim na cama, ela senta com as pernas dobradas e o queixo apoiado num dos joelhos. Toda a sua pessoa irradia confiança e bondade, de modo que me sinto um pouco melhor. Às vezes, comento, parece que sou incapaz de amar qualquer pessoa. É como se eu só visse a mim mesma no mundo inteiro. Bobagem, protesta Lise, você realmente ama Ebbe. Amo, sim, mas não da maneira certa. Se ele esquece seu cachecol, eu não me dou ao trabalho de lembrá-lo. Tampouco me esforço para fazer comida boa para ele ou coisas assim. Acho que só posso amar as pessoas se elas se interessarem por mim. Por isso nunca poderei sofrer com um amor não correspondido. Bem, diz Lise, mas Ebbe se interessa por você. Conto-lhe sobre o sr. Mulvad e as equações, e ela cai na risada. Não fazia ideia de que Ebbe resolvia equações, comenta, é realmente engraçado. Mas não é isso, digo com seriedade, quando escrevo não tenho consideração por ninguém. Não posso. Lise diz que os artistas precisam ser egocêntricos. Eu não deveria remoer tanto isso. Volto para casa pelo breu das ruas que as estrelas são incapazes de iluminar. Felizmente, tenho o carrinho de bebê em que me apoiar. Ainda não são oito horas da noite, mas estou com pressa devido ao toque de recolher. Todos precisam estar em casa antes das oito. Isso significa que Ebbe, onde quer que esteja, não conseguirá chegar em casa hoje. Troco Helle, visto-a com seu pijaminha e a ponho no berço. Ela tem quatro meses e sorri desdentada para mim, agarrando meu dedo com a mão inteira. Ainda bem que por enquanto pouco lhe importa se seu pai está em casa ou não.

Na manhã seguinte, Ebbe chega em casa em estado lastimável. Está com o casaco mal abotoado, e seu cachecol lhe cobre o rosto até os olhos apesar de ser primavera e o tempo estar ameno. Seus olhos estão vermelhos de bebida e falta de sono. Fico tão feliz ao vê-lo vivo que não tenho nenhuma vontade de ralhar com ele. Bamboleia no meio da sala, ensaiando alguns passos desajeitados da "Dança do babuíno", dança solo que ele sempre faz em determinado ponto de sua embriaguez, enquanto todos a sua volta batem palmas. Fica numa perna só e gira, mas perde o equilíbrio e agarra uma cadeira. Te traí, diz ele, em voz entaramelada. Com quem?, pergunto desolada. Com uma bela moça que não está grávida, não, frí-frígida. Alguém que Ole conhecia do Tokanten. Você vai ficar com ela de novo? Bem..., ele se larga numa cadeira, depende de muitas coisas. Se você deixar o tal de Mulvad jogar paciência em vez de resolver equações, pode ser que eu não fique com ela de novo, caso contrário não sei direito. Vou até ele, tiro o cachecol de sua boca e o beijo. Não fique mais com ela, imploro, garanto que vou pôr Mulvad para jogar paciência. Abraça-me pela cintura e encosta a cabeça no meu colo. Sou um monstro, murmura ele, o que você quer comigo? Sou beberrão e pobre, não presto para nada. Você, porém, é bonita e famosa, pode ter quem quiser. Mas temos uma filha, digo com insistência, não quero ter outro homem a não ser você. Ele se levanta e me puxa para bem pertinho dele. Estou muito cansado, diz, não posso lidar com nosso problema embebedando-me. Maldito Van de Velde, estou com dor nas costas. Aí começamos a rir, ajudo-o a se despir e o ponho na cama. Depois me sento à máquina de escrever e esqueço, enquanto escrevo, que meu marido dormiu com outra, esqueço tudo, até Helle chorar de fome.

No dia seguinte, escrevo um poema que começa assim: Por que meu amor anda na chuva, sem casaco e sem chapéu? Por que meu amante foi embora à noite? Eis a pergunta cruel. Assim que o mostro a Ebbe, ele diz que é bom, mas não chovia e ele estava usando casaco. Dou risada e lhe conto sobre aquela vez em que Edvin leu meus poemas de criança e disse que eu era cheia de mentiras. Ebbe jura que nunca mais vai cair na gandaia uma vez que isso me deixa tão triste. É aquele maldito *pullimut*, justifica-se. Para conseguir uma cerveja em qualquer bar, te obrigam a tomar também um copo de *pullimut*, e isso vicia as pessoas. Ciumenta, pergunto como era a mulher, e ele diz que não era nem de perto tão bonita quanto eu. Uma daquelas que andam na cola de artistas e universitários, acrescenta, são tantas que parecem praga. Ele acrescenta também: Se não tivéssemos tido Helle, tudo ainda estaria bem entre nós. Vai ficar bom de novo, apresso-me a dizer, sinto que já está melhorando. Mas não está. Algo essencial, algo infinitamente bom e valioso foi destruído entre nós, e é pior para Ebbe, porque ele não pode, como eu, escrever para se livrar de todos os problemas e tristezas. Antes de pegarmos no sono à noite, o olho longamente nos olhos oblíquos, cujos pontinhos castanhos se tornam dourados à luz da lâmpada. Aconteça o que acontecer, digo, me prometa que nunca vai deixar a mim e a Helle. Ele promete. Ficaremos velhos juntos, afirma, você terá rugas, e a pele debaixo de seu queixo se tornará flácida que nem a da minha mãe, mas seus olhos nunca vão envelhecer. Sempre serão os mesmos, com a borda preta em torno do azul. Foi por ela que me apaixonei. Nós nos beijamos e ficamos um pouco abraçados, tão castos quanto dois irmãos. Passada a fase de Van de Velde, ele não faz outras tentativas de ter relações comigo, mesmo que eu não tenha nada contra e raras vezes o tenha rejeitado.

8.

Um dia no final de maio, Ester vem me visitar. Ela me conta que o clube está prestes a se dissolver devido ao toque de recolher, à má vontade do restaurante, que afinal nunca tirou grande lucro com a gente, bem como às intrigas internas dos membros. Sonja não consegue terminar seu romance, que Morten Nielsen não para de revisar, e ela também deixou o professor Rubow ler alguns capítulos. Halfdan teve um livro de poesia aceito pela Athenæum, onde também elogiaram o romance de Ester, que sairá no outono. Eu mesma já entreguei o manuscrito de *A rua da infância*, e como não estou escrevendo no momento, sinto um grande vazio por dentro que nada pode preencher. Parece que tudo entra em mim sem que nada saia. Lise diz que agora devo aproveitar a vida por um tempo, mereço isso depois de tanto trabalhar. Mas para mim a vida só é um prazer quando escrevo. Por pura ociosidade, passo horas na casa de Arne e Sinne, que fica na Schubertsvej. É aquele casal que estava na cama de criança na primeira noite que eu e Ebbe passamos juntos. Assim como Ebbe, Arne é estudante de economia, e ele recebe tanta ajuda financeira de casa que não precisa trabalhar. Roliça, ruiva e cheia de energia, Sinne é filha de fazendeiro da região de Limfjord. Ela começou a fazer um curso preparatório para entrar na faculdade, pois não aguenta sua própria ignorância. Conto-lhe que me acostumei com minha ignorância e que não presto para aprender coisa nenhuma. Digo que me divorciei de Viggo F. antes mesmo de terminar minha leitura da *Revolução Francesa*.

Ester não mora mais com Viggo F. Diz que se cansou de ouvi-lo falar sobre suas saudades de mim e sua amargura por eu o ter deixado. Agora ela mora com os pais, mas também não é bom. Seu pai é um atacadista falido que arrasta suas amantes para casa, uma depois da outra. A mãe dela já se acostumou. Quer saber, diz Ester, estou de saco cheio de todo esse livre-pensamento forçado. Eu também, e pergunto-lhe o que duas esquisitas como nós deveriam fazer quando não estão escrevendo. Aí ela apresenta o motivo de sua visita. De sua época na farmácia, conhece uma pintora chamada Elisabeth Neckelmann. Ela vive com outra mulher, que usa colarinho, piteira de âmbar e terno, porque só gosta de mulher. Tem uma quedinha por mim, diz Ester calmamente, e já perguntou se quero ficar algum tempo na sua casa de veraneio. Acho isso uma excelente ideia, mas não posso morar lá com Halfdan, porque aí não teremos nenhuma fonte de renda. Será que você não gostaria de passar uma temporada lá comigo? O ar do campo faria bem a Helle. Como hesito um pouco antes de responder, Ebbe intervém: Acho que deve ir, diz ele, uma breve separação muitas vezes tem efeito revitalizador para o casamento. Acrescenta que assim terá mais sossego para estudar, sem Helle para perturbá-lo. Em breve fará as provas finais do primeiro ciclo de seu curso e tem muito que recuperar. Então eu acabo aceitando a proposta de Ester. Gosto muito dela por ela ser tão calma, gentil e sensata, e por ter a mesma missão que eu na vida. Ebbe promete me visitar sempre que puder, embora a casa fique em algum lugar no sul da Zelândia, longe de Copenhagen. Combinamos de pedalar até lá no dia seguinte, e à noite Ebbe faz amor comigo pela primeira vez em muito tempo. Ele o faz com raiva e sem carinho, como se estivesse irritado por ainda me desejar. Deve ficar diferente, digo com sentimento de culpa, quando eu parar de amamentar. Ele se suja de leite e começa a rir. Também não é fácil ir para a cama com uma leiteria repleta.

A casa situa-se num terreno baixo, com um campo de trigo atrás e, coberta de grama espetada e framboeseiras silvestres, uma encosta que dá para a estrada, onde um par de pinheiros tortos esconde a entrada. Dentro da casa há uma sala grande com um fogão à moda antiga numa das pontas e um pequeno quarto com duas camas, onde ficamos deitadas tão perto uma da outra que posso ouvir a respiração silenciosa de Ester sempre que acordo por um minuto durante a noite. Durmo com Helle e me sinto segura e feliz com o toque de seu corpinho quente. De dia, ela toma sol lá fora em seu carrinho, mas, assim como eu, tem dificuldade de pegar cor. Temos a pele muito clara, as duas. Ester, pelo contrário, fica bronzeada em poucos dias. Parece que seus dentes se tornam mais brancos, e o branco dos olhos é como porcelana molhada em contraste com a pele firme e morena. Sou a primeira a levantar de manhã, porque Ester precisa de mais horas de sono que eu. Acendo o fogão a custo, com lenha que compramos de um fazendeiro aqui perto, de quem também compramos leite e ovos. O fogão faz mais fumaça do que fogo, e sou obrigada a acendê-lo várias vezes antes de conseguir. Depois faço chá, passo manteiga no pão e às vezes sirvo o café da manhã para Ester na cama. Você está me mimando, diz ela feliz, enquanto esfrega o sono de seus olhos de um tom castanho outonal. Os longos cabelos negros lhe caem sobre a testa lisa. Fazemos o dia passar dando longas caminhadas, conversando e brincando com Helle, cujo primeiro dente acaba de nascer. Nunca fiquei no campo, e me surpreendo com o grande silêncio que não se parece com nada que já vivi. Sinto algo próximo a felicidade e penso que aproveitar a vida talvez seja isso. À noitinha, costumo caminhar sozinha, enquanto Ester cuida de Helle. Percebo que o perfume dos campos e do pinhal é mais forte do que no dia em que chegamos. A luz das janelas da fazenda brilha na escuridão como quadrados amarelos, e me pergunto o que aquelas pessoas fazem para passar o tempo. O marido deve estar ouvindo o rádio, e a esposa remendando meias, as quais ela tira de um grande cesto de vime. Daqui a pouco vão bocejar, se espreguiçar e olhar o tempo, trocando algumas palavras sobre as tarefas de amanhã, antes de ir para a cama pé ante pé para não acordar os filhos. Os quadrados amarelos se apagarão. No mundo inteiro, os olhos se fecham, as cidades dormem, as casas dormem, os campos dormem. Na hora que chego em casa, Ester sempre tem alguma coisa pronta para o jantar, ovos fritos ou algo assim, não nos preocupamos muito com isso. Acendemos a lamparina a querosene e conversamos por horas a fio, entrecortadas por longas pausas, que não são tensas e efervescentes como ultimamente está sendo o silêncio entre mim e Ebbe. Ester me conta sobre sua infância, seu pai inconstante e sua mãe gentil e paciente. Eu também falo de minha infância, e nosso passado se ilumina entre nós como parte de uma parede inundada de vida. Esses dias tranquilos somente se interrompem com as visitas de Halfdan ou Ebbe. Às vezes, eles vêm pedalando juntos para cá, e chegam ofegantes e rubros de calor. Passamos momentos agradáveis com eles aqui, mas prefiro a companhia de Ester. Com sua camisa desbotada, suas calças compridas e sua boca carrancuda com o lábio superior curto e arrebitado, ela parece um moleque.

Nos dias quentes, tomamos um banho completo pela manhã, lá perto da divisa do campo. Ester tem um corpo bronzeado e forte, com seios grandes e firmes. É um pouco mais alta que eu, e seus ombros são largos. Solto um grito quando ela joga a água fria em mim, e minha pele fica roxa e arrepiada. Mas quando chega sua vez, Ester recebe o esguicho calmamente, deixando o sol secar seus membros lisos e radiantes, esticados sobre a relva na posição de uma mulher crucificada. Parece que posso viver assim pelo resto da vida, e está complicado demais pensar em Ebbe e em nosso eterno problema.

Já dourado, o trigo balança ao vento, carregado de grãos maduros. Bem cedo de manhã, acordamos com o canto do cuco lá fora, ora perto, ora distante, como se se divertisse ao nos provocar. Enfim, uma de nós sai da cama aos tropeços, tonta de sono, e abre a metade de cima da porta, batendo palmas para afugentá-lo. Uma hora mais tarde, a ceifadeira começa a cortar lá no meio do campo, e o sol ergue sua testa amarela por trás do pinhal. Estou deitada, observando Ester, enquanto amamento. Penso no fato de que em breve vamos nos despedir e ir cada uma para seu marido. Também penso em Ruth, minha amiga de infância, e uma sensação calorosa sem rumo me leva em seu trajeto pelo espaço. Quem sabe, digo a Ester quando ela acorda, eu não deveria parar de amamentar? Bem, diz ela sorrindo, a bebê não parece estar com falta de nada, mas um pouco de alimento sólido não faria mal. Só que aí você vai perder esse belo busto.

Chegando em casa, encontro um Ebbe queimado pelo sol que foi aprovado no primeiro ciclo com a nota mais baixa possível, mas pelo menos conseguiu passar. Está genuinamente feliz em me rever, e quando me abraça percebo que minha frigidez está chegando ao fim. Conto-lhe isso, e ele diz que já não há nada no mundo que possa nos separar. Eu concordo. Mas no período que se segue, penso muitas vezes no rostinho ameninado e moreno de Ester com sua boca carrancuda, e, de alguma forma inescrutável, ela é a razão pela qual eu e Ebbe nos aproximamos novamente.

9.

No outono, sai meu novo livro, que recebe excelentes críticas por toda parte, exceto no *Social-Demokraten*, onde Julius Bomholt o trucida em duas colunas sob o título: "A fuga da rua do proletariado". Entre outras coisas, ele alega que o livro não contém "nenhum vislumbre de gratidão". "Também lhe falta", acrescenta, "uma descrição de nossos rapazes sadios da Juventude Social-Democrata da Dinamarca." Mas eu nunca conheci ninguém da Juventude Social-Democrata, choro enquanto bebo meu sucedâneo de chá, como poderia descrevê-los? Ebbe faz o que pode para me consolar, só que não estou nem um pouco acostumada a enfrentar adversidades desse tipo e caio em prantos como se alguém da minha família mais próxima tivesse morrido. Ele ainda era tão legal comigo, digo, quando Viggo F. e eu o visitávamos. Ebbe observa que, tal qual Bjarnhof, ele deve estar ofendido por eu ter deixado Viggo F., afinal a crítica é tão maldosa que parece ser motivada por algo pessoal. Em algum lugar, prossegue Ebbe, olhando como sempre para o teto quando precisa pensar bem, Graham Greene escreve que há algo de errado com uma pessoa que nunca sofreu um fracasso. Então eu me deixo consolar, recorto todas as resenhas com a exceção da ruim, que não interessa, e levo-as para meu pai. Ele as cola em meu álbum de recortes, que já está cheio até a metade. Bem que você poderia ter omitido, diz em tom de censura, aquela parte de eu ficar dormindo com o traseiro da calça surrada virado para a sala. Nem sempre durmo, e minhas calças não são surradas. Mas ninguém sabe que é você, aponta minha mãe, aquela mãe do livro não parece nem um pouco comigo. Emprestei o livro à mulher da sorveteria, diz se dirigindo a mim, e ela me perguntou como é ter uma filha famosa. Antes sempre me tratava com ar de superioridade.

Segue-se um breve período de felicidade, durante o qual Ebbe não sai à noite e não bebe mais que o razoável. No entanto, Lise e Ole não estão indo muito bem. Enfrentam problemas financeiros esmagadores, porque Ole tem dívida estudantil, e Lise não ganha muito no ministério onde trabalha. Morreriam de fome se não tivessem os cogumelos do lixão, que Lise colhe ao anoitecer, enquanto me conta que quer se divorciar de Ole e casar com o bacharel. Ele é casado e tem dois filhos. E Arne quer se separar de Sinne, porque ela tem um amante que é comerciante no mercado negro e ganha cinquenta coroas por dia, um valor absolutamente exorbitante. À noite, fico deitada nos braços de Ebbe e confidenciamos um ao outro que não queremos nos separar nunca e que nunca seremos infiéis.

Digo a Ebbe que sempre odiei mudanças. Conto-lhe sobre minha tristeza quando nos mudamos da Hedebygade para a Westend, onde nunca me senti em casa. Explico-lhe que sou igual a meu pai. Lá em casa, quando minha mãe e Edvin mudavam os móveis de lugar, meu pai e eu púnhamos de volta. Ebbe ri e afaga meu cabelo. Afinal, você é reacionária pra caramba, diz ele, no fundo também sou, apesar de ser radical. Depois, sua voz meiga e grave tece no meu ouvido um carretel sem fim, repleta de tranquilidade, repleta de constância. Elabora suas teorias sobre o porquê da cor negra dos africanos e sobre o motivo do nariz aquilino dos judeus, ou sobre quantas estrelas realmente há no céu, assuntos eternos, e adormeço feito uma criança ao som de uma canção monótona de ninar. Lá fora está o mundo mau, complicado, que não suportamos e de que preferimos escapar. A polícia foi tomada pelos alemães, e Ebbe se tornou membro do corpo de Defesa Civil. A ideia é que sejam uma espécie de substituição da polícia. Usam uniformes azuis com ombros raglã, e o boné do uniforme de Ebbe é muito grande para ele. Com a farda vestida, ele me lembra o bom soldado Švejk, e não o levo a sério quando diz que deveria se juntar à resistência.

Aos nove meses, Helle se levanta no chiqueirinho pela primeira vez, ofegando e gemendo com o esforço. Balança de pé e segura as grades, enquanto solta gritinhos estridentes de alegria. Assim que me inclino sobre ela para elogiar e acariciá-la, minha boca de repente se enche de água e preciso correr para vomitar. Digo a mim mesma que devo ter comido algo que não me caiu bem, mas o pavor de estar grávida faz minhas pernas tremerem.
— Se eu estiver grávida, sei que isso vai estragar tudo entre mim e Ebbe.

A senhora está no segundo mês, diz o dr. Herborg, meu médico da caixa de previdência, antes de voltar a se sentar, enquanto a cortina que sempre me separa da realidade de repente se torna cinzenta e rota, parecendo uma teia de aranha. Falta um botão no jaleco branquérrimo do médico, e numa das narinas ele tem um pelo preto comprido. Mas não quero ter esse filho, digo suplicante, aconteceu por engano. Devo ter errado na hora de inserir o diafragma. Ele sorri e me olha sem compreender.

Meu Deus, exclama, a senhora tem ideia de quantos bebês nascem por engano? De qualquer forma, as mães sempre ficam felizes com eles. Não será possível tirá-lo?, pergunto com cautela, e imediatamente o sorriso desaparece de seu rosto como um elástico que se solta. Jamais farei isso, responde ele com frieza, como a senhora deve saber, é ilegal. Então, seguindo o conselho de Lise, pergunto se pode me indicar alguém que o faça. Não, diz ele secamente, também seria ilegal. Vou para a casa da minha mãe, que decerto me entenderá. Ela está na cozinha jogando paciência. Ah, diz, ao ouvir o motivo de minha visita, é fácil tirar. Vá lá na farmácia e compre um frasco de óleo de âmbar. É só você tomar tudo que sai. Recorri a esse método duas vezes, por isso sei do que estou falando. Compro o óleo de âmbar e me sento de frente para minha mãe na cadeira da cozinha. Quando tiro a rolha do frasco, um fedor sufocante me inunda e saio correndo para vomitar. Não consigo, digo desesperada, é impossível engolir. Já que minha mãe não tem mais conselhos a oferecer, vou até o ministério onde Lise trabalha e me encosto ao muro para esperar por ela. Olho para o telhado verde da Bolsa, que emite uma fraca luz no lusco-fusco, e penso nas minhas caminhadas com Piet pela cidade escura quando voltávamos para casa das reuniões do clube. Naquela época eu não estava grávida, e se eu tivesse permanecido com Viggo F., nunca teria engravidado. As pessoas passam por mim sem me notar. Mulheres passam, com e sem carrinhos de bebê, segurando ou não a mão de filhos pequenos. Sua aparência é calma e introvertida, e dentro delas não cresce nada de que não queiram saber. Lise, exclamo, antes de ela me alcançar. Ele se recusou, o que devo fazer, meu Deus do céu? Enquanto caminhamos até o bonde, eu lhe conto sobre o horrível óleo de âmbar da minha mãe, um remédio do qual Lise jamais ouviu falar. Subo com ela, e buscamos Kim na casa da sua mãe. É uma mulher de autoridade, cujo vestido vai até o chão, e ela usa uma touca na cabeça por ter uma falha no cabelo. Penso no fato de que deu à luz dez filhos porque o pai de Lise queria ter sempre um filho no berço e ninguém estava interessado em saber a opinião dela sobre o assunto. Quando chegamos à casa de Lise, ela diz que não é para eu entrar em pânico, ainda há tempo de encontrar uma saída. Ela vai conversar com uma moça do escritório que fez um aborto ilegal há cerca de um ano. Para meu azar, a moça está doente, mas, assim que voltar ao trabalho, Lise vai conseguir o endereço. Segundo Lise, o dr. Leunbach não faz o procedimento agora porque acaba de passar um tempo na cadeia justamente por esse motivo. Talvez Nadja conheça alguém, sugere ela, mas eu esqueci onde ela mora com seu marinheiro. Só que não posso esperar, digo desesperada, preciso fazer alguma coisa. Não consigo trabalhar, e já não me importo mais nem com Ebbe nem com Helle. Lise diz que deve haver muitos médicos que pensam como Leunbach. Acrescenta que, se preciso mesmo fazer algo, posso tentar os médicos um por um na lista telefônica, assim eu talvez tenha sorte. Nesse entretempo, a moça com o endereço provavelmente se recuperou, jamais devo perder a esperança. Ela me olha pensativa. Acha mesmo tão horrível, questiona, vocês terem mais um filho? Lise tampouco me entende. Não quero, insisto, que aconteça comigo nada que eu não deseje. É como ser encurralada. E nosso casamento simplesmente não aguentará outra frigidez de amamentação, já não suporto que Ebbe me toque. Quando chego em casa, ele me conta que fez contato com a resistência e receberá treinamento para se tornar combatente, tendo em vista o dia em que os alemães serão obrigados a capitular e se retirar do país. Ninguém acha que vai acontecer sem luta. E ninguém acredita mais em sua vitória, não depois da derrota em Stalingrado. Não ligo se você quiser brincar de soldado, corto-o irritada, tenho mais com que me preocupar. Ebbe diz que não gosta muito da ideia de eu fazer um aborto. Pode ser fatal, adverte ele, e se recusa a ter qualquer participação na procura por um médico. Não me dou ao trabalho de responder, ele não entende nada, nem sei o que vi nele.

No dia seguinte, começa minha odisseia médica. Só posso consultar dois ou três por dia, pois todos atendem no mesmo horário. Sento-me em frente a esses jalecos brancos com minha gabardina surrada e o lenço vermelho no pescoço. Olham para mim com frieza e incompreensão: Quem diabos inventou de lhe dar meu endereço? Minha senhora, há mulheres muito mais desafortunadas. Afinal, a senhora é casada e tem uma filha só. A senhora quer, indaga um deles, me fazer cometer um crime? A porta da rua é a serventia da casa. Volto para casa, humilhada e desanimada, busco Helle, que está com sua avó paterna, dou-lhe de comer sem prestar atenção nela, ponho-a no berço e a pego de novo. O telefone toca e uma voz diz: Bom dia, aqui é Hjalmar, Ebbe está? Passo-lhe o telefone, e ele responde com monossílabos. Depois, veste o sobretudo herdado do pai com a fivela ridícula nas costas, calça botas de borracha de cano alto, porque está chovendo, e puxa até os olhos um casquete que nunca usa. Debaixo do braço leva sua maleta, com a expressão de quem carrega dinamite. Seu rosto está pálido. Será que pareço suspeito agora?, pergunta. Não, respondo com indiferença, embora qualquer criança possa ver de longe que ele tem um ar suspeito. Depois de ele sair, continuo folheando a lista telefônica, página após página. Mas encontrar um médico abortista desta maneira é como procurar agulha em palheiro, e, passados alguns dias, desisto. Está começando a se tornar uma corrida contra o tempo, pois ninguém faz isso, eu sei, depois do primeiro trimestre. À noite é difícil encontrar Lise, porque ela passa o tempo pós-expediente com seu bacharel e, de acordo com ela, não devemos envolver Ole por ele ser da mesma opinião que Ebbe. Os homens já estão completamente fora do meu mundo. São tão alienígenas como se viessem de outro planeta. Nunca sentiram nada em seu próprio corpo. Não possuem órgãos delicados e moles, onde uma bolota de muco é capaz de se instalar feito um tumor e, totalmente independente da vontade deles, começar a viver uma vida própria. Uma noite vou até a casa do pai de Nadja para perguntar onde ela mora com seu marinheiro. É num apartamento de porão em Østerbro, e vou para lá no mesmo instante. Estão sentados à mesa comendo, e Nadja me pergunta com hospitalidade se quero lhes fazer companhia. No entanto, qualquer cheiro de comida me dá enjoo, e já quase não como nada. Nadja cortou o cabelo e adotou um andar gingado, como se estivesse no convés de um navio. O marinheiro, que se chama Einar, repete as mesmas frases o tempo todo: É isso aí, pode crer etc. Nadja também fala assim. Ao ouvir o motivo de minha visita, ela diz que vai me arranjar uns comprimidos de quinina. Ela mesma já abortou usando isso. Mas pode ser que demore alguns dias, porque não é tão fácil assim. Eu te entendo perfeitamente, diz ela reminiscente. Você sente um ódio, fica pensando que aquilo cria olhos, e dedos nas mãos e nos pés, sem que você possa fazer nada. Você olha para as crianças sem conseguir encontrar nada que as redima. Não consegue pensar em outra coisa senão ficar sozinha em sua própria pele outra vez.

Um tanto aliviada, conto a Lise que Nadja prometeu me arranjar comprimidos de quinina, mas Lise não fica muito empolgada. Ouvi falar que podem deixar a pessoa cega e surda. Eu digo com sinceridade que não me importo, desde que me livrem dessa merda.

Finalmente, a moça que estávamos esperando volta ao serviço, e Lise consegue o endereço do médico que a ajudou. Ao voltar para casa com o papelzinho na mão, sinto-me feliz pela primeira vez nesse longo período. O senhor se chama Lauritzen e mora na Vesterbrogade. Sua alcunha é Lauritz do Aborto, portanto deve ser confiável. Consigo reparar em Ebbe e Helle outra vez. Ponho Helle no colo e brinco com ela, e para Ebbe digo: Quando for se encontrar com o tal de Hjalmar, não use o casquete, e segure a maleta como se só estivesse levando livros didáticos. Afinal, você não foi talhado para esse tipo de coisa. Mas ele me tranquiliza, dizendo que não vai participar de ações de sabotagem e que a chance de os alemães o capturarem é muito baixa. Amanhã por volta desse horário, digo, estarei muito mais feliz do que já estive em toda a minha vida.

No dia seguinte, visto a jaqueta forrada que comprei de Sinne, porque está começando a fazer frio. Ela a mandou costurar, aproveitando umas colchas listradas que ganhou da família, mas, quando todo mundo começou a usar jaquetas assim, Sinne se cansou dela. E estou de calças compridas. Vou de bicicleta até a Vesterbrogade, e a rua já está enfeitada para o Natal, com guirlandas de ramos de abeto e laços vermelhos ao longo da calçada. Fui instruída a não dizer nada diretamente, nem contar onde consegui o endereço. Há muita gente na sala de espera, a maioria mulheres. Uma senhora de casaco de pele se adianta torcendo as mãos, afaga a cabeça de uma menininha como se aquele fosse um gesto que a própria mão inventasse, e em seguida retoma sua andança. De repente ela se dirige a uma jovem. Será que posso entrar antes da senhorita?, pergunta, estou com dores muito fortes. Pode, sim, responde a jovem docilmente, e assim que a porta do consultório se abre e alguém chama: "Próximo", ela corre lá para dentro e fecha a porta com um estrondo. Um minutinho depois, ela sai como que transformada. Os olhos brilham, as faces estão rubras, e há um sorriso estranhamente distante em seus lábios. Ela puxa um pouco a cortina e olha para a rua. Como é lindo, diz, ver todos aqueles enfeites. Mal posso esperar o Natal. Intrigada, a vejo sair, e meu respeito pelo médico cresce. Se é capaz de curar uma pessoa tão agoniada em poucos minutos, imagine o que não posso esperar dele.

E qual é o problema da senhora?, pergunta ele, me olhando com seus olhos cansados e gentis. É um senhor de idade, com cabelos grisalhos e um aspecto de desleixo indefinido. Na sua mesa, há um sanduíche de salame, e as duas fatias de pão estão viradas para cima. Conto-lhe que estou grávida, mas que não desejo ter outro filho. Bem, diz ele, esfregando o queixo. Infelizmente, terei de desapontá-la. Desisti por um tempo, pois o cerco estava se fechando.

A decepção é tão enorme, tão paralisante, que enterro o rosto nas mãos, rompendo em pranto. Mas, doutor, choro, o senhor é meu último recurso, e logo estarei de três meses. Se não quiser me ajudar, vou me matar. São tantas que dizem isso, observa ele mansamente, e de repente tira os óculos como se quisesse me ver melhor. Escute, a senhora é Tove Ditlevsen? Confesso que sim, sem saber se é uma vantagem. Li seu último livro, comenta ele, o acho bom. Eu mesmo sou um velho rapaz de Vesterbro. Se a senhora parar de chorar, diz muito lentamente, eu talvez possa lhe segredar um endereço. Por pouco não o abraço de alívio quando ele escreve um nome e um endereço num bilhete. Com este colega, a senhora conseguirá marcar um horário, informa. Não faz outra coisa além de perfurar a membrana amniótica. Se sair sangue depois, a senhora deve me ligar para ser internada em minha clínica. E se não sair sangue?, pergunto, com uma nova aflição de que tudo será mais complicado do que eu havia pensado. Então não é tão bom, diz ele, mas costuma sangrar, sim. Não sofra por antecedência.

Ao chegar em casa, discuto a questão com Ebbe, que me pede para desistir do meu plano. Não, digo com veemência, aí prefiro morrer. Cheio de inquietação, ele anda de um lado para outro na sala olhando para o teto, como se ali conseguisse encontrar argumentos convincentes. Ligo para o médico, que mora em Charlottenlund. Amanhã às seis horas, diz ele com voz ranzinza e insonora, é só entrar, a porta estará aberta. A senhora precisa trazer trezentas coroas. Para Ebbe, digo que não deve se preocupar tanto. Se algo acontecer comigo, algo acontecerá com o médico também, portanto ele terá de tomar cuidado. Quando acabar, digo, ficaremos bem de novo, Ebbe. Afinal, essa é a razão por que estou tão ansiosa para fazer isso.

10.

Pego o bonde para Charlottenlund, porque não quero ir de bicicleta, já que não sei em que estado voltarei. Faltam dois dias para o Natal, e as pessoas estão sobrecarregadas de presentes envoltos em papel natalino brilhante. Talvez na noite de Natal tudo tenha terminado, de modo que poderemos comemorar o Natal com meus pais mais uma vez. Então será o melhor Natal que já terei tido. Estou sentada ao lado de um soldado alemão. Uma mulher corpulenta cheia de presentes acaba de se levantar ostensivamente, passando para o lado oposto. Sinto pena do soldado, que deve ter mulher e filhos na terra dele com quem gostaria de estar em vez de ficar andando por um país estrangeiro que seu comandante inventou de ocupar. Ebbe está em casa, mais receoso do que eu. Ele comprou uma lanterna para mim, para eu poder enxergar os números no escuro. Consultamos um livro para ver o que é a membrana amniótica. Quando se rompe, dizia o livro, as águas jorram, e o trabalho de parto se inicia. Mas neste caso é para sair sangue, não águas, e continuamos tão ignorantes quanto antes.

O médico me recebe no hall de entrada, onde uma lâmpada sem lustre pende de um gancho no teto. Ele parece nervoso e ofendido. O dinheiro, diz sem rodeios, estendendo a mão. Eu lhe dou e, com um leve gesto de cabeça, ele me indica a sala do consultório. É quinquagenário, baixo, encarquilhado, e os cantos de sua boca estão caídos, como se ele nunca tivesse sorrido. Suba, diz lacônico, gesticulando na direção da mesa com as perneiras suspensas. Deito-me, dirigindo o olhar temeroso para um aparador sobre o qual repousa uma fileira de instrumentos lustrosos e pontiagudos. Dói?, pergunto. Um pouco, responde ele, só por um instante. Ele fala em estilo telegráfico, como se precisasse economizar as cordas vocais. Fecho os olhos, e uma dor lancinante passa por meu corpo, mas não emito som algum. Pronto, diz ele. Se sangrar ou se tiver febre, ligue para o dr. Lauritzen. Nada de hospital. Nenhuma menção de meu nome.

    Estou no bonde indo para casa e pela primeira vez sinto medo. Por que é tão misterioso e complicado? Por que ele simplesmente não o tirou? Dentro de mim, há o silêncio de uma catedral e nenhum sinal de que um instrumento assassino acaba de perfurar a membrana que ia proteger aquilo que, muito contra minha vontade, queria a vida. Em casa, me deparo com Ebbe dando comida a Helle. Está pálido e apreensivo, e eu lhe conto sobre o resultado. Você não deveria ter feito isso, repete ele, você pôs sua vida em risco, tem algo de errado nisso tudo. Passamos a maior parte da noite em claro. Não há sangue nenhum, líquido nenhum, febre nenhuma, e ninguém me disse o que vai acontecer a seguir. Aí soa a sirene de ataque aéreo. Levamos o berço de Helle para o abrigo no porão, isso nunca a acorda. Lá embaixo, as pessoas estão cochilando. Converso um pouco com a mulher do andar de baixo, que está enchendo de bolachas sua criança sonolenta e choramingona. É uma mulher jovem com feições vagas, inacabadas, e quem sabe ela não tenha tentado tirar aquela criança ou um bebê posterior. Talvez muitas mulheres tenham passado pelo que passo agora, mas não se fala sobre isso. Nem contei a Ebbe como se chama o médico de Charlottenlund, porque se algo acontecer comigo ele não deve pagar o preço. Ajudou-me na última hora, e sou profundamente solidária com ele, mesmo que seja um senhor desagradável.

Enquanto estamos sentados lá no porão, começo a sentir frio e abotoo a jaqueta de tecido de colcha até o pescoço. Estou com tanto frio que bato os dentes. Acho que estou com febre, digo a Ebbe. O alarme de ataque aéreo para de soar, e retornamos ao apartamento. Tiro minha temperatura, que está em quarenta graus. Ebbe fica fora de si. Ligue para o médico, implora ele, você precisa ser internada já. A febre me deixa com a sensação de estar levemente bêbada. Não a esta hora, digo rindo, não no meio da noite. Aí a esposa e os filhos dele vão ficar sabendo. A última coisa que vejo antes de dormir é Ebbe andando de um lado para outro, enrolando furiosamente o cabelo nos dedos. Meu Deus, murmura ele em desespero, meu Deus. Ocorre-me que o tal de Hjalmar também põe a tua vida em risco.

De manhã cedo telefono para o dr. Lauritzen e lhe digo que estou com quarenta graus e meio de febre, mas que não há sangue nem líquido. Isso vai vir, promete ele, gentil, vá para a clínica imediatamente, vou ligar lá agora mesmo e dizer que a senhora está chegando. Mas não diga nada às enfermeiras, certo? A senhora está grávida e ficou com febre, é só isso. E não se preocupe, vai dar tudo certo.

É uma boa clínica na Christian ixs Gade. A enfermeira-chefe me recebe, uma senhora gentil, com jeito maternal. É possível, diz ela, que não consigamos salvar o bebê, mas faremos o que estiver ao nosso alcance. Essas palavras me deixam absolutamente aflita e, quando sou levada para um quarto duplo, apoio-me no cotovelo para observar a mulher da outra cama, que tem cinco ou seis anos mais que eu e cujo rosto doce e franco desponta da camisola branca. Ela se chama Tutti e, para minha surpresa, está namorando Morten Nielsen. Ele é o pai do bebê que iriam ter. É divorciada, arquiteta, e tem uma menina de seis anos. Decorrida uma hora, é como se nós duas nos conhecêssemos desde sempre. No meio do quarto, há uma pequena árvore de Natal com enfeites de vidro tilintantes e uma estrela no topo. Parece um absurdo, dadas as circunstâncias. Quando eu era criança, digo a Tutti em meu devaneio febril, eu realmente acreditava que as estrelas tinham seis pontas. A luz se acende, e uma enfermeira entra com duas bandejas para nós. Ainda não suporto ver ou cheirar comida, por isso nem toco no prato. Está sangrando?, pergunta a moça. Não, respondo. Então ela traz um balde e alguns absorventes, no caso de eu sangrar durante a noite. Deus do céu, penso desesperada, dê-me só uma gota de sangue. Uma vez recolhidas as bandejas, Ebbe chega, e logo em seguida aparece Morten. Olá, diz ele surpreso, o que você está fazendo aqui? Então ele senta na cama de Tutti, e os dois desaparecem cochichando nos braços um do outro. Ebbe trouxe vinte comprimidos de quinina que Nadja lhe deu. Só tome se for necessário, me pede. Depois de ele sair, conto a Tutti que Nadja já abortou tomando quinina, de modo que a seu ver não há motivo para eu não engolir os comprimidos, o que passo a fazer. A enfermeira do plantão da noite entra no quarto, apaga a luz do teto e acende a lâmpada noturna, cujo brilho azulado ilumina o ambiente com uma luz irreal, fantasmagórica. Não consigo dormir, mas quando digo algo a Tutti, não ouço minha própria voz. Falo mais alto e continuo não escutando nada. Tutti, grito apavorada, fiquei surda. Vejo Tutti mexer os lábios, mas não a escuto. Fale mais alto, peço. Então ela brada: Não precisa gritar assim, afinal não sou surda. É o efeito daqueles comprimidos, mas deve passar.

Meus ouvidos estão zumbindo, e por trás do zumbido há um silêncio algodoado, funesto. Talvez eu tenha ficado surda para sempre, em vão, porque ainda não há sangue nenhum. Tutti se levanta da cama e se aproxima de mim, gritando no meu ouvido: Querem ver sangue, é só isso que querem. Agora vou deixar meus absorventes usados no seu balde, e amanhã de manhã você simplesmente mostra os absorventes. Aí ele fará a tal da curetagem. Fale mais alto, grito em desespero, e enfim consigo ouvir o que ela diz. Durante a noite toda, ela fielmente vai até minha cama e deixa seus absorventes usados no balde. Sempre que passa pela árvore de Natal, os pequenos enfeites de vidro se chocam e sei que estão tilintando, mas não escuto nada. Penso em Ebbe e Morten e em seu ar de abandono nesse mundo feminino de sangue e náuseas e febre. E penso no Natal de minha infância, quando cirandávamos em torno da árvore cantando: Nós que viemos das profundezas — em vez dos hinos natalinos. Penso na minha mãe e seu horrível óleo de âmbar. Ela não faz ideia de que estou internada aqui, pois nunca foi capaz de guardar um segredo. Também penso no meu pai que sempre escutou mal, isso vem de família. Os surdos devem viver uma vida totalmente fechada e isolada. Talvez eu precise de um aparelho auditivo. Mas minha surdez significa muito pouco comparada ao ato de bondade de Tutti. Sabem perfeitamente o que acontece aqui, brada ela no meu ouvido, só precisam manter as aparências.

Adormecemos exaustas pela madrugada até chegar a enfermeira e nos acordar. Mas como a senhora sangrou, diz ela com falsa preocupação, olhando para o balde com a safra da noite. Agora temo que não haja como salvar o bebê. Preciso chamar o médico-chefe imediatamente. Para meu alívio, percebo que minha audição voltou. A senhora está muito chateada?, pergunta a enfermeira. Um pouco, minto, tentando fazer uma cara triste.

No final da manhã, chega o médico-chefe e sou transportada para a mesa de cirurgia. Não fique tão triste, diz ele alegremente, graças a Deus a senhora já tem uma filha. Em seguida colocam uma máscara sobre meu rosto, e o mundo inteiro se enche do cheiro de éter.

Quando acordo, estou deitada na cama com uma camisola limpa, branca. Tutti está sorrindo para mim. E agora, pergunta ela, está feliz? Estou, respondo, o que eu faria sem você? Ela não faz ideia e nem acha que isso importa agora. Conta-me que Morten quer se casar com ela. Está muito apaixonada por ele e admira seus poemas, que acabam de ser publicados, para aclamação unânime da imprensa. Exceto você, diz ela com tato, ele é o mais talentoso dos jovens de hoje. Concordo, mas nunca fui muito próxima dele. Ebbe chega com flores, como se eu estivesse na maternidade, e está felicíssimo porque finalmente acabou. No futuro, diz ele, temos que tomar mais cuidado. Também peço a Lauritz do Aborto que me ensine a colocar o diafragma corretamente. Ainda assim, tenho uma aversão horrenda àquele pedaço de equipamento, aversão que guardo pelo resto da vida. Minha temperatura já caiu ao nível normal, e estou morrendo de fome agora que o enjoo desapareceu como num passe de mágica. Sinto saudades do corpinho gorduchinho de Helle, de suas covinhas nos nós dos dedos e nos joelhos. Quando Ebbe a traz para mim, penso com horror: Imagine se fosse a ela que tivéssemos negado acesso à vida! Ponho-a na cama comigo e brinco com ela por um longo tempo. Ela me é mais cara do que nunca.

À noite, o médico-chefe entra no nosso quarto, sem jaleco e acompanhado de duas crianças. Devem ter entre dez e doze anos de idade. Feliz Natal, diz ele afetuosamente, com um aperto de mão para cada uma. As crianças também nos cumprimentam, e, depois de saírem, Tutti diz: Ele é muito gentil, devemos ser gratas por existir alguém que tenha coragem.

Durante a noite de Natal acordo, encontro um lápis e uma folha de papel em minha bolsa e escrevo um poema à luz fraca da lâmpada noturna:

Para ti, que procuraste abrigo onde
havia medo e fraqueza em demasia,
entoo uma canção de ninar a meia-voz
entre a noite e o raiar do dia — — —

Não me arrependo do que fiz, mas nos escuros meandros da mente ainda há pegadas leves como que de pés de criança em areia úmida.

11.

Os dias passam, as semanas passam, os meses passam. Começo a escrever contos, de modo que a cortina entre mim e a realidade se torna firme e segura outra vez. Ebbe começa a frequentar as aulas regularmente, e já não fico tão preocupada quando sai com Hjalmar. Para meu alívio, não presta mais tanta atenção no que escrevo, portanto tenho minhas personagens masculinas em paz. Mas depois do episódio com Mulvad, sempre tomo cuidado para que não haja nenhuma semelhança aparente com Ebbe. À noite, quando Helle já está na cama, ele recita poemas de Sophus Claussen ou Rilke para mim. Este último me impressiona demais, e eu nunca o teria descoberto se não fosse por Ebbe. Atualmente, ele também está muito interessado em Hørup. Posa animado na nossa salinha, com o pé numa cadeira e a mão no coração, declamando em voz grave: Minha mão sempre será erguida contra a política que considero a mais vil de todas, aquela cujo propósito é unir os ricos numa panelinha e deixar a elite pisar no pescoço daqueles que têm as menores condições de resistir, a fim de esmagá-los por completo. — Quando estamos abraçados na cama à noite, ele me conta sobre sua infância, que lembra a de todos os outros homens. Há sempre algo com um jardim, árvores frutíferas e um estilingue, e uma prima ou amiga com quem estão deitados no palheiro, mas aí chega uma mãe ou uma tia e estraga tudo. É uma história muito chata se você já a ouviu algumas vezes, mas eles ficam muito enlevados com ela, e no fim das contas não importa tanto o que dizemos um ao outro, desde que sejamos felizes.

Conseguimos um apartamento novo no térreo do prédio onde moram Lise e Ole. Consistindo em dois quartos e meio, conta com um pequeno jardim na frente, onde Helle pode correr e brincar. Ela já está com dois anos, e uma cascata de cachos loiros de repente substituiu sua calvície. É uma criança tão fácil que Lise diz que não temos noção do que é ter um filho. De manhã, quando estou escrevendo, ponho-a para brincar com seus blocos e bonecas, e ela sabe que não deve me incomodar. A mamãe está escrevendo, diz ela solenemente para sua boneca, depois vamos todos passear. Ela já fala certinho. Uns dois dias antes da nossa mudança para o novo apartamento, a sra. Hansen me chama na cozinha. Os colaboracionistas da Gestapo bloquearam a rua, diz ela, olhe, estão fazendo uma fogueira ali. Abro um pouco a cortina e olho para a rua deserta. No prédio da frente, os colaboracionistas jogam os móveis pela janela do último andar e os queimam numa grande fogueira. Rente à parede, uma mulher com dois filhos leva as mãos ao alto, enquanto os homens, aos berros, acuam os três com suas metralhadoras. Coitados, diz a sra. Hansen compadecida, ainda bem que essa maldita guerra logo vai acabar. Assim que estou prestes a deixar meu posto de observação, vejo uma mulher dobrar a esquina a toda a velocidade e, para meu horror, descubro que é Tutti. Um colaboracionista grita para ela, disparando um tiro para o ar, e imediatamente ela desaparece na entrada do prédio. Quando lhe abro a porta, ela se joga em meus braços desfeita em lágrimas: Morten morreu, desabafa, e a princípio não consigo absorver as palavras. Faço Tutti se sentar e vejo que está com os sapatos desemparelhados. Morreu como?, pergunto. É verdade? Mas eu o vi dois dias atrás. Chorando, Tutti me conta que foi uma bala perdida, sem nenhum sentido, um acidente absolutamente devastador. Ele estava de frente para um oficial que ia ensiná-lo a usar um revólver com silenciador. De repente, a arma disparou e atingiu Morten bem no coração. Tinha apenas vinte e dois anos de idade, lamenta-se Tutti, me olhando desamparada. Eu o amava tanto, não sei como vou superar isso. Visualizo o rosto angular e honesto de Morten e penso em seu poema "A morte é minha conhecida desde menino". É curioso, digo, mas ele escreveu tanto sobre a morte. Pois é, concorda Tutti, se acalmando um pouco. Era como se pressentisse que não lhe seria permitido viver.

Mais tarde no mesmo dia, chegam Ester e Halfdan, os dois profundamente abalados. Sei que Halfdan era muito próximo de Morten. No entanto, o que me preocupa mais é que a mesma coisa pode acontecer com Ebbe. De repente, seus encontros com Hjalmar se tornam muito sérios, e eu fico aflita até tê-lo de volta em casa. Fazemos a mudança para o novo apartamento, e agora podemos ver Lise e Ole mesmo durante o toque de recolher. O exame anual de tuberculose que todos os universitários são obrigados a fazer mostra que Ole tem "algo no peito", como ele mesmo diz. Se não fosse por isso, afirma ele, faria o treinamento para ser combatente da resistência. O médico decide que ele terá de passar alguns meses num alojamento para estudantes tuberculosos em Holte, e Lise não está muito triste com a separação. Assim ela pode postergar a questão do divórcio e se dedicar em paz a seu bacharel.

Chega então o Cinco de Maio, dia em que multidões jubilosas surgem enchendo as ruas de gritos, como se brotassem dos paralelepípedos. Abraçam perfeitos desconhecidos, bradam o hino da liberdade e dão vivas toda vez que passa um carro transportando combatentes da resistência. Ebbe traja o uniforme completo, e eu tenho medo do que pode acontecer com ele, pois ainda ninguém sabe se os alemães vão se retirar sem luta. No apartamento de Lise e Ole, as garrafas de *pullimut* estão na mesa pela última vez, e há um monte de gente lá, nem todos conhecidos meus. Dançamos, comemoramos e nos divertimos, mas o acontecimento histórico não entra por completo em minha consciência, porque sempre vivo as coisas depois de acontecerem e raras vezes participo totalmente do momento presente. Arrancamos as cortinas blecaute e as pisoteamos até se desfazerem. Comportamo-nos como se estivéssemos muito felizes, mas na verdade não estamos. Tutti ainda chora a morte de Morten, Lise e Ole vão se separar, e Sinne acaba de deixar Arne, que está tão desolado que nem se levanta da cama. Nadja, que sempre está atrás de um homem e sempre fisga o homem errado, está tentando conquistar Karsten, o irmão de Ebbe, com quem combina feito a argola no nariz do touro. Eu mesma penso em meu aborto e não paro de calcular a idade que o bebê teria agora. Algo deu errado para todos nós, e sinto que nossa juventude passou com a ocupação. No quarto das crianças, Helle está deitada com Kim, e quando o choro dos dois se torna audível demais, sobrepondo-se a nosso barulho, Lise vai lá e os acalenta com uma canção de ninar. Lá fora, a noite de primavera avança, e a lua, belamente pendurada, contempla com melancolia a multidão exausta da farra que não consegue se despedir e voltar para casa.

 Poucos dias depois, Ebbe chega pálido e atormentado em casa dizendo que não quer mais participar. Ele conta como os delatores e colaboracionistas são tratados no Dagmarhus, e em seguida tira o uniforme, vestindo suas roupas civis. Ao passear com Helle na Vesterbro Torv, vejo um grupo de soldados alemães desarmados arrastando os pés descompassadamente, com rostos miseráveis e sem esperança. São muito jovens, alguns têm somente quinze ou dezesseis anos. Volto para casa e escrevo um poema sobre eles que começa assim:

Soldados alemães cansados
caminham pela cidade alheia
com a luz da primavera no rosto,
sem trocar olhares.
Cansados, hesitantes, acanhados,
caminham rumo à derrota
no meio da cidade alheia.

Um dia, Lise desce ao nosso apartamento e me conta que Ole quer convidar um monte de mulheres para um "baile tísico" a ser organizado no alojamento estudantil, conhecido por Rudershøj. Ebbe fica ofendido por não ser convidado, mas não tem o que fazer, há homens de sobra. O convite me vem em boa hora, pois terminei minha coletânea de contos, e não sei o que fazer quando não estou escrevendo. Lise diz que o filho da diretora vai participar, para convencer sua mãe a se retirar cedo.

Quando chegamos, a festa já está rolando. Os convidados dançam ao som de uma banda local, e nenhum dos estudantes parece ser mais tuberculoso do que Ole, cuja cara respira saúde. Uma senhora de busto largo chega correndo e nos dá as boas-vindas. Pelo visto, é a diretora. Danço com vários parceiros num grande salão esvaziado, com piso de parquete e cadeiras de espaldar alto ao longo das paredes. O alojamento estudantil fica num grande parque que, nessa noite, está envolto num véu de chuva esverdeado e negro, salpicado de prata por uma lua nebulosa, que ora aparece ora desaparece atrás das nuvens. Numa espécie de antessala, montaram um bar com balcão e cadeiras altas, e um barman que serve bebidas de verdade e não *pullimut*. Por alguma razão, sinto-me feliz e livre, e tenho uma vaga sensação de que algo especial vai acontecer antes de a noite acabar. Bebo uísque e fico embriagada, alegre e imprudente. Numa das cadeiras, está sentado um jovem com Sinne no colo. Sento-me ao lado deles e digo com deslealdade: Você está apostando no cavalo errado, ela está noiva de um comerciante do mercado negro. O jovem dá risada e afasta Sinne do colo, como se ela fosse um grão de poeira. Nunca imaginei, diz ele para mim, que poetas poderiam ser bonitas. De repente, seu rosto surge da sombra de uma luminária, e me pego estudando-o com a atenção de um pintor de miniaturas. Tem cabelos ruivos e ralos, olhos cinzentos e calmos, e dentes tão irregulares que parecem formar duas fileiras. Descubro que é filho da diretora e que já se formou em medicina. É incrível encontrar um universitário que tenha concluído o curso. Ele dança comigo, pisamos nos pés um do outro e, dando risada, temos que desistir. Optamos por dar uma volta no parque. A noite está clareando, e o ar parece seda úmida. Ele me beija debaixo de uma bétula cinza-prata, e de repente sua mãe vem correndo até nós com o busto de seda violeta a balançar e os braços agitados. Meu Deus, a juventude, geme ela. Seu conteúdo mental se traduz sobretudo em exclamações líricas, em parte ininteligíveis. Logo, seu filho, cujo nome é Carl, se lembra de sua promessa aos estudantes de fazê-la retirar-se cedo, e murmura para mim algo sobre me ver mais tarde, antes de entrar no edifício com ela.

Depois, os convivas se soltam ainda mais. Dançam, bebem e se divertem, e um após o outro, os casais desaparecem escada acima sem reaparecer. Faz tempo que não fico tão bêbada como agora, e quando Carl propõe que subamos ao quarto onde ele vai dormir, acho que é uma ótima ideia. Esquecido está Ebbe, esquecida está minha promessa de lhe ser fiel.

Na manhã seguinte, acordo com uma terrível dor de cabeça. Olho para o homem adormecido a meu lado e descubro que ele na verdade é bem feio, com todos aqueles dentes e seu prognatismo, que não os consegue esconder. Eu o acordo e digo que quero ir para casa. Mal-humorada e indisposta, visto-me sem lhe dirigir uma palavra. Decido que nunca mais quero vê-lo, e quando ele se oferece para me levar em casa, eu recuso. Prefiro voltar para casa sozinha. Desço até o salão desarrumado e me sento por um momento numa das banquetas do bar. Vejo Sinne descer as escadas no encalço de um jovem muito alto, que segura o sutiã dela numa das mãos. Ignorando-o, ela se aproxima de mim e diz: Meu Deus do céu, o que nós bebemos? Ele é medonho, dois metros de altura e deve ter só meio pulmão. Aí ela lhe arranca o sutiã da mão e sai com um bocejo mal-educado.

Abandono o campo de batalha e volto de bicicleta para casa e para Ebbe, que está furioso por eu ter ficado fora a noite inteira. Deve ter ido para a cama com alguém, acusa-me. Protesto minha inocência, mas na verdade acho ridículo que uma coisa assim pese tanto. Afinal, há outro tipo de fidelidade que é muito mais importante. Só depois de estar na cama, me ocorre que não usei o diafragma. De resto, desde meu aborto, sempre tomei essa providência. Então penso que, se algo realmente aconteceu, ele é médico, o que deve facilitar as coisas.

12.

Meu Deus, digo. Ele tem prognatismo, além de sessenta e quatro dentes na boca em vez de trinta e dois. E não sei se é dele ou de Ebbe. O que faço agora, Lise?

Não paro de caminhar de um lado para outro, e Lise me observa de testa franzida. Você, também, engravida só de andar no sereno, diz ela com um suspiro. De qualquer forma, se ele é médico, vai poder tirá-lo sem toda a agonia pela qual você passou da última vez. Mas só a ideia de vê-lo de novo, digo desesperada, eu o acho medonho, e o que vou falar para Ebbe? Nunca estivemos tão bem como agora. Aí Lise me explica, com paciência, que serei obrigada a vê-lo de novo. Preciso ligar para a mãe dele e descobrir onde ele mora. E para Ebbe posso falar qualquer coisa, que vou ver Nadja ou Ester, ou visitar meus pais. Pensando bem, ele não é nem um pouco desconfiado. Então tomamos café juntas, e Lise me conta que ela também não está passando por um bom momento. O bacharel afinal não quer se divorciar, mas tampouco quer ficar sem ela. É a pior coisa, reclama Lise, esses homens com duas mulheres. As duas sofrem, e o homem não quer fazer uma escolha. Ela afasta seus cabelos curtos e castanhos da face, parecendo tão desamparada que fico com dor na consciência por sempre a inundar com meus problemas. Quando não estou escrevendo, digo, estou grávida. Isso nos faz rir, e concordamos que vou fazer algo para remediar a situação. Preciso conseguir o endereço dele, procurá-lo e convencê-lo a interromper a gravidez.

No dia seguinte, ele mesmo liga e pergunta se podemos nos ver em breve. Digo que sim, e combinamos que o visitarei amanhã à noite. Ele mora no Instituto Bioquímico, onde também trabalha. É cientista. Para Ebbe, digo que vou visitar Nadja, e então pedalo no lusco-fusco pela Nørre Allé, onde as árvores estão tão imóveis como num desenho. É verão, e estou usando um vestido branco de linho que comprei de Sinne. O quarto de Carl é como qualquer moradia de estudante: uma cama, uma mesa, um par de cadeiras e algumas estantes cheias de livros. Ele comprou sanduíches, cerveja e schnaps, mas não toco em nada. Assim que nos sentamos à mesa, declaro: Estou grávida, e não quero ter um bebê sem saber quem é o pai. Entendo, diz ele calmamente e me olha com seus sérios olhos cinza, que são o único traço belo de sua fisionomia. Posso te ajudar com isso. Venha para cá amanhã à noite que te faço a curetagem. Ele diz isso como se fosse algo que fizesse parte de sua rotina diária e, de modo geral, parece uma pessoa cujo equilíbrio nada no mundo será capaz de tirar. Sorrio aliviada e pergunto: Você pode também me anestesiar? Vou te dar uma injeção, diz ele, não vai sentir nada. Uma injeção?, pergunto. De quê? Morfina ou petidina, responde ele, a petidina é melhor. Muitas pessoas vomitam com morfina. Então me acalmo e acabo comendo e bebendo com ele mesmo assim. Estou apenas oito dias atrasada e ainda não sinto náuseas. As mãos de Carl, pequenas, delgadas e ágeis, me lembram um pouco as de Viggo F. Sua voz é bonita, e ele tem uma fala agradável. Conta-me que estudou no colégio interno de Herlufsholm, que sua mãe se divorciou quando ele tinha dois anos de idade e até onde se lembra sempre quis que ela se casasse de novo. Também revela que, pelo que sabe, seu pai está num asilo de alcoólatras, mas nunca teve contato com ele desde que os abandonou. Além do mais, comenta que, depois de nos conhecermos, leu tudo o que escrevi e, com um sorriso, diz que com certeza poderíamos ter um filho brilhante. Acrescenta que gostaria de se casar comigo. Mas tenho um excelente marido, protesto, e uma filha adorável, então terá de ficar para depois. Pois é, diz ele, esfregando o queixo como que para verificar se há barba por fazer. Também não seria prudente casar comigo. Vou te confessar que sou meio maluco. Fala com toda a seriedade, e eu lhe pergunto o que quer dizer com isso. No entanto, ele não consegue explicar, é só algo que sente. Diz que há muitos doentes mentais na família do pai, e que sua mãe também não bate bem. Dou risada e não penso mais nisso. Quando estou prestes a ir embora, ele me beija com delicadeza, mas não faz nenhuma tentativa de me levar para a cama. Acho que estou apaixonado por você, declara, mas provavelmente de nada adianta.

 Quando chego em casa, Ebbe está lendo os poemas de Thøger Larsen enquanto dá baforadas em seu cachimbo, hábito que adquiriu depois de ler que fumar cigarro pode causar câncer. Não quer ter uma morte prematura e deixar a mim e a Helle sozinhas. Pergunta como está Nadja, e lhe conto a verdade, que agora está noiva de um membro da Juventude Conservadora e manifesta opiniões tão reacionárias que parece datar da época anterior a Frederico VI. Ele acha engraçado e diz que ela deveria se casar e ter filhos. Estamos ficando velhos, comenta, batendo o cachimbo no cinzeiro. Ele tem vinte e sete anos, e eu tenho vinte e cinco. Quando penso na minha infância, prossegue ele, sinto-me como Thøger Larsen. Escute:

Fica feliz se encontrares um brilho desbotado,
em teus sonhos, da primavera de tua infância.
Um sol misericordioso, teu pai ao lado,
tua mãe na cozinha. O retrato da constância.

Minha mãe, protesto, já passou dos cinquenta e não a acho nada velha. Minha mãe tem sessenta e cinco anos, observa ele, nunca a conheci jovem. Isso faz uma diferença. Não consigo acompanhá-lo direito quando fala de sua idade avançada, e tudo aquilo que preciso esconder dele também cria uma distância entre nós. Na hora de deitar, digo que estou cansada e preciso dormir logo. Amanhã, acrescento, quero fazer uma visita para ver como é a casa de Ester e Halfdan. Ele diz que quer ir comigo, mas argumento que não podemos sempre deixar Lise cuidar de Helle, algo que tampouco é o passatempo favorito de sua mãe. No entanto, prometo voltar cedo para casa.

Na noite seguinte, quando estou no bonde indo para Carl, digo a mim mesma que não é nada certo que eu esteja grávida. Pode simplesmente se tratar de uma irregularidade na minha menstruação, como acontece com tantas mulheres. Digo isso porque quero evitar que mais uma sombra cresça ao lado de Helle, outra cuja idade sempre terei de calcular. Sei que muitas mulheres fazem curetagem apenas para consertar as partes internas. Ao chegar lá, vejo que Carl arranjou uma mesa alta para a ocasião. Está posicionada no meio do quarto, coberta por um lençol branco. Também colocou seu travesseiro nela para eu ficar confortável. Ele mesmo usa um jaleco branco e, enquanto lava as mãos esfregando as unhas, pede gentilmente que eu me acomode. Ao lado da mesa, na estante de livros, há alguns instrumentos brilhantes. Depois de lavar as mãos, ele pega uma seringa da prateleira de vidro sobre a pia. Está cheia de um líquido transparente, e ele a deita ao lado dos instrumentos, antes de amarrar um tubo de borracha em torno de meu braço. Você vai sentir uma picadinha, diz ele com calma, não vai perceber quase nada. Dá umas batidinhas de leve na parte interna de meu cotovelo até uma veia azul se tornar claramente visível. Você tem veias boas, comenta. Então ele me dá a injeção, e ao passo que o líquido da seringa desaparece dentro do meu braço, um deleite nunca antes sentido se espalha por todo o meu corpo. O quarto se expande, transformando-se numa sala magnífica, e eu me sinto totalmente relaxada, indolente e feliz como nunca. Viro para o lado e fecho os olhos. Deixe-me em paz, ouço minha própria voz dizer como que através de muitas camadas de algodão, você não precisa fazer nada comigo.

Quando acordo, Carl está novamente lavando as mãos. Meu estado de graça persiste, e tenho a sensação de que irá embora se eu me mexer. Pode levantar e se vestir, diz Carl enquanto enxuga as mãos, já acabou. Eu obedeço devagar, sem revelar o quanto estou feliz. Pergunta se quero uma cerveja, mas faço que não com a cabeça. Então ele diz que preciso ingerir algum líquido e pega uma garrafa de refrigerante que me forço a beber. Senta-se a meu lado na cama e me beija timidamente. Foi muito ruim? Não, digo. Como se chama aquilo que você injetou em mim? Petidina, responde ele, é um analgésico. Pego sua mão e a levo até minha face. Estou apaixonada por você, digo, vou voltar em breve. Ele parece feliz, e nesse momento quase o acho bonito. Tem um rosto sólido e duradouro, feito para se conservar até o fim da vida. Em muitos pontos, o rosto de Ebbe é frágil e quebradiço, talvez se desgaste antes de ele completar quarenta. É um pensamento estranho, impossível de expressar. Quando eu voltar, digo lentamente, posso receber outra injeção daquilo? Ele ri com vontade e esfrega o queixo saliente. Bem, diz, se acha que foi tão maravilhoso. Afinal, você não tem perfil de toxicodependente. Gostaria de me casar com você, declaro, afagando seu cabelo macio e fino. E o seu marido?, questiona ele. Simplesmente me mudo, digo, e levo Helle comigo. Enquanto estou no bonde de volta para casa, o efeito da injeção pouco a pouco desvanece, e me parece que um véu cinzento e lodoso cobre tudo em que ponho os olhos. Petidina, penso, o nome é como o trinar de um pássaro. Decido nunca mais abrir mão do homem que pode me proporcionar um prazer tão indescritível e delicioso.

Quando chego em casa, Ebbe quer saber como estavam Ester e Halfdan, mas eu só respondo com monossílabos. Ele me pergunta qual é o problema, e digo que estou com dor de dente. Viro para o outro lado na cama e fico de costas para Ebbe, tocando o leve inchaço deixado pela injeção na articulação do cotovelo. Estou obcecada por uma única ideia, a de repetir a experiência, e não dou a mínima para Ebbe nem para qualquer pessoa que não seja Carl.

PARTE II

1.

Ebbe já morreu, e quando tento evocar suas feições, sempre o vejo como foi naquele dia em que lhe contei que havia outro. Estávamos à mesa comendo com Helle. Ele pousou o garfo e a faca, afastou o prato. Estava empalidecido, e um nervo numa das faces vibrava de leve, mas esse era o único sinal de emoção. Logo se levantou e foi até a estante, pegou seu cachimbo e se pôs a enchê-lo meticulosamente. Em seguida, começou a andar de um lado para outro, dando baforadas fervorosas em seu cachimbo, enquanto olhava para o teto como se quisesse encontrar uma solução ali. Quer o divórcio, então?, perguntou com voz monocórdica e calma. Não sei, disse eu, por enquanto eu e Helle podemos simplesmente nos mudar por um tempo. Quem sabe não voltamos? De repente, ele deixou o cachimbo de lado e pegou Helle no colo, algo que raramente fazia. Papai triste, disse ela, encostando sua bochecha na dele. Não, negou ele, se forçando a sorrir, continue a comer. Ele a colocou de volta no cadeirão, pegou o cachimbo e retomou sua andança. Aí disse: Também não sei por que as pessoas fazem questão de se casar ou morar juntas.

Você é forçado a ver a mesma pessoa todo dia durante a vida inteira, e há algo de desnatural nisso. Talvez fiquemos melhor se apenas visitarmos um ao outro. Quem é esse homem?, acrescentou ele sem olhar para mim. É médico, respondi, eu o conheci no baile tísico. Ele voltou a se sentar, e vi que sua testa estava molhada de suor. Ainda olhando para o teto, disse: Você acha que ele é capaz de te dar uma visão de vida? Quando Ebbe estava perturbado, ele sempre dizia algo estúpido. Não sei o que você quer dizer com isso, reclamei, visão de vida não é algo que as pessoas ficam dando umas às outras.

Quando estávamos na cama, ele me pegou nos braços pela última vez, mas percebeu que eu estava distante e dispersa. Pois é, disse ele, você se apaixonou por outro. É o tipo de coisa que costuma acontecer com outras pessoas, algo bastante corriqueiro no nosso círculo, por sinal. Ainda assim, é completamente irreal para mim. Ainda assim, estou completamente arrasado, apesar de não demonstrar isso. É uma falha minha, nunca tenho coragem de expor meus sentimentos. Se eu tivesse mostrado o quanto te amo, isso aqui talvez não tivesse acontecido. Ebbe, falei, pondo os dedos sobre suas pálpebras. Vamos nos ver com frequência e talvez você possa fazer amizade com Carl. Quem sabe nós três não possamos nos dar bem? Não, declarou ele com súbita veemência, nunca quero ver aquele homem na minha frente, só você e Helle. Apoiei-me sobre o cotovelo, contemplando por um momento seu rosto jovem e bonito com os traços gentis e delicados. E se eu lhe contasse a verdade? Se eu lhe contasse que era pelo líquido transparente de uma seringa que eu estava apaixonada, e não pelo dono de tal seringa? Mas não lhe contei, jamais contei a ninguém. Era como na minha infância. Doces segredos se arruinavam se contados aos adultos. Aí virei para o lado e dormi. No dia seguinte, eu e Helle nos mudaríamos para uma pensão em Charlottenlund que Carl havia encontrado para nós.

* * *

Era uma pensão para idosas solteiras. O quarto entulhado continha móveis de vime revestidos de cretone, uma cadeira de balanço com uma almofada para as costas, uma cama alta de ferro da década de 1880, além de uma pequena escrivaninha feminina que quase se desmantelou quando pousei nela minha sólida máquina de escrever. Até a caminha com grade de Helle parecia muito robusta nesse ambiente raquítico, para não falar dela mesma. Virando a cadeira de balanço de ponta-cabeça, ela brincava de navio e logo no primeiro dia desatou a devorar uma feiíssima figura de Cristo em tamanho real que fora posicionada atrás da escrivaninha. Na época, Helle tinha mania de comer cal. Através do silêncio conventual, sua voz estridente de criança ecoava com intensidade provocadora, e uma após outra, as velhinhas apareciam à porta, pedindo um pouco de paz. Realmente, não sei como deixaram que nos hospedássemos ali. No dia seguinte, quando comecei a escrever à máquina, a pensão inteira se pôs em alvoroço, e a gerente, ela mesma uma senhora de idade, entrou em meu quarto perguntando se aquela barulheira era necessária. Todas as suas pensionistas eram pessoas que haviam se retirado da vida, explicou ela, e até suas famílias já as consideravam falecidas. Pelo menos nunca as visitavam, apenas esperavam herdar o pouco dinheiro que um dia lhes restaria. Observei atentamente a senhora idosa enquanto ela falava, porque eu queria ficar ali. Gostava do lugar, do quarto, da vista para dois jovens bordos, entre os quais fora esticada uma rede esfarrapada, cuja trama de corda ainda estava coberta de neve, embora logo estaríamos em março. A senhora tinha um rosto doentio e meigo com olhos bonitos e gentis, e pegou Helle no colo com muito cuidado, como se ao menor toque pudesse quebrar a criança robusta. Fiz um acordo com ela de não usar a máquina de escrever entre uma e três da tarde, o horário da sesta das idosas, e prometi visitar as pensionistas de vez em quando, já que seus parentes as haviam esquecido por completo. Eu gostava de conversar com aquelas que não eram totalmente surdas ou que não tinham se tornado rabugentas e amargas diante de seu destino naquela estação de inativas. E sempre havia uma delas disposta a tomar conta de Helle à noite, quando eu me encontrava com Carl, o que eu fazia com frequência. Eu ficava reclinada na otomana, com os braços sob a cabeça e os joelhos dobrados, observando-o enquanto ele trabalhava. Espalhados pelo quarto, ele tinha diversos balões e tubos de ensaio em suportes de madeira. Experimentava o conteúdo das provetas, deslizando a língua a tento entre os lábios. Em seguida, ele anotava algumas observações num grande livro de registros. Perguntei o que estava experimentando. Xixi, respondeu ele calmamente. Que nojo, exclamei. Então ele sorriu e disse: Não há nada tão limpo quanto xixi. Ele tinha um andar estranho, cauteloso, como se tomasse cuidado para não acordar alguém que estivesse dormindo, e seus cabelos ralos adquiriam um brilho acobreado à luz da luminária de mesa. Em minhas três primeiras visitas, ele me deu uma injeção a cada vez e me deixou ficar deitada, passiva e sonhando, sem me incomodar. Mas na quarta vez ele disse: Não, é melhor segurar um pouco, afinal não se trata de um docinho. Fiquei tão desapontada que meus olhos marejaram de lágrimas.

   Quando Ebbe visitava a mim e a Helle, ele quase sempre estava embriagado, e seu rosto parecia tão natural e indefeso que eu não aguentava olhar para ele. Enquanto eu contemplava os dois bordos, entre cujos ramos pendia o sol, e o vento desenhava um padrão fluido de sombras sobre o gramado, pensei que na verdade eu não era mulher para homem nenhum se casar. Ebbe brincava um pouco com Helle, que dizia: O papai é legal. Helle não gosta de Carl. Ela tampouco gostava dele naquela época, e demorou muito a lhe dar permissão para chegar perto dela.

Eu havia entregado minha coletânea de contos e por ora não tinha vontade nenhuma de escrever. Passava praticamente o tempo todo pensando em como convencer Carl a me dar petidina de novo. Lembrei que ele havia dito que era um analgésico. Que parte do corpo eu diria que estava doendo? Devido a uma antiga otite mal curada, um de meus ouvidos às vezes soltava líquido e, um dia, quando eu estava deitada em sua cama, vendo-o andar pé ante pé pelo quarto, papeando ora consigo mesmo ora comigo, levei a mão ao ouvido e disse: Ai, estou com uma dor de ouvido terrível. Ele se aproximou e sentou na beirada da cama: Está doendo muito?, perguntou compadecido. Fiz uma careta como se estivesse com muita dor. Dói, sim, é insuportável, volta e meia tenho isso. Ele trouxe a lâmpada para perto de mim a fim de poder olhar dentro do meu ouvido. Há corrimento, disse assustado, você precisa me prometer que consultará um otorrino. Vou encontrar um para você. Afagou minha bochecha: Calma, disse ele, agora vou te dar uma injeção. Sorri agradecida para ele quando o líquido entrou no meu sangue, me elevando ao único nível em que eu queria viver. Então ele se deitou comigo, ele sempre fazia isso quando o efeito estava no auge. Seu jeito de fazer amor era estranhamente breve e brutal, sem preliminares, sem ternura, e não me fazia sentir nada. Pensamentos leves, suaves, despreocupados passavam por minha cabeça. Pensei com carinho em todos os meus amigos que eu quase nunca via, travando diálogos imaginários com eles: Como você pôde, Lise me perguntara pouco tempo antes, se apaixonar por ele? Respondi que nunca é possível entender as paixões alheias. Permaneci largada por umas duas horas, então o efeito lentamente passou, ficando cada vez mais difícil me conformar com o estado natural, sóbrio. Tudo se tornou cinzento, lodoso, feio, insuportável. Na hora de me despedir, Carl perguntou quando eu ia conseguir finalizar meu divórcio. A qualquer momento, prometi, pois pensei que, uma vez casada com ele, seria muito mais fácil fazer com que me desse a injeção. Você gostaria de ter outro filho?, perguntou ele, enquanto me acompanhava pela escada. Claro, disse eu sem demora, porque um filho estreitaria seu vínculo comigo, e eu queria amarrá-lo pelo resto da vida.

2.

Após o divórcio, fiquei com o apartamento, para onde me mudei de volta com Helle e Carl. Ebbe regressou à casa da mãe, e eu o visitava quando me chamava. Nunca mais pôs os pés no apartamento, por medo de encontrar Carl. Lise e Ole, pelo contrário, frequentavam a casa, assim como Sinne e Arne, que estavam morando juntos outra vez, já que o comerciante do mercado negro tinha ido para a cadeia. No tempo de Ebbe, eu havia apreciado o movimento constante de visitas espontâneas entre os amigos, mas agora isso me irritava demais. Também irritava Carl, que tinha ciúmes extremos de todos os meus amigos. Sempre que nos visitavam, ele estampava um sorriso tímido e dócil na cara e quase não participava da conversa. Ele é meio estranho, não?, perguntou-me Lise discretamente um dia. Irritada, lhe expliquei que ele trabalhava duro e ficava cansado à noite. E você?, insistiu ela, você mudou desde que o conheceu. Perdeu peso e não parece mais estar com boa saúde. Com raiva, logo retruquei que ela jamais gostou de ninguém a não ser dos universitários que vieram do Colégio Interno de Høng, e se as pessoas não eram faladoras, extrovertidas e beberronas, achava-as estranhas. Isso a magoou tanto que ela deixou de falar comigo por um bom tempo.

Uma noite, logo depois de nos casarmos, Arne e Sinne nos convidaram para um banquete. Da fazenda dos pais, Sinne tinha recebido meio porco, o que merecia uma festança. Carl disse que não queria ir e achava que eu também deveria ficar em casa. Quem tem um trabalho que requer concentração, disse ele naquele tom de voz apologético que nunca revelava seu verdadeiro estado de espírito, não pode ter muitas relações sociais. São meus amigos, protestei, não vejo motivo para eu não ir nessa festa. Se você ganhasse uma injeção, disse ele suavemente, ficaria em casa? Sim, respondi desarmada e pela primeira vez um tanto assustada, ficaria. Na manhã seguinte me senti tão miserável que nem era capaz de levantar e preparar o café para ele. A luz feria meus olhos, e eu mal conseguia separar meus lábios rachados e secos. Era como se minha pele não suportasse o toque do lençol e da capa do acolchoado. Tudo em que eu punha os olhos era feio, duro e cortante. Afastei Helle de mim com um resmungo que a fez chorar. O que há de errado?, perguntou Carl. É o ouvido de novo? É, choraminguei, levando a mão ao ouvido. Deus, pensei desesperada, faça com que ele acredite em mim só mais esta vez. Não o deixe ir para o trabalho sem me dar a injeção. Vou dar uma olhada, disse ele carinhosamente, tirando um espéculo otológico e uma pequena lanterna da prateleira de cima do guarda-roupa, onde também estavam guardados os instrumentos da curetagem. Parece bem tranquilo, murmurou ele, e agora que está indo para o otorrino duas vezes por semana, deveria estar sob controle. Enquanto ele olhava dentro do meu ouvido, fiquei sem piscar para fazer meus olhos marejarem. Estou mesmo preocupado, disse ele enchendo a seringa, se continuar assim não haverá outra opção a não ser uma cirurgia. Vou conversar com Falbe Hansen. Esse era o otorrino que ele me indicara. Por que você está picando minha mãe?, perguntou Helle, que nunca tinha visto ele me dar a injeção. Estou lhe dando uma vacina contra difteria, respondeu Carl, você também tomou a vacina, não é? Mas é para ser no ombro, contestou ela, por que você está pondo no braço? É assim que se faz nos adultos, disse ele, tirando a agulha. Indolente, alheia e enlevada, eu o vi tomar café e servir mingau de aveia a Helle. Preguiçosa e feliz, dei adeus a ele, mas bem no fundo de meu cérebro enevoado, uma pequena ansiedade me roía. Cirurgia! Não havia nada de errado com meu ouvido. Logo esqueci tudo isso e passei a fantasiar sobre o romance que escreveria. Seu título seria: *Para o bem da criança*, e eu o estava compondo em meus pensamentos. Frases longas, belas, esbeltas passavam por minha mente, enquanto, deitada no divã, eu olhava para a máquina de escrever, sem ter forças para fazer movimento algum em sua direção. Helle engatinhava em cima de mim e foi obrigada a se vestir sozinha. Falei para ela subir e buscar Kim, assim os dois poderiam brincar juntos no jardim. Quando passou o efeito da injeção, desatei a chorar e puxei o acolchoado até o queixo porque estava tremendo de frio, embora fosse quase verão. É horrível, disse eu para o nada, não aguento mais. Como será que isso vai acabar? Aí me vesti com dificuldade, porque minhas mãos tremiam, e cada peça de roupa arranhava minha pele. Pensei em chamar Carl, para ele voltar e me dar outra injeção. As horas que eu tinha pela frente me pareciam anos, e me achava incapaz de atravessá-las. De repente fiquei com uma forte dor de barriga e senti uma vontade urgente de ir ao banheiro. Estava com diarreia e tive que correr para lá de cinco em cinco minutos.

No decorrer do dia, melhorei. Até me sentei à máquina de escrever e comecei aquele romance que fazia tempo andava rondando minha mente. Mas minha escrita não fluía com a costumeira facilidade, e eu não conseguia me concentrar. O tempo todo, olhava para meu relógio de pulso a fim de ver quanto tempo faltava para Carl chegar em casa.

Por volta do horário de almoço, recebi uma visita de John. Amigo de Carl, ele era estudante de medicina e sofria de tuberculose, estando alojado no Rudershøj com minha sogra. Eu não gostava dele, pois sempre que nos visitava tinha o hábito de ficar sentado num canto sem dizer uma palavra e me fitar com seus grandes olhos de raio X, como se eu representasse um problema difícil que ele precisava resolver a qualquer custo. Ele e Carl costumavam conversar, sem me incluir, sobre questões científicas incompreensíveis, e eu nunca ficara a sós com ele. Gostaria de conversar um pouco com você, disse ele com seriedade, se tiver um tempinho. Ao convidá-lo para entrar, senti meu coração começar a bater mais rápido por conta de um medo estranho e indefinido. John sentou-se na cadeira da minha escrivaninha, e eu me acomodei na otomana. Sentado, ele dava a impressão de ser um homem alto, porque tinha o rosto grande e quadrado, ombros largos, e o tronco comprido e inclinado para a frente. No entanto, suas pernas eram muito curtas, e ele não ficava muito mais alto em pé. Os dois haviam morado juntos no Regensen, o alojamento estudantil, e se ajudaram mutuamente para escrever suas respectivas teses premiadas. Ficou sentado por algum tempo sem nada dizer, esfregando suas mãozonas, como se estivesse com frio. Olhei para o chão, pois não aguentava seu olhar penetrante. Então ele disse: Estou preocupado com Carl, e talvez com você também. Por quê?, perguntei aguerrida, estamos muito bem. Ele se inclinou para a frente a fim de captar meu olhar, e eu o encarei com rebeldia e apreensão. Carl já te contou, disse ele insistentemente, sobre sua internação há um ano? Que internação?, perguntei inquieta. Numa clínica psiquiátrica, respondeu ele, devido a uma psicose. Se você pelo menos pudesse falar minha língua, disse eu irritada, o que é uma psicose? Uma doença mental de curta duração, explicou ele encostando-se outra vez na cadeira, durou três meses. Dei uma risada forçada: Você não vai me dizer que ele é doente mental, vai?, protestei. Os doentes mentais ficam confinados, dão medo, mas dele não tenho medo. Ele tirou seu olhar enervante de mim, fitando o jardim e as crianças que brincavam. Há algo de errado, prosseguiu John, estou com a sensação de que ele está prestes a adoecer de novo. Perguntei por quê, e ele me contou que ultimamente Carl havia negligenciado seu trabalho, dedicando-se exclusivamente ao estudo de doenças do ouvido. Lá no Instituto, livros didáticos sobre a anatomia e as doenças do ouvido estavam empilhados em sua mesa, e ele os estudava como se quisesse se tornar otorrino. É coisa de louco, disse John com insistência, só porque você tem um pouco de dor de ouvido de vez em quando. Qualquer outro deixaria isso na mão de um otorrino, confiante de que este faria o possível. Mas ele me adora, argumentei, sentindo que estava corando, ele se importa comigo, quer me curar, é só isso. Aí comecei a rir de sua cara de agente funerário: Que amigo é você que corre para a mulher dele para dizer que ele é maluco? Não estou dizendo isso, emendou ele hesitante, só queria te avisar que três tias dele por parte de pai estão no manicômio. Pelo menos não deve ter filhos com ele. Assim que ele diz isso, me dou conta de que minha menstruação está alguns dias atrasada. Sabe o quê, digo, estou quase achando que seu conselho vem tarde demais. Desconfio que já estou grávida. A ideia me deixa feliz e pergunto se John quer uma cerveja ou um café, pois não estou mais com vontade de ouvi-lo. Mas ele não quer nada, vai assistir a uma aula. Acompanho-o até a porta, e ele me estende a mão em despedida, algo que eu e meus amigos nunca fazemos. Em poucos dias, serei internado em Avnstrup, revela, a fim de desativar um dos pulmões. Para uma pessoa como eu, a saúde não é nada garantido. Vacila mais um pouco antes de sair. E você, diz ele então tal qual Lise, você também não parece mais tão saudável. Está se alimentando bem? Eu o tranquilizo dizendo que sim e respiro aliviada quando finalmente se vai. Decido, embora ele não tenha me pedido, não contar nada a Carl sobre sua visita.

Quando Carl chegou em casa, eu lhe contei que provavelmente estava grávida. Ele ficou muito feliz e começou a elaborar um plano de construir uma casa nos arredores da cidade. Perguntei se tínhamos dinheiro para tanto, e ele me contou que qualquer dia desses esperava receber uma grande bolsa de pesquisa. Moraríamos numa casa só para nós, e cada um de nós se concentraria em seu trabalho, não veríamos muitas pessoas e nunca sairíamos. A ideia me parecia extremamente atrativa, pois eu começava a sentir uma necessidade de viver em paz, sem interferências alheias. Quando perguntou sobre meu ouvido, eu disse que a dor havia parado. A visita de John me deixara com medo. Depois comentei, sem saber por quê, que a gravidez sempre me causava insônia. Ele pensou um pouco, enquanto coçava o queixo. Quer saber, disse ele em seguida, vou te dar um pouco de cloral, é um bom e velho sonífero sem efeitos colaterais. O gosto é horrível, mas é só tomar com leite.

No dia seguinte, ele chegou em casa com um grande frasco marrom de remédio. É melhor eu medi-lo para você, senão pode facilmente exagerar na dose. Poucos minutos depois de tomar aquilo, eu estava no sétimo céu, o efeito não era igual ao da petidina, mas sim como o de ter bebido muito álcool. Desatei a falar sobre nossa casinha, sobre a decoração, sobre o bebê que íamos ter. Em meio a tudo, de repente caí no sono e só acordei na manhã seguinte. Posso tomar isso toda noite?, perguntei. Claro, respondeu ele indiferente, mal não faz. Então lhe ocorreu algo. Deixe-me sentir atrás de sua orelha, disse, apertando meu osso. Dói?, perguntou. Sim, respondi, percebendo que tinha me acostumado a mentir para ele a ponto de já não resistir. Pensativo, ele mordeu o lábio superior. De qualquer forma, afirmou, quero conversar com Falbe Hansen sobre aquela cirurgia. Perguntei se no caso me anestesiariam com petidina. Não, respondeu ele, mas no pós-operatório você ganhará quanto quiser para tirar a dor. Depois que ele saiu, fui ao banheiro e me observei longamente no espelho. Era verdade que estava péssima. Meu rosto tinha emagrecido, e minha pele estava seca e áspera ao toque. Gostaria de saber, disse à minha imagem no espelho, qual de nós é doente mental. Então me sentei à máquina de escrever, porque de certo modo ela representava minha única esperança num mundo cada vez mais incerto. Enquanto escrevia, pensei: toda a petidina que eu quiser, e a cirurgia que era o pré-requisito desse paraíso me parecia bem insignificante.

3.

Entretanto, o otorrino não quis operar. Com as radiografias em mãos, Carl e eu fomos juntos para o consultório na motocicleta recém-adquirida por ele. Trajando seu casaco de couro, que se projetava atrás como a bunda de um pato, e com o capacete na mão, ele se plantou ao lado de Falbe Hansen e olhou para as imagens que o médico segurava, uma por uma, contra a luz. Não há nada de anormal nelas, decretou Falbe Hansen. Eu me posicionei perto de Carl, e o otorrino, enquanto falava com ele, não parou de me fitar com uma expressão fria em seus olhos cinzentos. Se essas dores existem, disse ele devagar, devem ser reumáticas, e nesse caso de fato não há o que fazer. Costumam passar espontaneamente. Carl então começou a falar de ossos, martelos, bigornas, estribos e sabe Deus o quê, e senti o cerco se fechar sobre mim, porque aquele homem sabia que eu estava mentindo. A atitude de Falbe Hansen esfriou ainda mais. Não vai conseguir convencer ninguém a fazer a cirurgia, afirmou ele, sentando-se à sua mesa com um ar absorto. Esse ouvido está perfeitamente saudável. Consegui secá-lo, e sua esposa não precisa mais vir aqui.

Não se preocupe, consolou-me Carl gentilmente, quando estávamos voltando pelos terrenos do hospital de Blegdam. Se as dores persistirem, por certo encontraremos outro que queira operar. Talvez a conversa o tivesse impactado de alguma forma mesmo assim, pois, ao chegar em casa, ele disse: Vou te prescrever alguns comprimidos conhecidos por Butalgin. São analgésicos fortes, assim você não depende tanto de eu estar em casa ou não. Escreveu a receita num pedaço do meu papel de datilografia, recortando as bordas com esmero. Depois contemplou sua obra com um sorriso: Parece meio falsa, disse ele, se quiserem verificar a receita, é só lhes passar o meu número no Instituto. Como assim, falsa?, perguntei. Como se você mesma a tivesse escrito, riu ele, afinal é assim que fazem os toxicodependentes de verdade. Com frequência, usava a expressão "toxicodependentes de verdade", distinguindo-os de mim. Veio-me à mente então que em certa ocasião tinha visto uma toxicodependente de verdade, e lhe contei sobre aquele dia na sala de espera de Lauritz do Aborto, onde uma mulher em péssimo estado andava de um lado para outro, implorando para ser a primeira a entrar. Logo depois, prossegui, ela saiu de lá completamente transformada, falante, alegre e com os olhos brilhando. Pois é, disse Carl pensativo, devia ser uma toxicodependente de verdade. Quando eu estava sozinha, estudei a receita mais atentamente e constatei que era verdade: qualquer pessoa poderia ter escrito aquilo. Em seguida fui à farmácia e peguei os comprimidos. Assim que cheguei em casa com eles, tomei dois para ver o efeito, talvez pudessem me tirar o enjoo da gravidez. Era um sábado à tarde. Lise saiu mais cedo do trabalho e passou em casa para buscar Kim, que brincava com Helle quase todo dia. Havia um clima frio entre nós desde o dia em que ela insinuara que Carl era estranho, mas agora pedi que ficasse um pouco comigo, para que pudéssemos trocar figurinhas como nos velhos tempos. Senti-me alegre, animada e sociável, e ela disse que estava feliz por eu ter recuperado meu bom humor. É porque agora estou trabalhando, disse eu, pois para mim é a única coisa que realmente vale a pena. Fiz café para nós duas e perguntei, enquanto tomávamos o café, como ela estava, sentindo-me culpada por não ter me preocupado com ela durante muito tempo. Não muito bem, disse ela, homem casado é uma merda, mas não sou capaz de abrir mão dele. — Tendo desenvolvido uma neurose ciumenta, Ole estava fazendo terapia com uma psicanalista chamada Sachs Jacobsen que, de acordo com Lise, não batia bem. No último domingo, Lise não tinha conseguido comprar pão francês para o café da manhã porque Kim estava doente, o que levou Ole a ter uma grande crise. No dia seguinte, a sra. Sachs Jacobsen telefonou para Lise no escritório. Ela era alemã. O homem precisa *doch* ter seu pãozinho quente, ela havia dito. Rimos muito disso e, aos poucos, o velho sentimento de cumplicidade começou a se restaurar entre nós. Tive vontade de lhe fazer confidências, portanto falei sobre a preocupação de Carl com meu ouvido e sua obsessão pela ideia de uma cirurgia. Que horror, disse ela, genuinamente assustada, jamais concorde em fazer isso, Tove, esse tipo de cirurgia pode te deixar surda. Aconteceu com uma tia minha. E você nunca teve dor de ouvido antes de conhecer Carl. Não, respondi, mas agora tenho de vez em quando. Aí me lembrei da carta importante que Carl recebera alguns dias antes. Era de uma moça em Skelskør, lhe comunicando que ia ter um filho dele dali a um mês, e a razão de não ter escrito antes era que pensava se tratar de um tumor. Em consideração à sua família muito burguesa, o bebê seria dado para adoção. Carl me sugerira que nós o adotássemos, e eu tinha quase aceitado, porque uma criança a mais ou a menos não faria diferença. Além disso — mas esse argumento não mencionei a Lise — seria muito difícil para ele me deixar se eu adotasse seu filho. Acho que é uma boa ideia, disse Lise, que, assim como

Nadja, tinha uma tendência a querer salvar e ajudar as pessoas, lhes tirar seus fardos. Afinal, vão ter espaço suficiente quando estiverem na casa nova. Pronto, vou fazer isso, declarei, como se se tratasse de um passeio. E Carl me prometeu contratar uma empregada, pois não posso escrever e ao mesmo tempo cuidar de três crianças. Lise achou que parecia sensato. Assim vai ter alguém que possa cozinhar para você, disse ela, tocando o dedo indicador nos dentes superiores com um ar pensativo, do jeito que está magra, precisa disso. Aí buscou Kim no jardim e subiu para o seu apartamento. Fui ao banheiro e tomei mais dois comprimidos. Então me sentei para escrever, e pela primeira vez em muito tempo a escrita fluía. Como nos velhos tempos, esqueci tudo a minha volta, também o fato de que a razão do meu bem-estar se encontrava dentro de um vidro no banheiro.

Em outubro de 1945, buscamos a recém-nascida no Rigshospitalet. Era pequenininha e pesava pouco mais de dois quilos. Tinha cabelo ruivo e cílios longos e dourados. Naquele dia tomei quatro comprimidos, porque dois já não surtiam o mesmo efeito. Achei maravilhoso ter uma neném nos braços de novo, e prometi a mim mesma que a amaria tanto quanto a meus próprios filhos. Ela precisava tomar fórmula infantil a cada três horas, dia e noite, e durante a noite Carl levantava e lhe dava a mamadeira. Eu não era capaz de acordar de meu sono induzido pelo cloral. Quando minha mãe veio para ver a recém-chegada, limitou-se a lançar um breve olhar para o berço e então disse: Bem, não se pode chamá-la de bonita. Achou uma loucura eu me encarregar de mais crianças do que o estritamente necessário. Minha sogra também veio, quase se sufocando de emoção: Meu Deus, exclamou, levando as mãos ao coração, como ela se parece com Carl! Depois nos entreteve com a história de sua cozinheira, que havia abandonado o serviço, e como era difícil encontrar outra. Frequentemente tinha problemas com as cozinheiras. O que faço com as ondas de calor?, perguntou ao filho, que sempre precisava se embriagar um pouco para aguentar suas visitas. Ele sorriu. Mas isso deve ser uma delícia, observou, considerando o frio deste verão. Recusava-se a levá-la a sério, e quando ela queria beijá-lo, dava uns pulinhos estranhos para se esquivar de seu abraço. Aí, no último instante, ele virava a bochecha para ela, de modo que recebia o beijo ali. Sempre que ela nos visitava, ele me pedia que usasse um vestido de mangas compridas para esconder todas as marcas de picadas de agulha em meus braços. Não que seja um problema, dizia ele, mas não dá uma boa impressão.

A essa altura, Jabbe se instalou no apartamento e, por enquanto, teve de dormir no quarto das crianças. Seu nome era srta. Jacobsen, e ela vinha de Grenå, mas já que Helle a chamava de Jabbe, nós também adotamos o apelido. Era uma moça grande, forte e capaz que adorava crianças. Tinha um rosto simplório e transparente, com olhos esbugalhados que sempre estavam um pouco úmidos, como se ela estivesse constantemente emocionada com alguma coisa. Levantava bem cedo e fazia pãezinhos doces para o café da manhã, que me servia na cama, enquanto Carl continuava dormindo a meu lado. A senhora precisa comer alguma coisa, disse ela com firmeza, está magra demais. Meu apetite até melhorou um pouco agora que a comida me era servida, e de modo geral me parecia que tudo estava indo melhor. Eu trabalhava bem sob o efeito de Butalgin, e me contentava em tomar a injeção só de vez em quando. Ebbe me telefonava com frequência quando estava bêbado. Andava pelos bares com Victor, que eu nunca tinha visto, embora muitos de meus amigos o conhecessem. Ebbe queria muito me apresentar o tal de Victor. Mas era só eu mencionar a Carl que estava pensando em fazer uma visita a Ebbe, e logo a seringa se materializava, e ele ia para a cama comigo do seu jeito fogoso e desprovido de ternura. Adoro mulheres passivas, dizia ele. Já que Carl estava ciente de que Ebbe tinha certo direito de ver a própria filha, fizemos um sistema em que eu às vezes a deixava com a avó, que então a trazia de volta depois da visita.

Dei à luz Michael numa clínica na Enghavevej, e Carl ajudou no parto. Depois, quando eu estava no quarto particular com o recém-nascido nos braços, ele me deu uma injeção e ficou um longo tempo à cabeceira contemplando seu filho, que rapidamente foi devolvido ao berço. Será uma criança fascinante, proclamou orgulhoso, filho de artista e cientista, uma excelente combinação. Não vejo a hora de a casa ficar pronta, disse eu entorpecida, enquanto a doçura habitual fluía para todos os meus membros. Ficaremos juntos a vida inteira, não será como foi com os outros. Viggo F. e Ebbe, afirmou ele confiante em si, não te entenderam como eu te entendo.

Logo depois fizemos a mudança para a casa nova, que ficava na Ewaldsbakken, em Gentofte. Era um perfeito sobrado de tijolos, projetado por um arquiteto. No térreo, havia o quarto das crianças, o quarto de empregada, a sala de jantar, o banheiro e a cozinha. No andar de cima, Carl e eu tínhamos um quarto cada um. O meu era espaçoso e bem iluminado e, da minha escrivaninha, eu podia ver o belo jardim com as muitas árvores frutíferas espalhadas pelo gramado, que Carl cortava todo domingo de manhã. Naquele verão, estávamos relativamente felizes. Tínhamos uma estrutura burguesa em nossa vida, algo com que, no fundo, eu sempre sonhara. Tudo o que eu ganhava, eu dava a Carl, que, até onde eu sabia, administrava os recursos com habilidade e economia. Mas um dia no final do outono, quando lhe pedi uma nova receita de Butalgin, ele disse, enquanto andava de um lado para outro com seus passos receosos e cuidadosos: Vamos aguardar alguns dias, estou com medo de que esteja exagerando um pouco na quantidade. Durante o dia, passei muito mal, assim como tinha acontecido algumas vezes. Tremia, suava e tive diarreia. Além disso, fui tomada por um forte pânico, que fez meu coração bater freneticamente. Dei-me conta de que precisava daqueles comprimidos, e logo inventei uma saída. Por algum motivo, havia guardado uma das receitas antigas de Carl, a qual copiei meticulosamente. Mandei a desavisada Jabbe à farmácia, e ela voltou com os comprimidos como se fosse uma caixinha de aspirina. Depois de tomar uns cinco ou seis deles — a essa altura, precisava de tantos para obter o mesmo efeito que no início obtivera com dois —, pensei, com uma espécie de horror remoto, que pela primeira vez na vida eu tinha cometido um crime. Decidi nunca mais fazer isso. No entanto, não cumpri minha promessa. Moramos cinco anos naquela casa, e na maior parte do tempo fui toxicodependente.

4.

Se eu não tivesse ido àquele jantar, meu ouvido não teria sido operado, e talvez muitas coisas teriam sido diferentes até hoje. Naquele período, Carl só me dava a injeção ocasionalmente. Eu funcionava à base de Butalgin, e as marcas ao longo das veias do meu braço foram desaparecendo, assim como meu desejo de petidina. Sempre que ele reaparecia, eu lembrava a mim mesma que não conseguia escrever sob seu efeito, e eu estava muito empenhada em meu novo romance. A vida na Ewaldsbakken havia adquirido um aspecto quase normal. Durante o dia, eu passava bastante tempo com Jabbe e as crianças, e à noite, depois do jantar, Carl e eu subíamos para o meu quarto, onde tomávamos café, enquanto Carl lia seus livros científicos sem dizer muita coisa para mim. Um estranho vazio se estendia entre nós, e descobri que éramos incapazes de manter uma conversa. Carl não tinha gosto pela literatura e parecia não se interessar por nada além do seu próprio ofício. Ficava com o cachimbo preso entre seus dentes irregulares e projetava a mandíbula, dando a impressão de que todo o resto de sua cara era sustentado por ela. De vez em quando, erguia os olhos do livro, sorria timidamente para mim e dizia: Então, Tove, você está bem? Ao contrário de outros homens, ele nunca me falou de sua infância, e se eu lhe fazia alguma pergunta a esse respeito, ele dava respostas vazias e banais, como se não tivesse nenhuma recordação. Com frequência, eu me lembrava de Ebbe, de suas alegres divagações noturnas, suas declamações dos poemas de Rilke em alemão e suas entusiasmadas citações de passagens de Hørup. Lise, que uma vez ou outra passava em casa, me contou que ele ainda lamentava ter me perdido e que frequentava o Tokanten e outros lugares com Victor em vez de se dedicar aos estudos.

Às vezes Ester e Halfdan também apareciam, quando Carl não estava em casa. Moravam num apartamento na Matthæusgade, tinham uma filhinha um ano mais nova que Helle e eram paupérrimos. Perguntavam-me por que eu havia abandonado todos os meus velhos amigos, e por que nunca mais ia ao clube. Eu disse que estava ocupada, e que a socialização entre artistas não era salutar para os próprios artistas. Ester sorriu melancolicamente e disse: Você se esqueceu do nosso tempo na casa de Neckelmann? De fato, eu sofria com meu isolamento e ansiava por alguém com quem pudesse conversar de verdade. Fazia parte da Associação dos Escritores Dinamarqueses, mas sempre que haveria uma reunião ou assembleia geral, Viggo F. me telefonava para perguntar se eu ia, porque nesse caso ele ficaria longe, e então eu desistia de ir. Também era membra do exclusivo PEN Clube, cujo presidente era Kai Friis Møller, um de meus críticos mais entusiasmados. Um dia perto do Natal, ele me ligou perguntando se não gostaria de participar de um jantar com ele, Kjeld Abell e Evelyn Waugh no Skovriderkroen. Aceitei o convite. Queria muito encontrar os três, e à noite, quando Carl me fez a costumeira pergunta sobre se eu não preferia uma injeção, rejeitei pela primeira vez a tentadora oferta. Então ele ficou estranhamente inquieto. Se ficar muito tarde, te busco, disse, mas eu respondi que seria capaz de voltar para casa sozinha e que ele poderia simplesmente ir para a cama. Pelo menos, cubra seus braços, aconselhou ele com delicadeza. E passe algum creme no rosto, acrescentou, deixando o dedo indicador deslizar sobre minha face, sua pele continua muito seca. É o tipo de coisa que você mesma não percebe.

Durante o jantar, sentei-me ao lado de Evelyn Waugh, um senhor baixinho, jovial e animado, com um rosto pálido e olhos cheios de curiosidade. Friis Møller me ajudou galantemente com todas as dificuldades linguísticas e de modo geral se mostrou tão atencioso e afável que era difícil acreditar ser ele dono de uma pena afiadíssima. Kjeld Abell perguntou a Evelyn Waugh se tinham escritoras tão jovens e belas na Inglaterra. Ele disse que não, e quando lhe perguntei o que o trouxe à Dinamarca, respondeu que sempre viajava pelo mundo quando seus filhos voltavam do colégio interno para passar as férias em casa. Ele não os suportava. Para desculpar minha notável falta de apetite, eu disse que tivera que comer com as crianças antes de sair. Em compensação, bebi bastante, e como tomara um punhado de Butalgin antes de sair de casa, estava animadíssima e falei pelos cotovelos, fazendo os três famosos senhores rirem repetidas vezes. Éramos praticamente os únicos clientes no restaurante. Lá fora estava nevando, e havia um silêncio tão grande no mundo que podíamos ouvir o ronco dos motores dos navios nas águas mais distantes. Na hora do café com conhaque, Friis Møller e Kjeld Abell de repente olharam surpresos para a porta de entrada, que eu não podia ver porque estava de costas. Quem diabos é aquele sujeito?, exclamou Friis Møller, enquanto limpava a boca com o guardanapo, parece que está vindo em nossa direção. Virei a cabeça e, para meu horror, vi Carl se aproximando com suas botas de couro de cano alto, o casaco de couro coberto de neve, o capacete na mão e o sorriso manso na boca, que dava a impressão de ter sido pintado. É... é meu marido, disse eu desesperada, pois ele parecia uma espécie de marciano diante dos três senhores elegantes, e me ocorreu que nunca o tinha visto direito em outras companhias. Ele caminhou na minha direção e disse timidamente: Olha, está na hora de voltar para casa. Permita-me fazer as apresentações, disse Friis Møller, levantando-se e puxando a cadeira para trás. Carl apertou a mão dos três sem dizer uma palavra, e Kjeld Abell esboçou um sorriso irônico. Levantei-me furiosa e infeliz. Meus olhos se turvaram de vergonha. Carl me ajudou a vestir o casaco sem dizer uma palavra. Assim que chegamos lá fora, me virei para ele e disse: O que você pensa que está fazendo? Já disse que não é para vir me buscar. Desse jeito, está me expondo ao ridículo. Mas era impossível brigar com ele. Eu queria ir dormir, disse como quem pede desculpa, o que não posso fazer antes de te dar seu cloral. Ele abriu o carro lateral, e eu me acomodei no assento, enquanto ele fechou a porta. No caminho para casa, comecei a chorar de humilhação. Ao abrir a porta para eu sair, ele viu minhas lágrimas e exclamou: O que você tem? Levei a mão ao ouvido, como costumava fazer antes, pois agora queria ser consolada de forma eficaz. Ai, chorei, senti tanta dor de ouvido a noite inteira, qual você acha que é o problema agora? Ele parecia preocupado de verdade. No entanto, havia também um curioso brilho triunfal em seus olhos quando inseriu a agulha numa das veias ainda abertas. Bem que achei que Falbe Hansen estava errado, bravateou ele. Possuiu-me com mais brutalidade que de hábito, e depois fiquei prostrada, mole e enlevada, deixando meus dedos deslizarem por seus cabelos ralos e ruivos. Deitou-se de costas, com as mãos sob a cabeça, olhando para o teto. Isso aqui não dá, disse ele, aquele osso precisa pelo menos ser cinzelado. Não desanime. Conheço um especialista em ouvido que detesta Falbe Hansen.

No dia seguinte, ele chegou em casa com todos os volumes grossos sobre doenças de ouvido que havia na biblioteca. Estudou-os enquanto tomávamos um café de fim de tarde, murmurando consigo mesmo, marcando com caneta vermelha os desenhos esquemáticos, apalpando em volta e atrás da minha orelha, e disse que, se as dores persistissem, procuraria o otorrino que tinha em mente e tentaria fazê-lo operar. Está doendo agora?, perguntou. Sim, respondi, fazendo uma careta, é uma dor insuportável. Minha ânsia por petidina voltara com força incontrolável. No dia seguinte, escrevi o último capítulo do meu romance, deixando-o numa bela pasta de cartolina, e, com letras de imprensa, escrevi: *Pelo bem da criança*, romance de Tove Ditlevsen. Depois o guardei no armário xerife que ficava no quarto de Carl e, como sempre, vivenciei uma espécie de luto por não mais ter um romance com que me ocupar. Senti-me fisicamente mal e peguei o vidro de comprimidos na gaveta trancada de minha escrivaninha, a cujo conteúdo Carl não tinha acesso. Engoli um punhado sem contá-los. Tomava muito cuidado com a elaboração das minhas receitas. Assinava ora com o nome de Carl ora com o de John. Ele havia se formado em medicina no sanatório de Avnstrup. Jabbe e eu nos revezávamos para buscar os medicamentos, e estou convencida de que a moça ingênua nunca suspeitou de mim, assim como nem desconfiou de todas as outras coisas secretas que se passavam naquela casa. A seringa, as ampolas e as agulhas estavam trancadas a sete chaves no armário xerife juntamente com meus papéis, e apenas uma única vez — mas isso foi muito mais tarde — Jabbe disse, ao me entregar a conta da farmácia: Mas que conta monstruosa. Àquela altura, chegava a vários milhares de coroas por mês.

O médico especialista era velho, meio surdo e colérico. Se a assistente da clínica não lhe entregava de imediato os instrumentos que pedia, ele atirava ao chão tudo o que tinha nas mãos, gritando: Puta merda, como posso trabalhar com funcionários tão incompetentes? Bem, disse ele, olhando dentro de meu ouvido, Falbe Hansen se recusou a operar, então? Veremos. Vamos tirar algumas radiografias, existe a possibilidade de ter atingido as meninges. Já pensei nisso, reforçou Carl, acho que também há febre de vez em quando. Febre?, falei surpresa. De quantos graus?, perguntou o otorrino. Não medi, respondeu Carl calmamente, não quis assustar minha esposa. Mas com frequência ela parece febril e ausente. Poucos dias depois, voltamos ao consultório, e Carl e o otorrino estudaram avidamente as novas radiografias. Há uma sombra ali, disse o médico especialista e ficou parado por um tempo sem dizer nada. Em seguida, meneou sua cabeça calva. Bem, disse ele, vamos operar. Amanhã posso internar sua esposa num quarto particular e faremos a cirurgia na parte da manhã. Chegando em casa, ganhei uma injeção e pensei: quero viver assim para sempre, nunca mais me deixe sentir a realidade.

Quando acordei da anestesia, minha cabeça inteira estava enfaixada com gaze, e só então descobri o que era dor de ouvido. Gemi alto de dor e fiquei rolando de um lado para outro. O médico-chefe apareceu e sentou-se à cabeceira. Tente sorrir, instruiu ele, e eu contorci a boca numa careta que parecia um sorriso. Por quê?, perguntei, tornando a gemer e rolar. Chegamos a tocar de leve o nervo facial, explicou ele, e isso pode causar uma paralisia, o que felizmente foi evitado. Estou sofrendo tanto, gemi, não podem me dar algo para tirar a dor? Claro, respondeu ele, a senhora pode tomar aspirina, é o medicamento mais forte que ministramos. Aqui não incentivamos a toxicodependência. Só aspirina e algo para dormir à noite. O doutor poderia ligar para meu marido?, perguntei apavorada, queria tanto conversar com ele. Ele está chegando daqui a pouco, disse o médico-chefe, é só um momentinho, por ora a senhora deve descansar. Carl chegou por fim, trazendo sua maleta marrom que continha a bendita seringa. Assim que a inseriu na veia aberta, eu disse: Você tem que vir toda hora, nunca sofri tanto na minha vida, e aqui eles só dão aspirina contra dor. Seria a mesma coisa se te dessem cubos de açúcar, murmurou ele. Fale mais alto, pedi, não consigo escutar. Você ficou surda desse ouvido, disse ele, ficará assim pelo resto da vida, mas em compensação estará livre da dor. Tão logo o efeito se fez sentir, a dor recuou para o segundo plano, mas ainda persistiu. O que vou fazer, perguntei apática, quando a dor voltar e você não estiver aqui? Tente aguentar, insistiu ele, vão ficar desconfiados se eu vier aqui com frequência exagerada. Ele voltou à noite, me deu a injeção e também cloral. Àquela altura, eu já tinha passado várias horas infernais e me dei conta de que nunca na vida tivera ideia do que eram dores físicas. Senti-me presa numa terrível armadilha sem saber dizer onde e quando ela havia me aferrolhado. No meio da noite acordei, e era como se labaredas de fogo lanceassem toda a minha cabeça. Socorro!, gritei lá no quarto, iluminado por uma luz azul da lâmpada noturna sobre a porta. Uma enfermeira apareceu correndo. Agora vou dar à senhora uns dois comprimidos de aspirina, disse ela, lamento não podermos lhe dar algo mais forte. O médico-chefe é muito durão, desculpou-se, ele mesmo já operou os dois ouvidos e nunca esquece que aguentou a dor. Depois que ela saiu, entrei em pânico total. Não queria ficar ali nem mais um minuto. Levantei-me e pus a roupa, fazendo o menor barulho possível. Ai, ai, lamuriei-me, estou morrendo, mãe, estou morrendo, não aguento mais. Assim que vesti o casaco, espiei com cuidado pela porta. Logo em frente, havia outra porta que, esperava eu, levaria à saída. Corri até lá, e no instante seguinte me vi, com a cabeça enfaixada, na rua deserta da noite. Acenei para um táxi, e, compadecido, o motorista me perguntou se eu sofrera um acidente de carro. Ao chegar em casa, subi correndo o caminho do jardim e toquei feito louca a campainha. Não tinha a chave comigo. Jabbe atendeu e abriu a porta para mim. O que aconteceu?, perguntou ela chocada, me fitando com os olhos arregalados. Nada, respondi, só não quis ficar mais lá. Entrei em disparada no quarto de Carl e o acordei. Petidina, gemi, depressa. Estou enlouquecendo de dor.

A dor durou cerca de duas semanas, e Carl ficou em casa para me dar a injeção sempre que eu lhe pedia. Estava prostrada na cama, imóvel e apática, sentindo-me como se estivesse sendo ninada em água verde e morna. Nada mais no mundo importava para mim, só queria permanecer naquele estado de graça. Carl me disse que muitas pessoas eram surdas de um ouvido, e que isso não era problema. Eu também não ligava, porque o preço valia a pena. Nenhum preço era alto demais para manter à distância a intolerável realidade. Jabbe subia para me dar comida. Eu mal conseguia engolir, e lhe implorava que me deixasse em paz. De forma alguma, declarava ela com firmeza, se depender de mim a senhora pelo menos não morrerá de fome. As coisas já estão ruins o bastante.

Uma noite acordei e descobri que a dor praticamente havia desaparecido. No entanto, eu sentia frio e tremia, e estava tão desidratada que precisei usar os dedos para separar os lábios. Sonolento, Carl levantou e me deu a injeção. Não sei, disse ele como que para si mesmo, o que vamos fazer quando essa veia também entupir. Talvez eu consiga encontrar uma no seu pé.

Deitada sozinha na cama de novo, me ocorreu que não via meus filhos fazia muito tempo. Desci a escada e entrei no quarto das crianças. Estava tão fraca que precisava me apoiar na parede para não cair. Acendi a luz do quarto e olhei para as crianças. Helle estava com o polegar na boca, e todos os seus cachos formavam uma auréola ao redor da cabeça. Michael dormia com seu gatinho nos braços. Não dormia sem ele. E Trine estava de olhos abertos, me observando seriamente com o olhar inescrutável de uma criancinha. Andei às apalpadelas até sua cama e afaguei seu cabelo. Ela ainda tinha os cílios longos e dourados, os quais baixou lentamente sob minha carícia. Havia brinquedos espalhados pelo chão, e no meio do quarto estava um chiqueirinho. Eu já quase não conhecia aquelas crianças e não participava do seu dia a dia. Tal qual uma idosa que recorda sua juventude, pensei que poucos anos antes eu fora uma jovem alegre e saudável, cheia de vontade de viver e com muitos amigos. Foi apenas um pensamento fugaz, logo apaguei a luz e fechei a porta atrás de mim sem fazer barulho. Demorei muito para chegar a minha cama. Deixei a luz acesa enquanto contemplei minhas mãos magras e brancas, mexendo os dedos como se estivesse escrevendo à máquina. Aí um pensamento lúcido me ocorreu pela primeira vez em muito tempo. Se as coisas desandarem completamente, pensei, vou ligar para Geert Jørgensen e lhe contar tudo. Não o faria apenas por meus filhos, mas pelos livros que eu ainda não havia escrito.

5.

Então o tempo deixa de existir. Uma hora pode ser como um ano, e um ano como uma hora. Depende da quantidade que está na seringa. Às vezes, ela nem funciona, e digo a Carl, que sempre está por perto: Tinha muito pouco. Ele esfrega o queixo com uma expressão de agonia nos olhos. Precisamos baixar a dose, diz, senão você vai adoecer. Fico doente se não me der o suficiente, reclamo, por que me deixa sofrer tanto? Tudo bem, murmura ele, fazendo um gesto indefeso com o ombro, vou te dar um pouco mais.
 Passo o tempo todo deitada na cama e só consigo ir ao banheiro com a ajuda de Jabbe. Quando ela me dá comida, seu rosto grande fica completamente molhado, como se algum líquido tivesse sido derramado sobre ele, e eu passo o dedo por uma de suas faces. Depois ponho o dedo na boca, percebendo que tem um gosto salgado. Imagine, digo com inveja, ser capaz de sentir algo por alguém. Não consigo acompanhar as estações do ano. As cortinas estão sempre fechadas, porque a luz me fere os olhos, e não há diferença entre o dia e a noite. Durmo e estou acordada,

estou bem ou passo mal. Muito longe de mim está a máquina de escrever, tão distante como se a visse por binóculos invertidos, e do andar de baixo, onde a vida é vivida, as vozes das crianças me alcançam como se através de muitas camadas de mantas de lã. Rostos aparecem a meu lado e depois desaparecem. O telefone toca, e Carl atende. Não, infelizmente, diz ele, minha esposa não está bem no momento. Faz as refeições no meu quarto, e, com admiração e certa inveja distante, vejo que tem apetite. Tente engolir pelo menos um pedaço, insiste ele, está uma delícia. Jabbe fez isso para você. Põe um pedaço de carne na minha boca com seu garfo, e eu o vomito logo em seguida. Vejo Carl tirar a mancha do lençol com um pano úmido. Seu rosto está perto do meu. Sua pele é lisa e aveludada, e as pálpebras são límpidas e úmidas como as de uma criança. Como você é saudável, exclamo. Você também ficará, se apenas aguentar passar mal por um breve período, se apenas me deixar diminuir um pouquinho a dose. Tornei-me uma toxicodependente de verdade, então?, pergunto. Sim, responde ele com seu sorriso tímido e inseguro, já se tornou uma toxicodependente de verdade. Vai até a janela na ponta dos pés, abre um pouco a cortina, e olha para o tempo. Será maravilhoso, observa ele, o dia em que você puder descer ao jardim de novo. As árvores frutíferas estão em plena floração, não quer dar uma olhada? Ele me apoia, enquanto cambaleio até a janela. Parou de cortar a grama?, pergunto, só para dizer alguma coisa. Nossa grama se destaca da dos vizinhos. Está malcuidada e cheia de dentes-de-leão, cujos tufos brancos estão sendo levados pelo vento. Pois é, diz ele, tenho coisas mais importantes com que me preocupar. Um dia, senta-se à minha cabeceira e pergunta se estou bem. Estou, porque havia o suficiente na última injeção. Tem algo, revela ele, de que queria te falar. Lá no Instituto, há um médico especialista que gastou com drogas as quarenta mil coroas que recebeu para fins de pesquisa. Foi por acaso que descobri. Achei que você nunca mais ia lá, comento surpresa. Às vezes vou, sim, quando você está dormindo, diz ele, catando alguns grãos invisíveis de poeira do chão, um novo hábito que adquiriu. Mas e daí, pergunto desinteressada, o que você vai fazer com isso? Pensei em procurar um advogado, responde ele, se curvando novamente para catar algo. De início, eu queria ir direto à polícia, mas você não acha melhor consultar um advogado primeiro? Sim, digo indiferente, deve ser melhor. Mas não fique fora por muito tempo, você precisa estar aqui quando eu te chamar.

Minha mãe chega e senta-se à minha cabeceira, pega minha mão e a acaricia. Seu pai e eu, diz ela, enxugando os olhos com as costas da mão, somos da opinião de que é Carl quem está te deixando doente. Como, não conseguimos deduzir, mas acho que ele não bate bem. Soa tão estranho no telefone e nunca está em casa quando fazemos uma visita. Jabbe também diz que ele anda muito esquisito. Outro dia lhe pediu que lavasse a sola dos sapatos das crianças devido ao risco de infecção. Ela diz que está até com medo dele. Ele não me deixa doente, argumento tranquila, pelo contrário, está tentando me curar. Será que você poderia ir embora, por favor, conversar me cansa muito. No entanto, de vez em quando eu mesma o acho esquisito, com sua mania de catar grãos de poeira, seu andar sorrateiro na ponta dos pés e sua mania de se trancar no quarto e só sair quando eu o chamo. Tem hora que penso, sem muito medo, que estou prestes a morrer e que devo tomar juízo e telefonar para Geert Jørgensen. Mas se eu fizer isso, as injeções vão acabar, eu sei. Se eu fizer isso, ele vai me internar num hospital onde só vão me dar aspirina, portanto continuo adiando o telefonema. Ademais, me encontro num estado em que os pensamentos lúcidos não duram muito tempo. Lise me visita e deita seu rosto sobre o meu, de modo que sua face encosta na minha. Afasto minha cabeça bruscamente, porque o toque dói. Não suporto o contato com a pele de outras pessoas, e Carl parou de ir para a cama comigo faz tempo. Qual é o problema, Tove?, pergunta ela com seriedade, você está escondendo algo, algo terrível. Quando perguntamos a Carl, ele não fala coisa com coisa. É uma doença do sangue, digo, seguindo a orientação de Carl, mas a crise já passou. As coisas estão começando a melhorar. Será que você pode sair agora? Estou muito cansada. Já não escreve nada, prossegue ela, não lembra como se sentia bem quando estava trabalhando num livro? Sim, digo, olhando para minha máquina empoeirada, lembro muito bem, mas isso vai voltar. Agora vá embora, por favor.

    Depois, penso em suas palavras. Será que nunca mais vou escrever? Lembro-me daquela época distante em que frases e versos passavam por minha cabeça assim que a petidina começava a fazer efeito, mas agora não acontece mais. O velho estado de graça nunca me invade, e tenho certeza de que Carl, apesar de tudo, reduz a dose ou às vezes enche a seringa de água. Um dia ou uma noite, na hora em que ele se ajoelha a meus pés e introduz a agulha em alguma veia de um deles, vejo seus olhos cheios de lágrimas. Por que está chorando?, pergunto admirada. Não sei, responde ele. Só quero que saiba que se eu fiz algo de errado, também estou sendo punido. É a única confissão que chega a fazer. Acho que você está pondo água, digo, pois nada mais me interessa. Chegará um momento, explica ele, em que você se sentirá doente e indisposta, mas depois se sentirá melhor e no fim ficará bem. Mas precisa parar de me atormentar, porque nunca suportei te ver sofrer. Tudo o que faço, faço por você, para te curar, para que possa voltar a trabalhar e ser algo para seus filhos. Suas palavras me enchem de pavor. Não quero viver sem petidina, declaro com veemência, não posso ficar sem. Foi você que começou, agora tem que continuar. Não, diz ele mansamente, agora estou parando aos poucos.

O inferno é na terra. Sinto frio, tremo, suo, choro e grito o nome dele no quarto vazio. Jabbe aparece e fica comigo. Ela chora em desespero. Ele se trancou no quarto, diz, tenho medo dele. Me deu instruções para deixar a comida do lado de fora da porta, ele a pega depois que vou embora. A senhora não pode chamar outro médico? Está tão doente, e eu não posso fazer nada. Quando os amigos da senhora aparecem, ele me diz para não os deixar entrar. Nem quer ver a própria mãe. Talvez, observo, ele esteja enlouquecendo, já aconteceu antes, eu sei. Então começo a vomitar, e Jabbe busca uma bacia e limpa meu rosto com um pano. Peço-lhe que procure o número de Geert Jørgensen na lista telefônica e o anote num papelzinho. Ela segue minha instrução, e eu escondo o bilhete debaixo do travesseiro. A esta altura não consigo dormir nem com cloral. Sempre que fecho os olhos, há imagens horríveis atrás das pálpebras. Uma menina pequena caminha por uma rua escura, e de repente aparece um homem em seu encalço. Ele tem um capuz preto na cabeça e uma longa faca na mão. Num salto, ele avança e enfia a faca nas costas dela. Seu grito compete com o meu, e torno a abrir os olhos. Pé ante pé, Carl entra no quarto. Você teve outro pesadelo?, pergunta ele, se agachando para catar grãos de poeira do chão. Não temos mais petidina, parece que me esqueci de pagar a última conta, mas vou te dar mais uma dose de cloral. Ele enche o copo medidor, e eu lhe imploro que me dê uma dose dupla. Dane-se, diz ele, atendendo a meu pedido, isso pelo menos não te fará mal. Sinto-me um pouco melhor, e ele afaga minha mão, que tem apenas metade do tamanho da sua. É uma questão de nutrição, prossegue ele com um sorriso bobo, se você ganhar dez quilos, tudo andará às mil maravilhas. Fica parado um pouco, fitando o espaço com um olhar vazio. Em seguida entoa em voz desafinada: Comemos nossas garotas quando nos convém. É da época do Regensen, explica ele. Quando eu morava lá, era vegetariano. Com frequência, imagino que você é minha irmã, murmura ele, mais uma vez se inclinando para o chão. O incesto é mais comum do que se pensa. Logo ele tenta se deitar comigo na cama, e pela primeira vez sinto medo dele. Não, reclamo, afastando-o com um gesto débil. Me deixe em paz, quero dormir. Assim que ele sai, desperto por completo. Ele é louco, digo para o ar, e eu estou morrendo. Tento manter esses dois pensamentos, que se apresentam como duas cordas verticais dentro da minha cabeça, mas logo se agitam feito algas em águas revoltas. Não me atrevo a fechar os olhos, por medo das visões. Será que é noite ou dia? Ergo-me sobre os cotovelos e, com dificuldade, me deixo deslizar para fora da cama. Descubro que não sou capaz de ficar em pé. Então vou de gatinhas pelo chão e me levanto até me sentar na cadeira da escrivaninha. O esforço é tão grande que preciso pôr os braços sobre as teclas da máquina de escrever e descansar a cabeça neles por um momento. Minha respiração chia através do silêncio. Preciso agir antes de o cloral parar de fazer efeito. Na mão, aperto o papel com o número de telefone de Geert Jørgensen. Acendo a luminária da mesa e giro o disco do telefone, enquanto espero alguém atender. Alô, diz uma voz calma, aqui é Geert Jørgensen. Digo meu nome. Ah, a senhora, exclama ele, me acordando a essa hora! Algum problema? Estou doente, digo, ele está pondo água na seringa. Que seringa? Petidina, acrescento, incapaz de me explicar melhor. Está lhe dando petidina, pergunta ele com rispidez, há quanto tempo? Não sei, sussurro, acho que há alguns anos, mas agora ele não tem mais coragem. Estou morrendo. Me ajude, por favor. Quer saber se posso ir a seu consultório no dia seguinte, e eu digo que não. Então ele pede para falar com Carl, e grito o nome dele com toda a força, deixando o telefone sobre a mesa. Ele aparece no vão da porta com seu pijama listrado. O que está acontecendo?, indaga ensonado. É Geert Jørgensen, digo, ele quer falar com você. Certo, diz ele suavemente, esfregando o queixo coberto de restolho de barba, então minha carreira está arruinada. Ele diz isso sem censura, e no momento eu também não entendo o que quer dizer. Alô, fala no telefone, depois fica calado por muito tempo porque o outro está falando. Até no fundo do quarto dá para ouvir sua exaltação e fúria. Tudo bem, diz Carl apenas, sim, amanhã às duas da tarde. Prometo. Sim, posso explicar amanhã. Ao colocar o fone no gancho, ele me dá um sorriso doentio. Quer uma injeção?, oferece gentil, desta vez vou pôr bastante. Isso merece uma comemoração. Ele busca a seringa, e a velha doçura e o deleite de muito tempo atrás entram no meu sangue. Você está bravo comigo?, pergunto, enrolando seus cabelos nos meus dedos. Não, diz ele, se levantando, salve-se quem puder. Então passa os olhos pelo quarto, contemplando cada móvel como se quisesse gravar para sempre em sua mente o ambiente e a decoração. Você consegue lembrar, diz ele lentamente, nossa felicidade no dia em que nos mudamos para esta casa? Lembro, sim, digo enrolando a língua, mas podemos ficar felizes outra vez. Também foi estúpido de minha parte ligar para ele. Não, discorda Carl, foi sua solução. Você será internada e tudo vai passar. E as crianças?, me vem à cabeça. Elas têm Jabbe, assegura-me, ela não as abandonará. E você, pergunto, qual é a sua solução? Estou acabado, responde ele calmamente, mas você não deve se preocupar com isso. Agora cada um tem que salvar o que puder.

No dia seguinte, ele volta do encontro com Geert Jørgensen mais tranquilo, como não o vejo há muito tempo. Você será internada, informa enquanto tira o casaco de motociclista, para desintoxicação. Vai acontecer assim que houver uma vaga em Oringe, e até lá você terá toda a petidina que quiser. Não está feliz? Sim, respondo, pensando que foi a mesma frase que me fez aceitar a cirurgia do ouvido. E você, pergunto, o que vai fazer? Terei uns probleminhas com a Administração da Saúde Pública, responde ele com despreocupação forçada, mas vou conseguir lidar com isso. Agora você terá mais o que fazer cuidando de si mesma.

Jabbe fica muito feliz ao saber que serei internada. Finalmente a senhora vai se curar, diz ela. Todos os seus amigos e a sua família também ficarão felizes, pois andaram muito preocupados. No dia da minha internação, ela me carrega até o banheiro e me lava dos pés à cabeça. Também lava meu cabelo, e a água fica preta de sujeira. A senhora não pesa mais que Helle, observa ao me transportar de volta para a cama. Carl entra no quarto e me dá uma injeção. Esta será a última, diz ele, mas vou pedir que diminuam a dose lentamente. Vou te acompanhar até lá.

Ponho o braço em volta do pescoço do homem da ambulância, que me carrega escada abaixo. Como me parece preocupado, lhe dou um sorriso. Quando devolve o sorriso, vejo pena em seus olhos. Carl senta-se ao lado da maca, fitando o espaço com um olhar vazio. De repente, ele dá uma risadinha, como se lhe ocorresse algo indecente. Cata uns grãos de poeira e os enrola entre as palmas das mãos. Talvez, diz ele com uma expressão vazia nos olhos, não nos vejamos mais. Então acrescenta num tom de voz indiferente: Na realidade, nunca tive certeza absoluta sobre aquela dor de ouvido. É a última frase que ouço de sua boca.

6.

    Estou deitada na cama com a cabeça ligeiramente erguida do travesseiro, olhando fixo para meu relógio de pulso. Com a outra mão, enxugo o suor dos olhos. Olho para o ponteiro dos segundos, porque o dos minutos não quer se mexer, e de vez em quando levo o relógio ao ouvido bom, pois acho que parou. Eles me dão uma injeção a cada três horas, e a última hora é mais longa do que todos os anos que vivi na Terra. Meu pescoço dói de manter a cabeça erguida, mas se eu a deitar no travesseiro, as paredes se fecham sobre mim, aproximando-se cada vez mais, a ponto de deixar de haver ar suficiente no pequeno quarto. Se eu deitar a cabeça no travesseiro, os bichinhos aparecem em massa, passando sobre o acolchoado, bichinhos pequenos e nojentos que parecem baratas, rastejando sobre meu corpo aos milhares, entrando no nariz, na boca e nos ouvidos. A mesma coisa acontece se eu fechar os olhos por um instante, então me invadem e não tenho como detê-los. Quero gritar, mas não consigo separar os lábios. Além do mais, aos poucos me dou conta de que não adianta gritar. Ninguém vai entrar no meu quarto antes da hora.

Estou presa à cama por um cinto de couro que me corta a cintura e dificulta que eu me vire. Eles nem o tiram quando trocam o lençol de baixo, que sempre está cheio de minhas evacuações. "Eles" são uma coisa azul e branca que treme diante de meus olhos sem identidade alguma. Eles têm o poder agora, e não adianta gritar o nome de Carl vezes sem fim até minha voz ficar rouca a ponto de se transformar num sussurro inaudível. Faltam cinco minutos para as três, às três eles vêm e me dão a injeção. Como é possível que cinco minutos pareçam cinco anos? Ao compasso dos batimentos aloprados do meu coração, o relógio faz tique-taque no meu ouvido. Talvez meu relógio esteja errado, embora eu sempre peça que o ajustem para mim, talvez tenham se esquecido de mim, talvez estejam ocupados com outros pacientes, cujos gritos e brados me chegam do mundo desconhecido do outro lado da porta de meu quarto.

Então, diz uma boca que me parece ir de orelha a orelha num rosto grande demais para o corpo, está na hora de sua injeção. Tomo-a na coxa, e demora um pouco para fazer efeito. O efeito consiste apenas numa leve melhora no meu estado. Tenho coragem de pôr a cabeça no travesseiro e, por um instante, meu corpo para de tremer feito vara verde. O rosto entre o azul e o branco se torna mais nítido, é piedoso e puro como o de uma freira, e percebo que essa pessoa não me quer mal. Converse um pouco comigo, peço, e ela senta a meu lado, enxugando o suor de meu rosto. Logo, diz, vai passar. Vamos curá-la, mas a senhora realmente quase chegou tarde demais. Onde está meu marido?, pergunto. Daqui a pouco, responde ela evasiva, o dr. Borberg vem para conversar com a senhora. Mas primeiro precisamos deixá-la um pouco mais apresentável. Em seguida, sou erguida por mãos fortes, enquanto o lençol é trocado debaixo de mim. As mãos me lavam e me põem uma camisa branca e limpa. O pior, digo, são todos esses bichinhos. Eu os tiro, diz ela com alegria, basta me chamar quando aparecerem, que eu os afugento. Olha aqui, seja uma boa menina e beba o que lhe damos, por favor. A senhora precisa ingerir líquido urgentemente, não percebe? Não tem sede? Ela levanta minha cabeça e leva um copo a meus lábios. Beba agora, pede com insistência. Bebo obediente e até peço mais. Que bom, diz a voz, a senhora está de parabéns.

Em seguida chega o dr. Borberg, a única figura nesse mundo de sofrimento que distingo claramente. É um homem de seus trinta anos, alto e loiro, com um rosto redondo e jovial dotado de olhos inteligentes e gentis. Pergunta se estou em condições de falar um momento com ele. Então diz: Seu marido foi internado no Rigshospitalet com uma psicose grave. Instaurou-se um processo contra ele na Administração da Saúde Pública, entretanto é possível que seja arquivado. Mas as crianças, digo chocada, Jabbe não tem dinheiro se ele não está lá. Preciso voltar para casa já. A senhora só vai para casa daqui a seis meses, declara ele com firmeza, mas é claro que sua jovem empregada terá de receber dinheiro. Conversei com ela por telefone, e ela quer lhe fazer uma visita em breve. Providenciarei para que a senhora fale com ela logo depois de tomar a injeção. Ele desaparece, e o efeito desvanece lentamente. Mais uma vez estou deitada com a cabeça erguida do travesseiro, olhando fixo para meu relógio, e não há mais nada no mundo além do relógio e de mim.

Quando Jabbe veio, eu lhe dei a caderneta que Carl havia deixado sobre a maca na ambulância. Pedi-lhe que pegasse o manuscrito no armário xerife do quarto de Carl e o entregasse à minha editora. Também lhe pedi que ficasse com as crianças até eu voltar para casa, o que ela prometeu fazer. Ficou me observando com seus olhos úmidos e afetuosos, afagou minha mão e me perguntou se eu estava me alimentando. Depois desatou a me falar das crianças, mas não consegui prestar atenção. Por favor, saia agora, Jabbe, pedi, sentindo o suor brotar no corpo inteiro, e diga às crianças que logo estarei recuperada e que não vejo a hora de reencontrá-las. O seu marido, disse ela com temor nos olhos, ele não vai voltar para casa de repente, vai? Não, prometi-lhe, acredito que nunca mais voltará.

Aos poucos, meus tormentos foram se abrandando. Já podia deitar a cabeça no travesseiro sem que as paredes se fechassem sobre minha cama, e parei de olhar constantemente para o relógio. Tiraram o cinto e me deram permissão de ir ao banheiro apoiada numa das enfermeiras. Ao sair do quarto, me deparei com uma grande enfermaria, cujos leitos estavam tão aglomerados que havia apenas uma passagem estreita entre eles. A maioria dos pacientes estava presa com cintos, e alguns calçavam luvas grandes. Olhavam para mim com olhos vazios, vidrados, e eu me agarrei ainda mais à enfermeira. Não tenha medo, minha senhora, disse ela, são apenas pessoas muito doentes. Não fazem mal a ninguém. No entanto, berravam e gritavam, de modo que eu não podia escutar minha própria voz. Mas por que vim parar aqui?, questionei, afinal não sou doente mental. Esta é uma ala de regime fechado, quando a senhora chegou aqui, não poderia ficar em outro lugar. Assim que estiver melhor, por certo será transferida para uma ala de regime aberto. Venha cá, disse ela gentilmente, me conduzindo a uma pia. Lave suas mãos, veja se consegue fazer isso sozinha. Ao levantar a cabeça, olho para meu reflexo no espelho e tapo a boca com a mão a fim de conter um grito. Essa cara não é minha, choro, não sou assim. É impossível. No espelho, vejo um rosto devastado, envelhecido, desconhecido, com pele acinzentada, escamosa, e olhos vermelhos. Pareço ter setenta anos, digo aos prantos, agarrando-me à enfermeira, que encosta minha cabeça no seu ombro: Calma, eu nem pensei nisso, mas não chore, não. Assim que começar a tomar insulina, as coisas vão melhorar. Aí a senhora vai recuperar o peso e parecer uma moça. Prometo. Já vimos isso tantas vezes. De volta na cama, fico contemplando meus braços e minhas pernas de palito, e por um instante me encho de raiva de Carl. Depois me ocorre que eu mesma tenho parte da culpa, e a raiva desaparece.

Cedo na manhã seguinte, deram-me uma injeção de insulina. Tinha dormido mal à noite e caí num cochilo, do qual acordei às nove e meia. Sentindo uma fome de lobo, eu tremia, e pontinhos negros me turvavam a vista. Todo o meu organismo clamava por comida assim como antes havia clamado por petidina, e eu fui correndo até o corredor e chamei uma enfermeira. Seu nome era srta. Ludvigsen. Estou me sentindo mal, disse, será que pode me trazer a comida? Ela me pegou pelo braço e me levou de volta ao quarto. Na verdade, explicou, a refeição só deve ser servida às dez, mas já a trago para a senhora. Não tem problema só dessa vez. Assim que ela chegou com a bandeja, sobre a qual havia um prato cheio de pão de centeio com queijo e pão branco com geleia, antes mesmo de ela conseguir pousá-la, me atirei sobre a comida, enfiando o pão na boca, mastigando, engolindo e avidamente pegando mais, enquanto um bem-estar físico até então desconhecido se espalhou por meu corpo. Nossa, como estou me sentindo bem, exclamei entre dois goles de leite, posso comer quanto quiser? A srta. Ludvigsen deu risada: Sim, prometeu ela, não importa se esvaziar nossa despensa, é uma alegria ver a senhora comer. Ela foi buscar mais comida e, rindo de felicidade, eu me empanturrei. Estou tão contente, disse, agora finalmente acredito que vou ficar boa. A insulina, vocês não vão me tirar, né? Não antes de a senhora ter recuperado seu peso normal, assegurou-me ela, mas isso vai levar algum tempo. Depois vesti uma bata hospitalar e fiquei sentada numa cadeira perto da janela. Lá fora, havia um grande gramado bem cuidado, e entre dois edifícios baixos, vislumbrei uma faixa de ondas azuis com cristas brancas. Era outono, e as folhas secas tinham sido amontoadas em pilhas organizadas pelo gramado. Alguns homens de roupa listrada as juntavam com rastelos, sem grande entusiasmo pelo trabalho. Quando será que posso dar uma volta lá fora?, perguntei à srta. Ludvigsen, enquanto ela penteava meu cabelo. Em breve, prometeu ela, uma de nós pode acompanhá-la. A senhora ainda não está autorizada a sair sozinha.

Seguiu-se um período em que eu conferia meu relógio para ver se já estava na hora de comer. Mal podia esperar as refeições e comia feito um pedreiro. Estava ganhando peso, e eles me pesavam dia sim, dia não. À chegada, eu pesava trinta quilos, mas logo atingi quarenta. Era capaz de andar sem ajuda, e todo dia eu saía ao ar livre e falava pelos cotovelos com a enfermeira sobre tudo e mais um pouco, pois estava de ótimo humor e me dei conta de que geralmente havia me sentido assim no tempo distante e feliz antes de conhecer Carl. Tive autorização de ligar para casa todo dia e também falei com Helle por telefone. Ela estava com seis anos de idade e já frequentava a escola. E disse: Mamãe, por que você não se casa com o papai outra vez? Eu não gostava nem um pouco do papai Carl. Dei risada e falei que talvez fizesse isso, mas não era certo que ele me aceitaria. Ele não bebe mais, disse ela feliz, agora está estudando. Veio aqui ontem com Victor. Victor nos deu balas e caramelos, ele é muito legal. Perguntou se eu ia ser poeta que nem minha mãe.

Uma manhã logo depois de eu ter comido, o dr. Borberg veio me ver. Agora vamos ter uma conversa séria, disse ele e se sentou. Acomodei-me na beirada da cama e olhei para ele com expectativa. Eu me recuperei, disse, estou tão feliz. Então ele me explicou que eu estava perto de atingir a recuperação física, mas que isso era o de menos. Agora vinha o processo de estabilização, e esse levava mais tempo. Eu teria de aprender a viver a vida natural, sóbria, e, lentamente, todas as lembranças da petidina deveriam ser apagadas da minha mente. É fácil, prosseguiu ele, se sentir bem e feliz neste ambiente protegido de hospital, mas, assim que a senhora voltar para casa e enfrentar adversidades — afinal, todos nós enfrentamos —, a tentação surge de novo. Não sei, disse, quando seu marido ficará bem, se é que alguma vez esteve bem, mas a senhora nunca mais poderá vê-lo, aconteça o que acontecer, e tomaremos as providências necessárias para que ele não a procure. Perguntou-me se eu alguma vez tinha consultado outros médicos, e respondi que não. Também perguntou se Carl havia me dado outra coisa além de petidina, e mencionei Butalgin. É igualmente perigoso, enfatizou ele, a senhora nunca mais deve tomar nada disso. Então eu lhe disse que sem dúvida ficaria longe dessas coisas pelo resto da vida, pois nunca me esqueceria dos tormentos horríveis pelos quais passei. Esquecerá, sim, discordou ele com seriedade, esquecerá rapidamente. Se a senhora cair numa tentação desse tipo outra vez, pensará que não haverá problema. Pensará que facilmente poderá manter o controle, e, antes que perceba, estará no atoleiro de novo. Ri despreocupada: O senhor não confia muito em mim, falei. Tivemos experiências tão tristes com toxicodependentes, lamentou ele em voz grave, é apenas um em cada cem que se recupera de fato. Então sorriu e me deu um tapinha afetuoso no ombro. Mas às vezes penso que a senhora é essa pessoa, porque seu caso é tão único, e porque a senhora, diferentemente de tantos outros, tem algo a mais pelo que viver. Antes de ir embora, me concedeu a liberdade de uso do terreno, o que significava que uma hora por dia eu podia passear sozinha no jardim.

 O tempo passou, e eu me sentia em casa, andando na minha ala e pelo belo jardim, onde de vez em quando batia um papo com outros pacientes que estavam passeando. Eu me apeguei tanto à equipe que rejeitei uma oferta de ser transferida para uma ala melhor. Jabbe me trouxe a máquina de escrever e minha roupa, que se achava em estado deplorável, pois havia anos eu não comprava uma peça nova. Ela também me arranjou dinheiro, e um dia recebi autorização de ir sozinha a Vordingborg para comprar um casaco de inverno. Eu tinha apenas minha velha e leve gabardina da época de Ebbe. Fui à cidade no fim da tarde. O crepúsculo estava por vir, e algumas estrelas pálidas despontavam no céu, ofuscadas pelas luzes da cidade. Com a mente calma e feliz, meus pensamentos giravam, como sempre nesse período, em torno de Ebbe. Pensei nas palavras de Helle: Mamãe, por que você não se casa com o papai outra vez? Eu havia iniciado muitas cartas para ele, mas elas sempre acabavam no cesto de lixo. Eu lhe causara tanto sofrimento desnecessário, e ele jamais entenderia completamente por quê.

Depois de comprar e vestir o casaco, voltei pela rua principal, sem parar para olhar as vitrines das lojas. Estava com fome e não via a hora de jantar. Então, uma vitrine de farmácia bem iluminada de repente chamou minha atenção. Emanava suaves vislumbres de recipientes de mercúrio e cilindros de vidro cheios de cristais. Fiquei parada ali em frente por um bom tempo, enquanto o anseio por uns comprimidos pequenos e brancos, tão fáceis de conseguir, surgiu em meu interior feito um líquido escuro. Horrorizada, descobri que aquilo estava instalado dentro de mim como a carcoma no tronco de uma árvore, ou como um feto que cresce e vive sua própria vida, mesmo que você não o queira. Relutantemente, desprendi-me e continuei a caminhar sem pressa. O vento forte soprou minhas longas madeixas sobre o rosto, e eu as afastei com um gesto irritado. Pensei nas palavras de Borberg: Se a senhora cair em tentação outra vez... Quando cheguei ao meu quarto, peguei uma folha de papel de datilografia e fiquei olhando fixamente para ela. Seria muito simples recortá-la com uma tesoura, escrever uma receita de Butalgin, ir à farmácia e retirar os comprimidos. Logo pensei em tudo o que fizeram por mim neste lugar, com quanta sinceridade comemoraram minha recuperação, e senti que não podia fazer isso com eles. Não enquanto estivesse aqui. Fui ao banheiro, criei coragem e me olhei no espelho. Não havia feito isso desde aquele dia em que fiquei tão horrorizada com minha aparência. Sorri feliz para mim mesma, sentindo minhas bochechas cheias e lisas. Meus olhos estavam límpidos, meu cabelo, lustroso. Não parecia ter nem um dia a mais do que a idade que tinha. Mas quando estava na cama depois de tomar meu cloral, fiquei um longo tempo acordada visualizando a vitrine da farmácia. Pensei em como havia trabalhado bem sob o efeito de Butalgin, e que era só uma questão de não aumentar a dose. Não fazia mal tomar esse tipo de coisa de vez em quando, desde que tivesse cuidado para não perder o controle. Em seguida, lembrei-me dos intermináveis tormentos durante a desintoxicação e pensei: não, nunca mais. No dia seguinte, escrevi para Ebbe perguntando se ele poderia vir me visitar. Alguns dias mais tarde, chegou sua resposta. Escreveu que, se eu o tivesse chamado uns dois meses antes, teria ido imediatamente, mas agora encontrara outra mulher, e tudo estava começando a melhorar para ele. Você não pode, dizia ele na carta, abandonar uma pessoa durante cinco anos e esperar encontrá-la no mesmo lugar quando voltar.

Chorei ao ler a carta. Nenhum homem jamais havia me rejeitado. Depois pensei na casa na Ewaldsbakken, no jardim negligenciado e em meus três filhos que já não conheciam sua mãe, assim como eu achava que não os conhecia. Eu estava indo para casa, onde ficaria a sós com eles e Jabbe, e me parecia que eu não prestava para isso. Durante o resto de minha estadia em Oringe, nunca mais voltei à cidade, para evitar rever aquela vitrine de farmácia.

7.

Quando retorno à casa na Ewaldsbakken, é primavera. Os jardins exalam o perfume de forsítias e laburnos, que pendem sobre as cercas vivas ao longo da estreita estrada de terra. Jabbe preparou uma mesa festiva com chocolate quente e rosca caseira, e as crianças estão em volta dela, limpas e bem-vestidas. No centro da mesa, encostado a um vaso de flores, há um cartaz de cartolina que diz, em letras maiúsculas um tanto tortas: Bem-Vinda a Casa, Mamãe. Helle me conta que foi ela que fez o cartaz. Ela me olha com seus olhos oblíquos de Ebbe, enquanto aguarda meu elogio. Os dois pequenos estão quietos e tímidos, e quando faço menção de afagar a cabeça de Trine, a pequena estranha no ninho, ela afasta minha mão e se encosta em Jabbe. Mas você não está reconhecendo sua própria mãe?, diz Jabbe em tom de censura. Penso no fato de que foi Jabbe quem lhes guiou o primeiro passo, Jabbe quem balbuciou com eles, soprou seus arranhões e os ninou à noite. Somente Helle ainda me é próxima e fala comigo como se nunca tivesse havido uma separação. Conta-me que seu pai se casou de novo, com uma mulher que escreve poesia como eu. Mas você é muito mais bonita, acrescenta ela com lealdade, e Jabbe ri, enquanto enche minha xícara. Sua mãe, diz ela, está tão bonita quanto no dia em que a vi pela primeira vez. Depois de pôr as crianças na cama, fico acordada conversando com Jabbe até tarde. Ela comprou uma garrafa de licor de cassis que dividimos, e dentro de mim uma indefinível saudade se dissipa um pouco. É melhor um copinho de vez em quando, observa Jabbe, com as faces coradas e os olhos mais brilhantes que de costume, do que toda aquela porcaria que seu marido enfiava na senhora. Então, digo, a senhorita quer fazer de mim uma alcoólatra? Parece que estou saltando da frigideira para o fogo. Damos risada as duas, e combinamos que ela folgará todas as tardes de quarta-feira e em fins de semana alternados. Afinal, a coitada não tira um dia de folga há anos. Ela me pergunta o que fazer da vida, e sugiro que ponha um anúncio nos classificados do jornal para procurar um marido. Vou fazer a mesma coisa. O ser humano não foi feito para viver só, afirmo. Busco papel e lápis, e nos divertimos muito elaborando dois anúncios, onde nos retratamos como donas de todas as qualidades que um homem possa desejar. Ficamos tontinhas, e já são altas horas quando subo para meu quarto. Jabbe o enfeitou com flores frescas, mas a recordação de tudo o que passei neste lugar me invade por um instante, de modo que me deito na cama ainda vestida. Parece-me que vejo a sombra de um vulto que cata grãos de poeira enquanto murmura coisas ininteligíveis consigo mesmo. Onde será que ele está agora? Vou até a janela, abro-a e me debruço sobre o parapeito. É uma noite estrelada. A cauda da Ursa Maior está apontando diretamente para mim, e lá na rua mal iluminada caminha um casal de jovens muito abraçados. Sob o poste de luz, eles param e se beijam. Depressa fecho a janela, com a mesma sensação de quando era casada com Viggo F. e o mundo inteiro estava repleto de casais de namorados. Com o coração pesado, tiro a roupa e vou para a cama. Então me ocorre que esqueci o leite para tomar com meu cloral. No hospital, deram-me um frasco e, quando acabar, o dr. Borberg me mandará uma nova receita. Não quer que eu consulte outros médicos. Ao se despedir de mim, ele disse que era para eu lhe telefonar se tivesse algum problema, ou, em todo caso, para deixá-lo a par de minha evolução. Busco o leite na cozinha e volto para a cama. Concedo-me três doses em vez das duas que costumam me dar, e enquanto o efeito sedativo se espalha pelo corpo, penso que é primavera, que ainda sou nova, e que nenhum homem está apaixonado por mim. Espontaneamente, eu me abraço amassando o travesseiro, apertando-o contra o peito como se fosse um ser vivo.

Os dias passam de forma ritmada e regular, estou sempre com Jabbe e as crianças. Ficar sozinha no meu quarto me entristece, e não tenho mais vontade de escrever. Os pequenos se acostumam comigo, acabam correndo tanto para mim como para Jabbe. Jabbe me diz que devo sair um pouco para ver outras pessoas. Ela quer que eu volte a procurar meus amigos e minha família, mas algo me segura, talvez o velho medo de que alguém descubra o que acontece em minha casa. Certa manhã acordo tristérrima. Ouço a chuva cair lá fora, e o quarto se enche de uma luz cinzenta e deprimente. A vitrine da farmácia de Vordingborg surge na minha mente com nitidez, como se a tivesse visto não uma, mas cem vezes. Olho para a pilha de papel em cima de minha mesa. Somente dois, penso, dois toda manhã, nunca mais que isso. Que mal fariam? Saio da cama e estremeço indisposta. Aí me sento à escrivaninha, pego uma tesoura e recorto um retângulo de uma folha. Preencho-o cuidadosamente, visto a roupa e digo a Jabbe que farei uma caminhada matinal. Assinei com o nome de Carl, e tenho certeza absoluta de que ele, onde quer que esteja no mundo, me protegerá se for necessário. Ao chegar em casa, tomo dois comprimidos e fico um pouco parada, olhando para o vidro. Eu me concedi duzentos. Penso em meus tormentos durante a desintoxicação e ouço, em meu interior, a voz de Borberg ao longe: Esquecerá rapidamente. De repente fico com medo de mim mesma e tranco os comprimidos no armário xerife. Sem saber por quê, guardo a chave bem embaixo do meu colchão. Quando o efeito se instala, sou invadida por tanta alegria e disposição que me sento à máquina de escrever e componho a primeira estrofe de um poema sobre o qual há tempo penso em trabalhar. A primeira estrofe sempre me chega de graça. Assim que finalizo o poema e me dou por satisfeita, fico com uma imensa vontade de conversar com o dr. Borberg. Ligo para ele, e ele me pergunta como estou. Muito bem, digo, o céu está tão azul, e a grama está muito mais verde do que normalmente. Há uma pausa no telefone. Então ele diz com rispidez: Escute aqui, o que a senhora tomou? Nada, minto, só estou me sentindo bem. Por que o senhor está perguntando? Esqueça, diz ele com uma risada, sou desconfiado por natureza, só isso. Desço até a cozinha e ajudo Jabbe a descascar as batatas, enquanto as crianças correm a nossa volta. É domingo, portanto Helle não está na escola. Tomamos café à mesa da cozinha, e em seguida levo as crianças para o seu quarto, onde leio alguns contos dos irmãos Grimm para elas. Depois do almoço fico tão triste e absorta que Jabbe, preocupada, me pergunta se há algo de errado. Não, respondo, só quero tirar uma sesta. Subo e me deito, olhando para o teto com os braços sob a cabeça. Mais dois, penso, mal não vão fazer, considerando quantos eu ingeria antigamente. Ao entrar no quarto de Carl, percebo que a chave não está no armário xerife. Onde a posso ter deixado, meu Deus? Não consigo me lembrar, e de repente entro em pânico. O suor de angústia brota nas minhas axilas, enquanto reviro tudo no quarto. Procuro feito louca, pensando que é domingo. Suponho que a farmácia esteja fechada.

Esvazio todas as gavetas da escrivaninha sobre a mesa, viro-as, batendo no fundo de cada uma, mas a chave não está ali. Preciso daqueles dois comprimidos, apenas mais dois, esse é meu único pensamento. Desço ao térreo. Jabbe, digo, aconteceu uma coisa terrível, a chave do armário xerife sumiu, e tenho lá dentro alguns papéis de que preciso urgentemente. Não posso esperar até amanhã. Então Jabbe, sempre prática, sugere que chamemos um chaveiro, ela já fez isso uma vez quando havia se trancado do lado de fora. Estão disponíveis dia e noite, ela sabe, e logo passa a consultar a lista telefônica, onde encontra o número para mim. Corro até o telefone lá em cima e explico ao homem que sumiu a chave de um armário. Dentro do armário, há um remédio importantíssimo que eu preciso pegar com urgência. Ele chega sem demora e destrava a fechadura. Pronto, minha senhora, o problema está resolvido. São vinte e cinco coroas. Depois que ele vai embora, tomo quatro comprimidos, pensando com a parte lúcida e perspicaz de minha mente que agora enfiei o pé na jaca de novo e será preciso um milagre para me parar. Entretanto, no dia seguinte tomo apenas dois de manhã, tal como me propus a fazer e, mais tarde, quando a tentação me sobrevém, parece que basta ficar com o vidro na mão. Ele está ali, não desaparece, é meu, e ninguém pode tirá-lo de mim.

Algumas noites depois, acordo com o toque do telefone. Oi, diz uma voz turva, aqui é Arne. Sinne está em Londres, e quando ela voltar, vamos nos divorciar. Mas não é isso. Eu e Victor estamos tomando umas biritas aqui em casa, e agora ficamos com vontade de te visitar. Afinal, não tem cabimento você nunca ter conhecido Victor. Podemos ir aí agora? Não, respondo irritada, me deixe dormir. Que tal amanhã, então, à luz do dia?, insiste Arne, e para me livrar dele digo que sim. De volta na cama e depois de tirar o telefone da tomada, lembro que amanhã é o dia de folga de Jabbe. Tomara que não liguem de novo. De manhã, já me esqueci de tudo e engulo meus dois comprimidos antes de descer e tomar o café da manhã com Jabbe e as crianças. Por volta da hora do almoço, Jabbe sai, e Arne me telefona de novo, ainda mais bêbado que na noite anterior. Estamos aqui no Den Grønne, curtindo uma cervejinha tranquila. Estaremos aí em meia hora. Depois de desligar, subi e tomei quatro comprimidos para ter algo que me sustentasse. Em seguida, vesti os pequenos e passeei com eles na rua. Era o mês de julho, e eu estava usando um vestido azul de verão que havia saído para comprar com Jabbe. Quando voltávamos para casa, um táxi passou por nós, e pelo vidro vi o rosto embriagado e redondo de Arne ao lado de outro rosto, cujas feições não consegui distinguir. O carro chegou antes de nós, e os dois homens desceram com os braços cheios de garrafas. Oi, Tove, gritou Arne, aqui estou com Victor. Cumprimentei ambos, e o que se chamava Victor beijou minha mão. Ele parecia quase sóbrio, e assim que o vi minha irritação desapareceu por completo. Soltei as mãos das crianças, e elas correram para dentro de casa. Por causa do sol, não consegui enxergar os olhos dele, mas sua boca tinha o mais belo arco do cupido que já vi. Sua figura inteira emanava uma espécie de vitalidade desgrenhada e demoníaca que me fascinava totalmente. Eu os convidei a entrar, e Arne de imediato desabou na cama de Carl. Pedi a Helle que cuidasse dos pequenos por um momento, e em seguida subi ao meu quarto com Victor. Ele se sentou e me olhou por um longo tempo sem dizer nada. Sentei-me em outra cadeira, e meu coração batia alopradamente. Eu estava cheia de uma mistura de felicidade e medo a um só tempo, medo, como quando era criança e minha mãe chorava: Vou fugir de tudo, e eu e meu irmão não sabíamos o que seria de nós dois. Victor se ajoelhou diante de mim e começou a acariciar meus tornozelos. Eu te amo, declarou, amo seus poemas. Há anos anseio por te conhecer. Ele virou o rosto, erguendo-o para mim, e eu disse:

Até agora sempre achei que era mentira essa história de amor à primeira vista. Segurei sua cabeça e beijei seus lindos lábios. Embaixo de seus olhos cansados, havia sombras profundas, esfumaçadas, e dois sulcos corriam por suas faces como se fossem marcas de lágrimas. Era um rosto repleto de sofrimento e paixão. Não me deixe, disse eu com veemência, nunca mais me deixe. Era algo estranho de dizer a uma pessoa que você vê pela primeira vez, mas Victor não parecia surpreso com minhas palavras. Não vou, prometeu, me puxando para perto dele, nunca mais vou te deixar. Depois descemos para as crianças, que conheciam Victor de visitas anteriores, enquanto eu estava em Oringe. Olhe, Helle, disse ele, aqui tem dez coroas, vá lá comprar balas vermelhas para vocês três. Quando estávamos comendo, Helle olhou encantada para Victor e falou: Mãe, você não pode se casar com ele, assim teremos um pai em casa outra vez? Victor riu e disse: Vou pensar nisso.

Estou loucamente apaixonada por você, confessei feliz, quando estávamos de volta na minha cama. Vai passar a noite inteira aqui? Sim, a vida inteira, disse ele, sorrindo com seus dentes branquinhos. E a sua esposa?, perguntei. Temos o direito do amor do nosso lado, afirmou ele. Aquele direito, disse eu beijando-o, é sempre o direito de magoar os outros. Nós nos amamos e conversamos a maior parte da noite. Ele me falou de sua infância, que lembrava a de Ebbe, mas ainda assim era como se eu ouvisse a história pela primeira vez. Contei-lhe sobre os cinco anos de insanidade com Carl e sobre minha internação em Oringe. Eu não sabia que era possível ficar tão doente por ser toxicodependente, disse ele surpreso. Achava que era simplesmente como quando a gente toma cerveja. Afinal, é preciso ter algo para poder aguentar a vida. Enfim ele adormeceu, e fiquei contemplando seu rosto, as belas asas do nariz e a boca perfeita. Lembrei-me daquela vez que eu disse a Jabbe: Imagine ser capaz de sentir algo por alguém. Agora eu tinha essa capacidade, e era a primeira vez desde que conhecera Ebbe. Não estava mais sozinha, e senti que não era conversa de bêbado quando ele me disse que ficaria comigo a vida inteira. Tomei meu cloral e me acheguei ainda mais a ele. Seu cabelo loiro tinha o cheiro do cabelo de uma criança que acaba de chegar em casa depois de brincar na grama ao sol.

8.

Seguiu-se um período em que Victor e eu estávamos quase sempre juntos. Ele só ia para sua própria casa quando queria que a esposa lavasse e passasse uma camisa sua, e, rindo, eu disse que talvez esse fosse meu destino dali a muitos anos. Ele tinha uma filhinha de quatro anos a quem adorava e de quem falava muito. Faltava ao trabalho a cada dois dias e, quando aparecia lá, conversávamos por telefone de hora em hora. Era formado em economia como Ebbe e, assim como ele, se interessava mais por literatura. Andava de um lado para outro no meu quarto, encarnando o príncipe Andrei de *Guerra e paz* de Tolstói ou D'Artagnan de *Os três mosqueteiros*. Esgrimia no ar uma espada imaginária, representando grandes cenas de batalha nas quais fazia o papel de todas as personagens. Sua figura esbelta se movimentava pelo quarto, enquanto as passagens de texto fluíam de seus lábios até que, exausto, se jogava na cama rindo. Nasci na época errada, disse ele, com uns dois séculos de atraso. Mas se tivesse nascido no momento certo, não teria te conhecido. Ele me tomava em seus braços, e esquecíamos o resto do mundo. Mal havíamos saciado nosso desejo, logo este se reacendia, e mais uma vez as crianças eram confiadas inteiramente aos cuidados de Jabbe. Esse é o lado terrível do amor, disse eu, ficamos indiferentes aos outros. Tem razão, concordou ele, e depois acaba sempre doendo pra caramba. Um dia ele chegou feliz com a notícia de que sua esposa tinha pedido o divórcio. Logo, ele se mudou para minha casa, sem trazer nada seu além de roupa e livros. Não ligava para coisas materiais. Mais ou menos a essa mesma altura, recebi um telefonema de um advogado que fora contratado por Carl para tratar do nosso divórcio. Explicou-me que Carl queria vender a casa para poder receber metade do valor. Então vamos vendê-la, declarou Victor, decerto encontraremos outro lugar para morar.

No entanto, uma sombra caiu sobre nossos dias de felicidade, sem que Victor ainda a houvesse avistado. Eu tomava cada vez mais comprimidos de Butalgin, por medo de adoecer se parasse. Como perdi o apetite e emagreci, Victor disse que eu parecia uma gazela cujo destino era ser comida pelo leão. Eu tomava os comprimidos de forma aleatória e irregular, nunca descobrindo ao certo a quantidade, pequena ou grande, de que precisava. Uma vez ou outra sentia vontade de telefonar para Borberg e lhe contar tudo. Com frequência, também me senti tentada a me abrir com Victor, mas desisti por um indecifrável medo de perdê-lo.

Cedo numa manhã de domingo, pedalamos até Dyrehaven para tomar café num pequeno restaurante que ficava longe de tudo, e do qual havíamos nos tornado habitués. Antes de sairmos de casa, eu tinha tomado quatro comprimidos de Butalgin, mas esqueci de levar o vidro comigo. Sentados à mesa, ficamos olhando nos olhos um do outro, e o garçom sorriu para nós com condescendência. Só Deus sabe o que está pensando, comentei. Victor riu. Bem, você sabe, disse ele, que não há nada tão ridículo quanto a paixão alheia. Está simplesmente se divertindo à nossa custa. Pôs sua mão sobre a minha. Você parece uma odalisca, disse, sendo obrigado a me explicar o que era uma odalisca. O céu estava ininterruptamente azul, e o canto dos pássaros era tingido por uma alegria primaveril especial. Na toalha xadrez vermelha, uma verdelha estava pousada bicando migalhas, e o momento se gravou silenciosamente em minha memória como algo que sempre poderia ser retirado e revivido, não importava o que acontecesse depois. Fizemos uma caminhada pela floresta de mãos dadas, e contei a Victor sobre meu casamento com Viggo F., e como na época não aguentava ver jovens casais apaixonados. O tempo passou voando, e Victor sugeriu que voltássemos ao restaurante para almoçar. De repente, um calafrio se apoderou de mim como de emboscada, e eu sabia o que significava. Soltei a mão de Victor. Não, disse, prefiro voltar para casa. Ai, não, implorou ele surpreso e um tanto apreensivo, vamos aproveitar este momento, não tem por que correr para casa. Fiquei ali parada, me abraçando como que para me aquecer e me manter aquecida. Senti água na boca e estava prestes a vomitar. De repente, eu disse: Escuta, tenho uns comprimidos lá em casa que preciso tomar com urgência. Não posso ficar sem. Deixe-me ir para casa, por favor. Preocupado, ele me perguntou de que tipo de comprimidos se tratava, e respondi que o nome não significaria nada para ele. Então você ainda é toxicodependente, concluiu aflito, achei que eu te bastasse. Enquanto voltávamos pedalando para casa, eu lhe disse que pretendia baixar a dose aos poucos, porque queria muito me livrar daquilo. Ele bastava para mim, só que fisicamente eu não conseguia ficar sem a droga. Também lhe prometi, enquanto pedalava depressa, que telefonaria para o dr. Borberg a fim de perguntar o que fazer. Assim que chegarmos em casa, você terá de fazer isso, determinou Victor com uma autoridade que antes eu não tinha visto nele. Chegamos em casa, e eu tomei quatro comprimidos. Em seguida, liguei para o dr. Borberg. Estou apaixonada, disse, estamos morando juntos, ele se chama Victor. Pelo amor de Deus, espero que ele não seja médico, exclamou Borberg. Então lhe contei sobre as receitas falsas e que queria muito parar mas não conseguia administrar aquilo sozinha. Ele ficou calado por um momento. Deixe-me falar com Victor, disse laconicamente. Passei o telefone a Victor, e Borberg conversou com ele por uma hora. Explicou-lhe o que é a toxicodependência, e qual seria a batalha que enfrentaria se me amasse. Ao desligar, Victor parecia transformado. Seu rosto irradiava uma determinação fria, implacável, e ele me estendeu a mão. Me dê esses comprimidos, exigiu. Assustada, fui buscá-los, e ele os colocou no bolso. Você ganhará dois por dia, nem mais nem menos. E quando não tiver mais, paramos. Chega de receitas falsas. Se eu descobrir que você passou mais uma que seja, não quero mais te ver na minha frente. Mas você já não me ama?, perguntei chorando. Sim, respondeu ele com brevidade, é justamente por isso.

Nos dias que se seguiram, senti-me péssima. Depois passou, e ambos estávamos muito felizes. Agora acabou de vez, prometi a ele, você é mais valioso para mim do que todos os comprimidos do mundo. Vendemos a casa e nos mudamos com Jabbe e a criançada para um apartamento de quatro quartos em Frederiksberg.

Certa noite, no meio do outono, Helle adoeceu. Ela entrou no nosso quarto e subiu na cama tremendo de febre. Tinha dor de garganta, e medi sua temperatura, que estava acima de quarenta graus. Perguntei a Victor o que deveríamos fazer, e ele disse que chamaria um médico noturno. Meia hora depois, o médico chegou. Era um homem grande, simpático, que examinou a garganta de Helle e passou uma receita de comprimidos de penicilina. As crianças têm febre com mais facilidade que os adultos, explicou, mas por precaução lhe darei uma injeção agora mesmo. Assim que ele abriu sua maleta médica, vi seringas e caixas de ampolas, e meu anseio por petidina, que eu julgava tão bem enterrado, apoderou-se de minha mente com força incontrolável. Victor sempre adormecia antes de mim, e seu sono era pesado. Na noite seguinte, saí da cama na ponta dos pés e fui para a sala, onde tirei com cuidado o fone do gancho. Disquei o número do pronto-socorro e, com as pernas dobradas, me pus a esperar numa poltrona. Tinha deixado a porta de entrada aberta, para evitar que tocassem a campainha. Estava morrendo de medo de que Victor me flagrasse, mas aquilo que me impelia era mais forte que o medo. Quando o médico apareceu, eu disse que estava com uma dor de ouvido insuportável, e ele examinou meu ouvido operado. A senhora tolera morfina?, perguntou. Não, respondi, me faz vomitar. Então lhe darei outra coisa, disse ele, enchendo a seringa. Pedi aos céus que fosse petidina. Era, e eu voltei a me deitar ao lado de Victor adormecido, enquanto a velha sensação de doçura e deleite se espalhava por meu corpo todo. Feliz e imprudente, pensei que poderia fazer isso quantas vezes quisesse. O risco de ser flagrada era pequeno.

No entanto, algumas noites mais tarde, quando o médico noturno estava retirando a seringa, Victor apareceu de repente na sala. Que diabos está acontecendo aqui?, esbravejou ele para o médico assustado. Ela não tem nada, saia daqui já e nunca mais ponha os pés nesta casa. Assim que o médico se foi, Victor agarrou meus ombros com tanta força que me machucou. Sua diabinha desgraçada, rosnou, se fizer isso mais uma vez, eu te abandono imediatamente.

Mas ele não o fez, nunca me abandonou. Lutou contra seu terrível rival com uma paixão inextinguível e uma fúria que me aterrorizava. Quando estava prestes a se render, ele ligava para o dr. Borberg, cujas palavras lhe davam força. Fui obrigada a desistir dos médicos noturnos, pois Victor agora mal ousava dormir. No entanto, quando ele estava no trabalho, eu procurava outros médicos e, com facilidade, fiz com que me dessem a injeção.

A fim de me proteger, eu contava para Victor à noite. Ele telefonava para uma série de médicos, ameaçando denunciá-los à Administração da Saúde Pública, e assim impedindo que eu os consultasse. Porém, com minha ávida fome por petidina, eu sempre encontrava outros. Não comia nada, estava perdendo peso de novo, e Jabbe se preocupava profundamente com minha saúde. O dr. Borberg disse a Victor que, se continuasse assim, eu teria que ser internada de novo, mas lhe implorei que me deixasse ficar em casa. Eu jurava que me emendaria, mas quebrava minhas promessas repetidas vezes. Afinal, Borberg disse a Victor que a única solução sustentável seria nos mudarmos de Copenhagen. Àquela altura, não tínhamos muito dinheiro, todavia conseguimos um empréstimo com a editora Hasselbalch e compramos uma casa em Birkerød. Havia cinco médicos na cidade, e Victor imediatamente os procurou, proibindo-os de ter qualquer interação comigo. Enfim, impossibilitada de ter acesso à droga, aos poucos aprendi a me conformar com a existência. Nós nos amávamos, e nos bastava termos um ao outro e às crianças. Retomei a escrita, e sempre que a realidade me parecia um grão de areia no olho, eu comprava uma garrafa de vinho tinto que dividia com Victor. Tinha sido resgatada de minha longa toxicodependência, mas até hoje o velho desejo desperta de leve dentro de mim toda vez que preciso fazer um exame de sangue, ou quando passo por uma vitrine de farmácia. Enquanto estiver viva, ele nunca morrerá por completo.

1ª EDIÇÃO [2023] 4 reimpressões

ESTA OBRA FOI COMPOSTA PELO ACQUA ESTÚDIO EM ELECTRA
E IMPRESSA EM OFSETE PELA LIS GRÁFICA SOBRE PAPEL PÓLEN DA
SUZANO S.A. PARA A EDITORA SCHWARCZ EM NOVEMBRO DE 2024

A marca FSC® é a garantia de que a madeira utilizada na fabricação do papel deste livro provém de florestas que foram gerenciadas de maneira ambientalmente correta, socialmente justa e economicamente viável, além de outras fontes de origem controlada.